A Princesa de Rosa-shocking
+
A Princesa em treinamento

Obras da autora publicadas pela Editora Record:

Avalon High
Avalon High – A coroação: a profecia de Merlin
Cabeça de vento
Sendo Nikki
Como ser popular
Ela foi até o fim
A garota americana
Quase pronta
O garoto da casa ao lado
Garoto encontra garota
Todo garoto tem
Ídolo teen
Pegando fogo!
A rainha da fofoca
A rainha da fofoca em Nova York
A rainha da fofoca: fisgada
Sorte ou azar?
Liberte meu coração
Insaciável
Mordida
Sem julgamentos

Série O Diário da Princesa
O diário da princesa
A princesa sob os holofotes
A princesa apaixonada
A princesa à espera
A princesa de rosa-shocking
A princesa em treinamento
A princesa na balada
A princesa no limite
Princesa Mia
Princesa para sempre
Lições de princesa
O presente da princesa
O casamento da princesa

Série Heather Wells
Tamanho 42 não é gorda
Tamanho 44 também não é gorda
Tamanho não importa
Tamanho 42 e pronta para arrasar
A noiva é tamanho 42

Série A Mediadora
A terra das sombras
O arcano nove
Reunião
A hora mais sombria
Assombrado
Crepúsculo
Lembrança

Série As leis de Allie Finkle para meninas
Dia da mudança
A garota nova
Melhores amigas para sempre?
Medo de palco
Garotas, glitter e a grande fraude
De volta ao presente

Série Desaparecidos
Quando cai o raio
Codinome Cassandra
Esconderijo perfeito
Santuário

Série Abandono
Abandono
Inferno
Despertar

Série Diário de uma Princesa Improvável
Diário de uma princesa improvável
Desastre no casamento real

meg cabot

A Princesa de Rosa-shocking
+
A Princesa em treinamento

Tradução
Ana Ban

2ª edição

— **Galera** —

RIO DE JANEIRO
2025

REVISÃO
Renato Carvalho

CAPA
Isadora Zeferino

TÍTULO ORIGINAL
Princess in pink
Princess in training

CIP-BRASIL. CATALOGAÇÃO NA PUBLICAÇÃO
SINDICATO NACIONAL DOS EDITORES DE LIVROS, RJ

C116p Cabot, Meg, 1967-
    Princesa de rosa-shocking ; Princesa em treinamento / Meg Cabot ; tradução Ana Ban. – 2. ed. – Rio de Janeiro : Galera Record, 2025.
    (O diário da princesa ; 5 , 6)

    Tradução de: Princess in pink ; Princess in training
    ISBN 978-65-5981-140-3

    1. Ficção. 2. Literatura infantojuvenil americana. I. Ban, Ana. II. Título: Princesa em treinamento. III. Título. IV. Série.

22-76667
                            CDD: 808.899282
                            CDU: 82-93(73)

Meri Gleice Rodrigues de Souza – Bibliotecária – CRB-7/6439

Copyright © 2022 Meg Cabot, LLC.

Todos os direitos reservados.
Proibida a reprodução, no todo ou em parte, através de quaisquer meios.
Os direitos morais do autor foram assegurados.

Texto revisado segundo o novo Acordo Ortográfico da Língua Portuguesa.

Direitos exclusivos de publicação em língua portuguesa somente para o Brasil adquiridos pela
EDITORA RECORD LTDA.
Rua Argentina, 171 - Rio de Janeiro, RJ - 20921-380 - Tel.: (21) 2585-2000,
que se reserva a propriedade literária desta tradução.

Impresso no Brasil

ISBN 978-65-5981-140-3

Seja um leitor preferencial Record.
Cadastre-se e receba informações sobre nossos
lançamentos e nossas promoções.

Atendimento e venda direta ao leitor:
sac@record.com.br

A Princesa de Rosa-shocking

Para Abigail McAden,
que sempre fica
linda de rosa-shocking

Agradecimentos

Muito obrigada a Beth Ader, Jennifer Brown, Victoria Ingham, Michele Jaffe, Laura Langlie, Abigail McAden, Colleen O'Connell, June O'Neil, Lisa Russell e, especialmente, Benjamin Egnatz.

"Uma vez eu vi uma princesa (...), ela era toda cor-de-rosa: o vestido, a capa, as flores e tudo."

A Princesinha
Frances Hodgson Burnett

O ÁTOMO

O jornal oficial dos alunos da Escola Albert Einstein
Torça pelos Leões da EAE

Semana de 5 de maio   Volume 45/Edição 17

Vencedores da feira de ciências
Por Rafael Menendez

Os alunos de ciências inscreveram 21 projetos na Feira de Ciências da Escola Albert Einstein. Vários deles foram selecionados para participar da competição regional de Nova York, que acontecerá no mês que vem. Judith Gershner, aluna do último ano, recebeu o grande prêmio por exibir o genoma humano. A menção honrosa foi conferida a Michael Moscovitz, aluno do último ano, pelo programa de computador que desenvolveu para simular a morte de uma estrela anã, e para o aluno do primeiro ano Kenneth Showalter, por suas experiências com transfiguração de sexo em lagartixas.

Vitória do time de lacrosse
Por Ai-Lin Hong

Os times principal e principal júnior de lacrosse venceram seus adversários no último fim de semana. Josh Richter, aluno do último ano, liderou o time principal em uma vitória surpreendente sobre a escola Dwight, por 7 a 6 na prorrogação. O time júnior derrotou a Dwight por 8 a 0. As partidas, bem animadas, foram atrapalhadas por um esquilo estranhamente agressivo do Central Park, que não parava de correr pelo campo. No final, foi enxotado pela diretora Gupta.

A princesa da EAE passa as férias de primavera construindo moradias para a população carente dos Apalaches
Por Melanie Greenbaum

As férias de primavera foram um período de trabalho para Mia Thermopolis, aluna do primeiro ano da EAE. Ela que é, como foi revelado no ano passado, a única herdeira do trono de Genovia, passou seus cinco dias de folga ajudando a construir moradias para o projeto Casas para Quem Tem Esperança. "Foi legal. Só não gostei do negócio de não ter banheiro por lá. E também da parte em que martelei meu dedão várias vezes", declarou a princesa a respeito de sua viagem até o sopé das montanhas Smoky para ajudar na construção de casas de dois quartos para a população carente.

Semana do Último Ano
Por Josh Richter
Representante da turma do último ano

A semana de 5 a 10 de maio é a Semana do Último Ano. Chegou a hora de homenagear a turma que está se formando na EAE, que se esforçou muito para demonstrar liderança durante todo o ano letivo. O calendário da Semana do Último Ano é o seguinte:

Segunda
Banquete da premiação do último ano

Terça
Banquete dos esportes do último ano

Quarta
Debate do último ano

Quinta
Noite de esquetes do último ano

Sexta
Dia de matar aula do último ano

Sábado
Baile de formatura do último ano

OBSERVAÇÃO DA DIRETORA:
O "Dia de matar aula do último ano" é um evento que não conta com a aprovação da diretoria da escola. Todos os alunos têm obrigação de assistir às aulas na sexta-feira, dia 9 de maio. Além disso, foi negado o pedido de alguns alunos das outras séries para que tivessem a permissão de comparecer ao baile de formatura sem terem sido convidados por um aluno do último ano.

Aviso para todos os alunos:

Chegou ao conhecimento da diretoria que muitos alunos parecem não saber a letra adequada do Hino Oficial da EAE. O texto é o seguinte:

Leões Einstein, torcemos por vocês
Vamos lá, sejam corajosos, vamos lá
sejam corajosos, vamos lá, sejam corajosos
Leões Einstein, torcemos por vocês
Azul e dourado, azul e dourado,
azul e dourado
Leões Einstein, torcemos por vocês
Temos um time que ninguém mais
jamais poderá domar
Leões Einstein, torcemos por vocês
Vamos ganhar o jogo!

É favor observar que, durante a formatura deste ano, qualquer aluno que for pego cantando uma letra alternativa — particularmente pornográfica e/ou sugestiva — para o Hino Oficial da EAE será retirado do recinto. Reclamações sobre o conteúdo possivelmente militarista demais da música devem ser submetidas por escrito à diretoria da EAE, e não rabiscadas nas portas dos banheiros nem discutidas em programas de TV de alunos em canal a cabo.

Cartas ao editor:

A quem possa interessar:
  O artigo de Melanie Greenbaum na edição do *Átomo* da semana passada sobre os avanços do movimento

feminista nas últimas três décadas é risível de tão superficial. A discriminação sexual continua viva e ativa, não só no mundo todo como também aqui nos EUA, nosso próprio país. No estado do Utah, por exemplo, há inúmeros casamentos poligâmicos, envolvendo noivas de até 11 anos, praticados por mórmons fundamentalistas que continuam a seguir as tradições que seus ancestrais trouxeram para o Ocidente em meados do século XIX. Grupos de defesa dos direitos humanos estimam que o número de pessoas pertencentes a famílias poligâmicas no Utah é de 50 mil, apesar de a poligamia não ser tolerada pela principal corrente da Igreja dos Mórmons e também de haver severas penas no caso de noivas menores de idade, que podem fazer com que o marido poligâmico ou o líder religioso que organizou o casamento seja condenado a uma pena de até 15 anos de prisão.

Não quero dizer às outras culturas como elas devem viver nem nada disso. Só quero que a Srta. Greenbaum pare de olhar o mundo através de lentes cor-de-rosa e escreva um artigo a respeito dos verdadeiros problemas que afetam a população do planeta. A equipe do *Átomo* deveria, inclusive, dar oportunidade a outros repórteres de escrever sobre essas questões, em vez de relegá-los ao papo furado do cardápio da cantina.

— Lilly Moscovitz

CLASSIFICADOS
Publique seu anúncio!
Alunos da EAE pagam
50 centavos a linha

É só alegria
Feliz aniversário, Reggie!
Afinal, você chegou aos 16!
As Helens

Me leva ao baile de formatura com você, CF?
Por favor, diga que sim. GD

Feliz aniversário adiantado, MT!
Te adoramos, Seus Súditos Leais

Para MK de MW:
Cresce como uma flor
Meu amor por você
Aonde vai parar
Ninguém vai saber.

Vá à Ho's Deli para comprar tudo de que precisa!
Novidades da semana: BORRACHAS, GRAMPOS, CADERNOS, CANETAS.
Tem também cards Yu-Gi-Oh!
E shake emagrecedor de morango.

À venda: baixo Fender Precision, azul bebê, nunca usado. Com amplificador e vídeos de instrução. Armário nº 345

À procura de amor: menina do primeiro ano, adora romance/livros, procura garoto mais velho c/ mesmo interesse. Tem que ter + de 1,75m, nada de caras maldosos, só não fumantes. DETESTO ROCK PAULEIRA.
E-mail: iluvromance@EAE.edu

Achados: óculos de metal, na classe de Superdotados & Talentosos. Para fazer a requisição, dê a descrição. Fale com a Sra. Hill.

Perdidos: caderno espiral na cantina, mais ou menos no dia 27/4. MATO quem ler! Recompensa pela devolução. Armário nº 510

Cardápio da cantina da EAE
Apurado por Mia Thermopolis

Segunda
Batata, Pizza de Pão, Nugget de Peixe, Sanduíche de Almôndega, Frango Temperado

Terça
Sopa e Sanduíche, Massa com Frango, Atum no Pão, Pizza Individual, Nachos

Quarta
Salada com Taco, Burrito, Salsicha Empanada com Picles, Salgadinhos, Bife à Italiana

Quinta
Bufê Asiático, Frango à Parmeggiana, Milho, Bufê de Massas, Peixe Frito

Sexta
Feijão, Queijo-Quente, Batata Frita, Asinha de Frango Frita, Pretzel Macio

Quarta, 30 de abril, Biologia

Mia, você viu a última edição do Átomo? — Shameeka

É, acabei de receber meu exemplar. Gostaria que Lilly parasse de me citar nas cartas ao editor dela. Quer dizer, por ser a única aluna do primeiro ano na equipe do jornal, tenho que pagar o preço. Leslie Cho, a redatora-chefe, começou com o papo furado do cardápio da cantina. Eu estou MUITO FELIZ de cobrir o cardápio toda semana.

Bom, na minha opinião, Lilly só acha que, se o seu objetivo é mesmo ser repórter algum dia, não vai chegar lá escrevendo sobre asinhas de frango fritas!

Isso não é verdade, de jeito nenhum. Eu já implementei inovações muito importantes na coluna do almoço. Por exemplo, foi minha ideia escrever o nome de todos os pratos com letra maiúscula.

> Lilly só quer o melhor pra você.

Deixa pra lá. Melanie Greenbaum está no time de basquete feminino. Se ela quiser, consegue marcar uma enterrada completa contra mim. Acho que não é muito bom para mim Lilly ficar brigando com ela.

> Então...

Então o quê?

> Ele já te convidou?????

Quem me convidou para quê?

> MICHAEL JÁ TE CONVIDOU PARA O BAILE DE FORMATURA???????

Ah. Não.

> Mia, faltam menos de DUAS SEMANAS para o baile de formatura! O Jeff já me convidou faz UM MÊS. Como você vai conseguir um vestido a tempo se não souber logo se vai ou não? Além disso, você precisa marcar hora para arrumar o cabelo e fazer as unhas e arrumar um buquê, e ele tem que alugar uma limusine e um smoking e fazer reserva para o jantar. Não é só ir comer na pizzaria da esquina, você sabe muito bem. Tem que ir comer e dançar no Maxim! É muito sério!

Tenho certeza de que Michael vai me convidar logo. Ele está com a cabeça cheia, isso sem falar da banda nova e a faculdade no semestre que vem e tal.

Bom, é melhor você colocar uma pressão nele. Porque você não vai querer que ele convide no último minuto. Porque daí, se você disser que sim, ele vai saber que você estava torcendo para ele convidar.

Acorda, eu e Michael estamos namorando. Até parece que dá para eu ir com outro cara qualquer. Até parece que alguém mais ia me convidar. Quer dizer, não estamos falando de VOCÊ, Shameeka. Não tem uma fila de caras do último ano na porta do meu armário esperando pela chance de me convidar para sair. Quer dizer, isso se alguém me convidasse. Porque eu amo Michael com todas as fibras do meu ser.

Bom, espero que ele convide logo. Porque não quero ser a única do primeiro ano no baile de formatura! Com quem eu vou ao banheiro?

Não se preocupe, eu vou. Ops. O que o professor estava falando mesmo sobre as minhocas do gelo?

A diferença entre elas e as minhocas comuns é que elas
_____

A MINHOCA DO GELO
Por Mia Thermopolis

Todo mundo já ouviu falar do perigoso hábitat dos ursos-polares, dos pinguins, das raposas do Ártico e das focas: as geleiras. Mas, contrariamente à opinião popular, as geleiras não abrigam só vida em cima e embaixo do gelo, mas também dentro dele.

Recentemente, pesquisadores descobriram a existência de minhocas do tipo centopeia que vivem dentro das geleiras e em outros pedaços de gelo — até mesmo em montinhos de gelo de metano que existem no fundo do golfo do México. Essas criaturas, conhecidas como minhocas do gelo, têm entre 30 e 60 centímetros de comprimento e se alimentam de bactérias quimiossintéticas que crescem no metano, ou então vivem de maneira simbiótica com elas...*

* Sr. Sturgess, os bilhetinhos que eu e a Shameeka estávamos passando tinham tudo a ver com a aula, juro. Mas deixa pra lá.

Só 117 palavras. Ainda faltam 133.

COMO É QUE EU POSSO PENSAR SOBRE MINHOCAS DO GELO SE O MEU NAMORADO AINDA NÃO ME CONVIDOU PARA O BAILE DE FORMATURA???????

Quarta, 30 de abril, Saúde e Segurança

M, por que você está com cara de quem acabou de engolir uma meia?
— L

O professor substituto de biologia nos pegou — Shameeka e eu — trocando bilhetinhos e mandou cada uma de nós fazer uma redação de 250 palavras sobre as minhocas do gelo.

E daí? Você tinha que encarar como um desafio artístico. Além disso, 250 palavras não são nada para uma jornalista esperta como você. Você devia ser capaz de dar conta disto em meia hora.

Lilly, seu irmão falou alguma coisa sobre o baile de formatura com você?

Hmm. O quê?

O baile de formatura. Você sabe. A formatura do último ano. Aquela que vai acontecer no Maxim no sábado da semana que vem. Ele por acaso comentou se está ou não, hmm, pensando em convidar alguém?

> *ALGUÉM? O que você quer dizer com ALGUÉM? Tipo o CACHORRO dele?*

Você sabe do que eu estou falando.

> *Michael não fala de coisas como formatura comigo, Mia. As coisas que ele fala comigo são, tipo, se é minha vez de esvaziar o lava-louça, arrumar a mesa ou levar os lencinhos de papel usados que sobram depois das sessões de terapia em grupo do papai e da mamãe de Sobreviventes Adultos de Abdução Alienígena na Infância.*

Ah. Bom, eu só queria saber.

> *Não se preocupe, Mia. Se Michael for convidar alguém para o baile de formatura, vai ser você.*

O que você quer dizer com SE Michael for convidar alguém para a formatura?

> *Eu quis dizer QUANDO, tudo bem? Qual é o SEU problema?*

Nada. Só que Michael é meu único amor de verdade e ele vai se formar e, portanto, se a gente não for ao baile neste ano, eu nunca mais vou. A menos que a gente vá quando eu estiver no último ano, só que ainda faltam TRÊS ANOS!!!!!!!!!! E, além disso, quando esse dia chegar, pode ser que Michael já esteja fazendo pós-graduação. Ele pode ter barba ou qualquer coisa assim!!!!! Não dá para ir ao baile de formatura com um cara que tem BARBA.

> *Estou vendo que você está muito sensível com relação a este assunto. Você está na TPM ou algo do tipo?*

NÃO!!!!!! EU SÓ QUERO IR AO BAILE DE FORMATURA COM O MEU NAMORADO ANTES DE ELE SE FORMAR NA FACULDADE E/OU DEIXAR

CRESCER QUANTIDADES EXCESSIVAS DE PELOS FACIAIS!!!!!!!!! SERÁ QUE TEM ALGO ERRADO NISSO??????

> *Caramba. Você totalmente precisa de um remedinho para TPM. E em vez de ficar perguntando para mim se eu acho ou não que o meu irmão vai convidar você para a formatura, acho que você devia perguntar A SI MESMA uma coisa: Por que um ritual de dança antiquado e pagão é tão importante para você?*

É importante para mim, só isso, tá?

> *É por causa daquela vez que a sua mãe não quis comprar o vestido de formatura para sua Barbie e você teve que fazer um de papel higiênico?*

ACORDA!!!! Lilly, eu achava que talvez você tivesse notado que o baile de formatura tem papel fundamental no processo de socialização dos adolescentes. Quer dizer, é só olhar todos os filmes que já foram feitos sobre o assunto:

FILMES QUE MOSTRAM A FORMATURA COMO PEÇA FUNDAMENTAL NO DESENVOLVIMENTO DO ENREDO

POR MIA THERMOPOLIS

A garota de rosa-shocking:

Será que Molly Ringwald vai conseguir ir ao baile de formatura com o menino rico bonito ou vai com o pobre esquisito? Seja qual for a companhia dela, ela acha mesmo que ele vai gostar daquele vestido tipo saco de batata pavoroso que ela mesma fez?

10 coisas que eu odeio em você:

Julia Stiles e Heath Ledger. Será que algum dia já existiu um casal mais perfeito? Acho que não. Só precisa do baile de formatura para eles também se convencerem disso.

Sonhos rebeldes:

Foi o primeiro papel principal do Nicholas Cage em um filme, e ele representa um roqueiro punk que invade o baile de formatura de uma turminha suburbana que vive no shopping center. Com quem ela vai voltar para casa na limusine: o cara com aquela jaqueta exclusiva ou o de cabelo moicano? Os acontecimentos da formatura é que decidirão.

Footloose — Ritmo louco:

Não dá para esquecer Kevin Bacon no papel imortal de Ren, convencendo os garotos da cidade onde é proibido dançar a alugar um lugar fora dos limites urbanos para que eles possam afirmar sua independência ao ritmo de Kenny Loggins.

Ela é demais:

Rachel Leigh Cook tem que ir ao baile de formatura para provar que não é assim tão bitolada quanto todo mundo acha que ela é. E daí acontece que ela é mesmo, mas — esta é a melhor parte da coisa toda — Freddie Prinze Jr. gosta dela do mesmo jeito!!!!!

Nunca fui beijada:

A jovem repórter Drew Barrymore se disfarça de aluna para invadir um baile de formatura a fantasia! Os amigos dela se vestem como uma dupla hélice de DNA, mas Drew é mais esperta e conquista o coração do professor que ela ama com uma roupa de — o que mais? — princesa (ah, tudo bem, é a Rosalinda do Shakespeare. Mas parece uma fantasia de princesa).

E por fim:

De volta para o futuro:

Se Michael J. Fox não conseguir juntar os pais até o baile de formatura, pode ser que ele nem venha a NASCER!!!!!!!!! Provando a importância da formatura não só do ponto de vista social, mas também BIOLÓGICO!

E Carrie, a estranha? Ah, você não acha que baldes de sangue de porco sejam essenciais para o processo de socialização adolescente?

VOCÊ SABE MUITO BEM O QUE EU ESTOU QUERENDO DIZER!!!!

Tudo bem, tudo bem, fique calma, já entendi o que você quer dizer.

Você só está com inveja porque Boris não pode convidar você, porque ele também é do primeiro ano, igual a todas nós!

Vou fazer você comer umas proteínas no almoço, porque acho que esse lance de ser vegetariana finalmente fez os seus neurônios entrarem em curto-circuito. Você precisa de carne, sabe?

Por que você está minimizando a minha dor? Tenho uma preocupação legítima aqui, e acho que você precisa levar em conta o fato de que isso não tem nada a ver com a minha dieta nem com o meu ciclo menstrual.

Eu acho mesmo que você precisa se deitar com os pés para cima da cabeça para que o sangue volte a correr no seu cérebro, porque você está sofrendo de um sério problema cognitivo.

Lilly, CALA A BOCA! Estou estressada demais neste momento! Quer dizer, amanhã é meu aniversário de 15 anos, e ainda estou muito longe de alcançar a autorrealização. Nada dá certo na minha vida: meu pai insiste para que eu passe as férias de julho e agosto com ele em Genovia; minha vida em casa é completamente insatisfatória, isso sem falar na minha mãe grávida que não para de falar da bexiga e da ideia fixa que ela enfiou na cabeça de dar à luz o meu futuro irmão ou irmã em casa, no APARTAMENTO, só com uma parteira — uma parteira! — para ajudar; meu namorado está se formando no ensino médio e vai começar a faculdade, onde vai ser constantemente colocado na presença de colegas de peito grande e blusas pretas de gola alta que gostam de falar sobre Kant; e a minha melhor amiga parece não conseguir entender que o baile de formatura é importante para mim!!!!!!!!!!!!

Você se esqueceu de reclamar da sua avó.

Não, não esqueci. Grandmère está em Palm Springs fazendo um *peeling* químico no rosto. Só volta hoje à noite.

Mia, eu achei que você se orgulhava de ter uma relação superaberta e honesta com Michael. Por que você simplesmente não pergunta se ele está pensando em ir?

NÃO POSSO FAZER ISTO! Quer dizer, aí vai ficar parecendo que eu estou pedindo para ele me convidar.

Não, não vai.

Vai, vai sim.

Não, não vai.

Vai, vai sim.

Não, não vai. E nem todas as meninas que vão para a faculdade têm peitão. Você precisa, de verdade, falar com um especialista em saúde mental a respeito dessa fixação absurda que você tem com o tamanho do seu peito. Não é saudável.

Ah, o sinal, GRAÇAS A DEUS!!!!!!!

Quarta, 30 de abril, S&T

NÃO É JUSTO. Quer dizer, eu sei que meus amigos têm coisas mais importantes em que pensar do que o baile de formatura: Michael está ocupado com as provas finais e a Skinner Box, a banda dele; Lilly tem o programa de TV dela que, apesar de ser só no canal a cabo, continua inovando na área do telejornalismo toda semana; Tina ainda está procurando um cara para substituir o ex, David Farouq El-Abar, no coração dela; Shameeka é líder de torcida; e Ling Su tem o Clube de Arte e tal.

Mas ACORDA!!!!!!! Será que NINGUÉM está pensando no baile de formatura? NINGUÉM MESMO, além de mim e Shameeka??? Quer dizer, é na semana que vem, e Michael ainda não me convidou. NA SEMANA QUE VEM!!!! Shameeka está certa, se a gente vai mesmo, precisamos começar a planejar desde já.

Mas como vou perguntar para Michael se ele pretende me levar ou não? Não dá para fazer isso. Acaba com o romance da coisa. Quer dizer, já é bem ruim minha própria mãe ter que pedir o namorado em casamento quando descobriu que estava grávida. Quando perguntei a ela como o Sr. G pediu a mão dela, minha mãe disse que ele não pediu. Disse que a conversa foi assim:

Helen Thermopolis: Frank, estou grávida.

Sr. Gianini: Ah. Tudo bem. O que você quer fazer?

Helen Thermopolis: Quero me casar com você.

Sr. Gianini: Tudo bem.

ACORDA!!!!!!!!! Cadê o romance NISSO AÍ???? "Frank, estou grávida, vamos nos casar." "Tudo bem." EEEEECAAAA!!!!

E se fosse assim:

Helen Thermopolis: Frank, a semente de suas entranhas frutificou no meu útero.

Sr. Gianini: Helen, nunca ouvi notícia tão deleitosa em todos os meus 37 anos de vida. Você me daria a enorme honra de ser minha noiva, minha alma gêmea, minha parceira para toda a vida?

Helen Thermopolis: Certamente, meu doce protetor.

Sr. Gianini: Minha vida! Minha esperança! Meu amor! (BEIJO)

É assim que DEVERIA ter sido. Veja só quanta diferença. É muito melhor quando o cara faz o pedido em vez de a mulher ter que pedir para ele.

Então é óbvio que eu não posso chegar no Michael e falar assim:

Mia Thermopolis: Então, a gente vai ao baile de formatura ou o quê? Porque eu preciso comprar meu vestido.

Michael Moscovitz: Tudo bem.

NÃO!!!!!!!!! Isto nunca vai dar certo!!!!!!! Michael é que tem que ME convidar. Ele tem que falar assim:

Michael Moscovitz: Mia, os últimos cinco meses têm sido os mais mágicos da minha vida. Estar com você é como sentir a brisa refrescante do mar soprando em meu rosto tomado pela paixão. Você é a minha única razão de viver, o motivo pelo qual meu coração bate. Seria a maior honra da minha vida se eu pudesse levá-la ao baile de formatura do último ano, onde você tem que prometer dançar todas as músicas comigo, a não ser as rápidas, que são a maior bobeira e por isso nós vamos ficar sentados.

Mia Thermopolis: Ah, Michael, que surpresa! Eu simplesmente não estava esperando. Mas eu o adoro com todas as fibras do meu ser, então é lógico que eu vou ao baile com você e vou dançar cada uma das músicas com você, a não ser as rápidas, que são a maior bobeira. (BEIJO)

É assim que deveria ser. Se existe algum tipo de justiça no mundo, é assim que VAI ser.

Mas QUANDO? Quando é que ele vai me convidar? Quer dizer, olhe só para ele ali. É óbvio que ele NÃO está pensando no baile de formatura. Está discutindo com Boris Pelkowski a respeito da melodia da música nova da banda deles, "Rock-Throwing Youths" (jovens que atiram pedras), uma crítica seca à atual situação do Oriente Médio. Desculpe, mas alguém que está preocupado com o arranjo da música e com a situação no Oriente Médio DIFICILMENTE VAI SE LEMBRAR DE CONVIDAR A NAMORADA PARA O BAILE DE FORMATURA.

É isso que ganho por ter me apaixonado por um gênio.

Não que Michael não seja um namorado totalmente atencioso. Quer dizer, eu sei que um monte de garotas — como Tina, por exemplo — morre de ciúme de mim porque eu tenho um companheiro tão gostoso e que ainda me apoia em tudo. Quer dizer, Michael SEMPRE senta do meu lado para almoçar, menos nas terças e nas quintas, quando ele tem reunião do Clube do Computador na hora do almoço. Mas, mesmo nesses dias, ele olha para mim, com saudade, da mesa do Clube do Computador do outro lado do refeitório.

Bom, tudo bem, talvez não seja com saudade, mas ele sorri para mim às vezes, quando vê que estou olhando para ele tentando definir com quem ele se parece mais: Josh Hartnett ou um Heath Ledger de cabelo escuro.

Ah, tudo bem. Michael não gosta muito de grandes demonstrações públicas de afeto — o que não é surpresa nenhuma, tendo em vista que, a todo lugar que vou, sou seguida por um sueco de dois metros de altura especializado em artes marciais —, então ele nunca me beija na escola ou pega na minha mão no corredor. Nem coloca a mão no bolso de trás do meu macacão quando estamos caminhando na rua, nem inclina o corpo sobre o meu quando estamos na frente do meu armário como Josh faz com Lana...

Mas quando estamos sozinhos... quando estamos sozinhos... quando estamos sozinhos...

Ah, tudo bem, ele ainda não pegou no meu peito. Bom, tirando aquela vez nas férias de primavera quando estávamos construindo aquela casa. Mas acho que pode ter sido por acaso, porque meu martelo estava pendurado na parte da frente do meu macacão quando Michael o pediu emprestado e não dava para entregar para ele porque eu estava segurando uma placa de revestimento. Então a mão dele meio que roçou no meu peito sem querer quando ele esticou o braço...

Mesmo assim. Somos absolutamente felizes juntos. Mais do que felizes. Nossa felicidade é cheia de êxtase.

ENTÃO POR QUE ELE NÃO ME CONVIDOU PARA O BAILE DE FORMATURA???????????????

Ah, meu Deus. Lilly acabou de se debruçar na minha carteira para ver o que eu estava escrevendo e viu a última parte. É isso que eu mereço por escrever tudo em letra maiúscula. Ela só falou: "Ai, meu Deus, não vá me dizer que você ainda está obcecada com isso."

Como se isso já não fosse bem ruim, Michael ainda ergueu os olhos e mandou: "Obcecada com o quê?" (!!!!!!!!!!!)

Eu achei que Lilly ia dizer alguma coisa!!!!!!!!!! Achei que ela ia dizer tipo: "Ah, a Mia só está tendo um embolismo porque você ainda não a convidou para o baile de formatura."

Mas ela só disse o seguinte: "Mia está trabalhando em uma redação sobre as minhocas do gelo de metano."

Michael disse "Ah", e voltou a prestar atenção na guitarra.

Mas Boris não deixou barato: "Ah, as minhocas do gelo de metano. Sim, é óbvio. Se elas se tornarem ubíquas em depósitos de gás no fundo do oceano a pouca profundidade, podem ter impacto significativo sobre a maneira como os depósitos de metano se formam e se dissolvem na água do mar e como exploramos e recolhemos o gás natural para ser usado como fonte de energia."

O que, sabe como é, é bem útil para a redação e tal, mas fala sério. Por que ele sabe disso?

Eu não sei como é que a Lilly aguenta esse cara. Não sei mesmo.

Quarta, 30 de abril, Francês

Graças a Deus Tina Hakim Baba existe. Pelo menos ELA entende como eu me sinto. E AINDA POR CIMA é totalmente solidária a mim. Diz que sempre sonhou em ir ao baile de formatura com o homem que ama — como a Molly Ringwald sonhava em ir à festa com o Andrew McCarthy em *A garota de rosa-shocking*.

Mas, infelizmente para Tina, o homem que ela ama — ou que já amou — terminou com ela por causa de uma menina de aparelho azul-turquesa chamada Jasmine. Mas Tina diz que vai aprender a amar novamente, se conseguir achar um homem que queira derrubar o muro de proteção emocional que ela ergueu em volta de si depois da traição de Dave Farouq El-Abar. Parecia que Peter Tsu, que Tina conheceu durante as férias de primavera, ia conseguir, mas a obsessão do Peter com Korn logo a afastou, como aconteceria com qualquer mulher com a cabeça no lugar.

Tina acha que Michael vai me convidar amanhã, no dia do meu aniversário. Para o baile de formatura, no caso. Ah, por favor, tomara que seja verdade!

Pode ser o melhor presente de aniversário que já ganhei na vida. Exceto quando ganhei Fat Louie da minha mãe, óbvio.

Só que espero que ele não faça isso, sabe como é, na frente da minha família. Porque Michael vai sair com a gente para comemorar o meu aniversário. Vamos jantar amanhã com Grandmère, meu pai, minha mãe e o Sr. Gianini. Ah, e Lars, óbvio. E, no sábado à noite, minha mãe vai fazer uma superfesta para mim e todos os meus amigos lá em casa — quer dizer, isso se até lá ela ainda for capaz de caminhar, por causa de você-sabe-o-quê.

Mas eu não mencionei o problema da minha mãe com você-sabe-o-que para Michael. Acredito em uma relação completamente aberta e honesta com o homem que a gente ama, mas fala sério, algumas coisas ele simplesmente não precisa saber. Tipo que a sua mãe grávida tem problemas com a bexiga.

Só Michael foi convidado para o jantar e a festa. Todas as outras pessoas, inclusive Lilly, só foram convidadas para a festa. Acorda, imagine só como não ia ser nada romântico passar o jantar de aniversário com a mãe, o padrasto, o pai, a avó, o guarda-costas, o namorado e a irmã dele. Pelo menos eu consegui reduzir a lista um pouquinho.

Michael disse que iria aos dois, ao jantar e à festa, o que eu achei muito corajoso da parte dele, o que só serve para comprovar ainda mais que ele é o melhor namorado que já existiu na face da Terra.

Mas ia ser demais se eu conseguisse fechar logo com ele essa coisa do baile de formatura.

Tina acha que eu devia falar logo com ele. Michael, quer dizer. Tina agora acredita piamente que a gente tem que ser totalmente direta com os garotos, pelo jeito como ela ficou fazendo joguinhos com Dave e ele escapou dela para os braços da Jasmine dentes azul-turquesa. Mas eu não sei, não. Quer dizer, estamos falando do baile DE FORMATURA. É uma ocasião especial. Não quero estragar tudo. Principalmente porque só vou poder ver Michael durante mais dois meses antes de meu pai me arrastar para Genovia nas férias. O que é completamente injusto. "Mas você assinou um contrato, Mia", ele fica repetindo para mim. Meu pai, quer dizer.

É, assinei um contrato, tipo, um ano atrás. Tudo bem, sete meses atrás. Como é que eu ia saber naquele momento que eu estaria perdidamente apaixonada? Bom, tudo bem, eu estava completamente apaixonada naquele momento, mas acorda, era por alguém totalmente diferente. E o objeto verdadeiro da minha afeição não correspondia ao meu amor. Ou, se correspondia — ele diz que sim!!!!!!!!! —, eu não sabia exatamente, não é mesmo?

E agora meu pai quer que eu passe dois meses inteiros longe do homem a quem eu prometi meu amor?

Ah, não. Acho que não vai dar.

Uma coisa é passar o Natal em Genovia. Quer dizer, foram só 32 dias. Mas julho e agosto? Eu tenho que passar dois meses inteiros longe dele?

Bom, isto não vai acontecer de jeito nenhum. Meu pai acha que está sendo muito razoável a respeito da questão, já que, no início, queria que eu passasse as férias INTEIRAS em Genovia. Mas já que a mamãe vai dar à luz em junho, ele está agindo como se fosse uma enorme concessão que está fazendo ao permitir que eu fique em Nova York até o bebê nascer. Ah, tá. Valeu, pai.

Bom, mas ele vai ter que ficar bufando sozinho, porque se acha que eu vou passar os últimos dois meses do primeiro verão da minha vida com um namorado de verdade longe deste mesmo namorado, então ele que se prepare para uma grande surpresa. Quer dizer, não tem nada para fazer em Genovia no verão. NADINHA. O lugar fica lotado de turistas — bom, Nova York também, mas tanto faz, os turistas de Nova York são diferentes, são bem menos repulsivos do que os que vão para Genovia — e o Parlamento nem vai estar trabalhando. O que eu vou ficar fazendo o dia inteiro? Quer dizer, pelo menos aqui vai ter toda a coisa do bebê, se a minha mãe se apressar e der à luz, o que eu gostaria mesmo que fosse antes de junho porque morar com ela é igual viver com o Pé Grande. Juro por Deus. Ela só fica andando de um lado para o outro e grunhindo pra gente, por causa do peso da bolsa e toda a pressão na você-sabe-o-quê — a minha mãe às vezes compartilha informação DEMAIS.

E aquele papo de a gravidez ser a época mais mágica na vida de uma mulher? As grávidas não deviam ficar maravilhadas e cheias de glória pelo dom da criação?

É evidente que a minha mãe nunca ouviu falar de nenhuma dessas coisas.

A questão é que este é o último verão do Michael antes de ele ir para a faculdade. E, tudo bem, a faculdade para onde ele vai fica a apenas algumas estações de metrô, mas tanto faz, a gente não vai mais se ver na escola depois disto. Por exemplo, ele não vai mais passar na minha aula de álgebra para me dar bala de morango como ele fez hoje de manhã, deixando Lana Weinberger furiosa; ela está com ciúme porque o namorado dela, Josh, NUNCA faz uma surpresa de bala para ela.

Não. Michael e eu temos que passar o verão juntos, fazendo piqueniques românticos no Central Park — só que eu detesto fazer piquenique em parques públicos porque todos os sem-teto ficam em volta olhando para o sanduíche da gente com olho comprido, e daí a gente tem que dar comida pra eles porque se sente culpado por ter tanto enquanto outros não têm nada, e eles geralmente nem agradecem, dizem algo do tipo "eu detesto este tipo de sanduíche", o que é muito desagradável, se você quer saber a minha opinião — e assistindo à *Tosca* na ópera a céu aberto — só que eu odeio ópera porque todo mundo morre de maneira trágica no fim, mas não faz mal. A gente também pode passear em uma daquelas festas de santos que acontecem no bairro italiano e Michael pode ganhar um bichinho de pelúcia para mim na barraquinha de tiro ao alvo — só que ele é contra as armas, por ética, assim como eu, a menos que a pessoa seja policial ou soldado ou qualquer coisa assim, e aqueles bichinhos de pelúcia que eles dão são com certeza feitos por crianças submetidas a condições terríveis de trabalho.

Mesmo assim. Poderia ser totalmente romântico, se o meu pai não tivesse estragado tudo.

Lilly diz que meu pai tem problemas de abandono, de quando o pai dele morreu e o deixou sozinho com Grandmère, e é por isso que ele está sendo tão rígido com essa questão de passar-o-verão-em-Genovia.

Só que Grandpère morreu quando meu pai já tinha mais de 20 anos — ele já estava crescidinho —, então não vejo como isso pode ser possível. Mas Lilly diz que a psique humana funciona de maneiras estranhas e misteriosas e que eu simplesmente devia aceitar isso e seguir em frente.

Acho que Lilly é que deve ter problemas, porque já faz quatro meses que o programa dela na TV, *Lilly manda a real,* foi escolhido pelos produtores que fizeram o documentário sobre mim, mas eles ainda não acharam nenhum estúdio interessado em gravar um episódio-piloto. Mas Lilly diz que a indústria do entretenimento funciona de maneiras estranhas e misteriosas — igualzinho à psique humana — e que ela já aceitou o fato e seguiu em frente, como eu deveria fazer com essa coisa de Genovia.

MAS EU NUNCA VOU ACEITAR O FATO DE QUE O MEU PAI QUER QUE EU PASSE 62 DIAS INTEIRINHOS LONGE DO HOMEM QUE EU AMO!!!! NUNCA!!!!!!!!!!!!!

Tina diz que eu devia tentar conseguir um estágio de verão em algum lugar de Manhattan, daí meu pai não ia poder me obrigar a ir para Genovia, porque eu teria que desonrar minhas responsabilidades aqui. Só que eu não conheço nenhum lugar que gostaria de ter uma princesa como estagiária. Quer dizer, o que Lars ia ficar fazendo o dia inteiro enquanto eu estivesse colocando arquivos em ordem alfabética ou tirando xerox ou qualquer coisa assim?

Quando eu entrei na sala, antes de a aula começar, Mademoiselle Klein estava mostrando a algumas garotas do segundo ano uma foto do vestido que ela encomendou na Victoria's Secret para usar no baile de formatura. Ela é a anfitriã, junto com o Sr. Wheeton, o técnico de corrida e meu professor de Saúde e Segurança. Eles estão namorando. Tina diz que essa é a coisa mais romântica que ela já viu, tirando a minha mãe e o Sr. Gianini. Eu não contei pra Tina a dolorosa realidade de a minha mãe ter pedido o Sr. Gianini em casamento, porque não quero despedaçar o sonho mais adorável da cabeça dela. Também escondi o fato de eu achar que o príncipe William nunca vai responder ao e-mail dela, já que eu dei um e-mail falso dizendo ser dele. Bom, eu precisava fazer alguma coisa para ela parar de me encher. E tenho certeza de que a pessoa que receber o e-mail principew@windsorcastle.com vai demonstrar grande apreço pelo testemunho de cinco páginas dela sobre quanto ela o ama, principalmente quando ele está usando uniforme de polo.

Eu meio que me sinto mal por ter mentido para Tina, mas foi só para ela se sentir melhor. E algum dia eu vou conseguir o e-mail verdadeiro do príncipe William para ela. Só preciso esperar até alguém importante morrer e daí eu vou vê-lo no enterro oficial. Provavelmente não vai demorar muito: Elizabeth Taylor não parece muito saudável.

Il me faut des lunettes de soleil.
Didier demande d'essayer la jupe.

Eu não sei como alguém que está tão apaixonada pelo Sr. Wheeton como a Mademoiselle Klein deve estar pode nos dar tanto dever de casa. O que foi que aconteceu com a primavera, quando o mundo fica todo colorido e o homem que vende balões sai assobiando pelas ruas?

Ninguém que dá aula nesta escola tem um pinguinho de romance dentro de si. O mesmo vale para a maior parte das pessoas que estuda aqui. Sem Tina, eu estaria totalmente perdida.

Jeudi, j'ai fait de l'aérobic.

* DEVER DE CASA

<u>Álgebra</u>: páginas 279-300

<u>Inglês</u>: *The Iceman Cometh*

<u>Biologia</u>: Terminar a redação das minhocas do gelo

<u>Saúde e Segurança</u>: páginas 154-160

<u>Superdotados & Talentosos</u>: Até parece

<u>Francês</u>: *Écrivez une histoire personnelle*

<u>Civilizações Mundiais</u>: páginas 310-330

Quarta, 30 de abril, na limusine, voltando pra casa do Plaza

Grandmère sempre sabe quando eu estou preocupada com alguma coisa. Mas ela acha que eu estou preocupada com esse negócio de ir-para-Genovia-no-verão. Como se eu não tivesse preocupações muito mais imediatas.

"Vamos aproveitar bastante a temporada em Genovia no verão, Amelia. No momento estão escavando um túmulo que, acredita-se, pode ter pertencido a uma de suas antepassadas, a princesa Rosagunde. Posso afirmar que o processo de mumificação usado em Genovia no século VIII era tão avançado quanto o desenvolvido pelos egípcios. Pode ser que você venha a apreciar o rosto da mulher que fundou a dinastia real de Renaldo."

Que bom. Vou passar o verão olhando para a cavidade nasal de alguma múmia velha. Meu sonho se tornando realidade. Sinto muito, Mia. Nada de ficar com o seu amor em Coney Island. Nada de diversão ensinando criancinhas a ler. Nada de trabalho de férias divertido na Kim's Video, rebobinando *Princesa Mononoke* e *O guerreiro da estrela polar*. Não, você vai ter que interagir com um cadáver de mil anos. Oba!

Acho que eu fiquei mais chateada com a coisa toda do Michael do que eu achei que estava, porque no meio da palestra de Grandmère sobre gorjetas — manicure: US$ 3; pedicure: US$ 5; chofer de táxi: US$ 2 para corridas abaixo de US$ 10, US$ 5 para corridas até o aeroporto; o dobro do imposto para contas de restaurante, menos nos estados em que o imposto é menor do que 8%; etc. —, ela teve um ataque: "AMELIA! QUAL É O SEU PROBLEMA?"

Eu devo ter pulado uns três metros no ar. Eu estava totalmente pensando no Michael. Sobre como ele ia ficar bem de smoking. Sobre como eu podia comprar uma rosa vermelha para ele colocar na lapela, daquelas simples, sem borda, porque os caras não gostam de coisa muito enfeitada. E eu podia usar um vestido preto, um daqueles de um ombro só que a Kirsten Dunst sempre usa em estreias de filme, com barra assimétrica e uma fenda do lado e sapatos de salto alto com tiras de amarrar nos tornozelos.

Só que Grandmère diz que garotas com menos de 18 anos vestidas de preto são mórbidas, que vestidos de um ombro só com barra assimétrica parecem ter sido feitos assim por acidente e que sapatos de salto alto de amarrar parecem o tipo de calçado que o Russell Crowe usava em *Gladiador*, coisa que não fica muito bem na maior parte das mulheres.

Mas tanto faz. Eu posso totalmente colocar glitter no corpo. Grandmère nunca OUVIU FALAR de glitter no corpo.

"Amelia!", Grandmère ia dizendo.

Ela não podia gritar muito alto porque a pele ainda estava ardendo do *peeling*. Dava para ver porque Rommel, o poodle toy mais sem pelo dela, que parece ele mesmo ter feito um ou dois peelings, ficava pulando no colo dela e tentando lamber seu rosto, como se fosse um pedaço de carne crua ou qualquer coisa do tipo. Não a ponto de dar nojo, mas a aparência era meio essa. Ou como se, por acidente, Grandmère tivesse ficado na frente de uma daquelas mangueiras que usam em *Silkwood — O retrato de uma coragem* para tirar a radiação da Cher.

"Você ouviu alguma palavra do que eu disse?", Grandmère parecia passada. Principalmente porque o rosto dela estava doendo, tenho certeza. "Isto aqui pode vir a ser muito importante para você algum dia, se por acaso você se vir sem calculadora ou sem a sua limusine."

"Desculpa, Grandmère", respondi. E estava arrependida mesmo. Dar gorjeta é mesmo o que eu faço de pior, devido ao fato de isso envolver matemática e também por precisar pensar rápido sozinha. Quando eu peço comida no Number One Noodle Son, eu sempre preciso perguntar quanto deu na hora que eu faço o pedido, para ter tempo de calcular a gorjeta antes que o cara da entrega venha bater na minha porta. Porque senão ele acaba ficando lá parado uns dez minutos até eu descobrir quanto devo dar de gorjeta por um pedido de US$ 17,50. É vergonhoso.

"Não sei por onde a sua cabeça tem andado ultimamente, Amelia", Grandmère disse, toda irritada. Bom, você também ficaria irritada se tivesse pagado para alguém remover duas ou três camadas de pele do seu rosto por um processo químico. "Espero que você não esteja mais preocupada com a sua mãe e aquele parto domiciliar ridículo que ela está planejando. Eu já disse antes, sua mãe já se esqueceu completamente das dores do parto. Assim que tiver a primeira contração, ela vai implorar para ir para o hospital tomar uma boa peridural."

Eu suspirei. Apesar de o fato de a minha mãe ter escolhido fazer o parto em casa, em vez de ir a um hospital bacana, seguro e limpo — com máscaras de oxigênio e máquinas de doce e médicos gostosos como o Dr. Kovac do *Plantão Médico* — ser uma coisa preocupante, eu tenho tentado não pensar muito sobre isso... principalmente porque eu suspeito que Grandmère esteja certa. Minha mãe chora igual a um bebê quando tropeça em algum móvel e bate o dedão do pé. Como é que ela vai suportar horas e horas de trabalho de parto? Ela é bem mais velha agora do que era quando eu nasci. O corpo de 36 anos dela não está em forma para as provações do parto. Ela nem faz exercício!

Grandmère me lançou aquele seu olhar maldoso.

"Acredito que o fato de o clima estar começando a esquentar não ajuda em nada", ela disse. "Os jovens têm a tendência de ficar avoados na primavera. E, obviamente, tem também o seu aniversário amanhã."

Eu deixei Grandmère acreditar que era aquilo que estava me deixando distraída. Meu aniversário e o fato de eu e todos os meus amigos estarmos avoados, igual ao Tambor fica na primavera em *Bambi*.

"Você é uma das pessoas mais difíceis de se presentear, Amelia", prosseguiu Grandmère, esticando o braço para pegar o copo de Sidecar e um cigarro. Grandmère faz com que enviem cigarros de Genovia para ela, assim ela não precisa pagar o imposto astronômico que cobram aqui em Nova York na esperança de fazer com que as pessoas parem de fumar porque sai caro demais. Só que não está adiantando nada, porque todo fumante em Manhattan simplesmente pega o trem intermunicipal e vai até Nova Jersey para comprar cigarro.

"Você não é do tipo que gosta de joias", continuou Grandmère, acendendo o cigarro e dando uma tragada. "E você parece não ter o menor tipo de apreciação pela alta-costura. E parece ainda que você não tem nenhum hobby."

Eu observei que de fato tenho um hobby. Não apenas um hobby, mas uma necessidade: eu escrevo.

Grandmère só fez um sinal com a mão e disse: "Mas não tem nenhum hobby de verdade. Você não joga golfe nem pinta."

Fiquei meio magoada pelo fato de Grandmère não achar que escrever seja um hobby de verdade. Ela vai se surpreender muito quando eu me tornar uma autora publicada. Daí escrever não vai mais ser só meu hobby, e sim a minha profissão. Talvez o primeiro livro que eu escreva seja sobre ela. Vou chamá-lo de *Clarisse: delírios de uma integrante da realeza — Memórias da princesa Mia de Genovia*. E Grandmère não vai poder me processar, igual a Daryl Hannah não pôde processar ninguém quando fizeram aquele filme sobre ela e o John F. Kennedy Jr., porque tudo vai ser 100% verdade. RÁ!

"O que você QUER de aniversário, Amelia?", perguntou Grandmère.

Eu precisava pensar nesta resposta. É óbvio que Grandmère não pode me dar o que eu REALMENTE quero. Mas achei que não ia custar nada pedir. Então preparei a seguinte lista:

O QUE EU GOSTARIA DE GANHAR
NO MEU 15º ANIVERSÁRIO

POR MIA THERMOPOLIS, DE 14 ANOS E 364 DIAS

1. O fim da fome no mundo
2. Um macacão novo, tamanho grande
3. Uma nova escova de pelo de gato para Fat Louie (ele roeu o cabo da última)
4. Cordas elásticas de *bungee jump*, para o salão de festa do palácio (para eu fazer balé aéreo igual a Lara Croft em *Tomb Raider*)
5. Um irmãozinho ou uma irmãzinha, que venha ao mundo com toda segurança
6. Classificação das orcas como animais ameaçados de extinção para que o Puget Sound possa receber financiamento federal para limpar regiões de procriação e alimentação poluídas
7. A cabeça da Lana Weinberger em uma bandeja de prata — brincadeirinha; não, na verdade, não estou brincando
8. Um celular só para mim
9. Que Grandmère pare de fumar
10. Que Michael Moscovitz me convide para o baile de formatura do último ano

Ao compor esta lista, fiquei triste ao perceber que a única coisa dela que eu provavelmente vou ganhar de aniversário é o item número 2. Quer dizer, eu vou ganhar um irmão ou uma irmã, mas ainda vai demorar um mês, pelo menos. Grandmère não vai aceitar, de jeito nenhum, o negócio de parar de fumar nem o das cordas elásticas. A fome no mundo e o negócio das orcas estão meio fora do alcance das pessoas que eu conheço. Meu pai diz que eu simplesmente ia perder e/ou destruir um celular, igual eu fiz com o laptop que ele me deu — não foi minha culpa; eu só tirei da mochila e coloquei na pia um segundo enquanto procurava um protetor labial. Não é minha culpa se Lana Weinberger deu um encontrão nele e que as pias da escola estão todas entupidas. O computador só ficou embaixo d'água uns segundos. Devia ter funcionado normalmente depois que secou. Só que nem Michael, que, além de gênio da música, também é gênio da tecnologia, conseguiu salvar o aparelho.

É óbvio que Grandmère foi se fixar no item 10 da lista, o único que eu revelei a ela em um momento de fraqueza e que nunca deveria ter mencionado, considerando que dali a 24 horas ela e Michael compartilhariam a mesma mesa no jantar no Les Hautes Manger para comemorar o meu aniversário.

"O que é este tal de 'baile de formatura'?", Grandmère perguntou. "Eu não entendo muito dessas coisas."

Não deu para acreditar. Mas também, Grandmère quase nunca assiste à TV, nem mesmo reprises de seriados clássicos, como todo mundo da idade dela faz, então é bem provável que ela nunca tenha pegado uma reprise de *A garota de rosa-shocking* em algum canal.

"A gente vai lá e dança, Grandmère", respondi, esticando o braço para pegar a minha lista. "Não é muito interessante."

"E esse garoto Moscovitz ainda não a convidou para este baile?", Grandmère perguntou. "Quando é?"

"No sábado da semana que vem", informei. "Será que agora você pode devolver a minha lista?"

"Por que você não vai sem ele?", Grandmère perguntou. Ela soltou uma gargalhada, mas aí pensou melhor, porque acho que o rosto dela doeu de ter que esticar os músculos das bochechas daquele jeito. "Como você fez da outra vez. Assim ele aprende."

"Não dá", respondi. "É só para os alunos do último ano. Quer dizer, os alunos do último ano podem levar alunos de anos abaixo, mas a gente não pode ir sozinha, sem ser convidada. Lilly acha que eu devia perguntar para Michael se ele vai ou não, mas..."

"NÃO!", os olhos de Grandmère ficaram esbugalhados. No começo, achei que ela estava se engasgando com um cubo de gelo, mas ela só estava chocada mesmo. Grandmère tem um delineado preto tatuado em toda a volta da pálpebra, igual ao Michael Jackson, então ela não precisa ficar se maquiando todo dia de manhã. Daí, quando os olhos dela ficam esbugalhados... bom, dá para notar bem.

"Você NÃO pode fazer isso", insistiu Grandmère. "Quantas vezes eu preciso falar, Amelia? Os homens são iguais a criaturinhas do bosque. Você precisa ludibriá-los com farelinhos de pão e palavras suaves de incentivo. Você não pode simplesmente jogar uma pedra e acertá-los na cabeça com ela."

Eu concordo com isso, com certeza. Não quero jogar pedra nenhuma em ninguém, muito menos no Michael. Mas não tenho certeza sobre as migalhas de pão.

"Bom", eu disse, "então, o que eu faço? O baile de formatura é daqui a menos de duas semanas, Grandmère. Se eu for, preciso saber logo."

"Você precisa dar umas dicas sobre o assunto", sugeriu Grandmère. "Com muita sutileza."

Pensei sobre aquilo.

"Tipo, você está dizendo que eu devo ir lá e falar: 'Eu vi o vestido mais perfeito do mundo para o baile de formatura outro dia no catálogo da Victoria's Secret'?"

"Exatamente", respondeu Grandmère. "Mas obviamente uma princesa nunca compra nada direto em uma loja, Amelia, e NUNCA de um catálogo."

"Certo", respondi. "Mas, Grandmère, você não acha que ele vai ver a minha intenção logo de cara?"

Grandmère deu uma risada, então pareceu arrependida, e encostou o copo da bebida gelada no rosto, para aliviar a pele dolorida.

"Estamos falando de um garoto de 17 anos, Amelia", explicou. "Não um espião-mestre. Ele não vai ter a mínima ideia do que você está dizendo, se for bem sutil."

Mas não tenho certeza. Quer dizer, eu nunca fui muito boa com esse negócio de sutileza. Outro dia tentei mencionar de modo bem sutil para a minha mãe que Ronnie, nossa vizinha que ela encurralou no corredor a caminho do incinerador, talvez não quisesse saber quantas vezes ela precisa se levantar para ir ao banheiro toda noite e como o bebê está pressionando a bexiga dela com força, minha mãe simplesmente olhou para mim e falou assim: "Você está querendo morrer, Mia?"

O Sr. Gianini e eu percebemos que vamos ficar bem aliviados quando este bebê finalmente nascer.

E tenho bastante certeza de que a Ronnie concordaria com a gente.

Quinta, 1º de maio, 0h01

Bom, é isso aí. Agora eu tenho 15 anos. Não sou mais menina. Mas ainda não sou mulher. Igualzinho a Britney.

HAHAHA.

Não sinto nada de diferente em relação a um minuto atrás, quando eu tinha 14. E com certeza minha APARÊNCIA continua igual. A mesma esquisitona de quase 1,80m de altura e peitos minúsculos que eu era quando fiz 14. Talvez meu cabelo esteja um pouco melhor, já que Grandmère me obrigou a fazer luzes e Paolo sempre vai cortando as pontas à medida que crescem. Agora está pelo queixo, e não tem mais aquela forma triangular de antes.

Tirando isso, sinto muito, mas não tem nada. Nadinha. Nenhuma diferença. Necas.

Acho que a mudança de catorze para quinze anos vai ser interna, porque com certeza não está acontecendo nada do lado de fora.

Acabei de checar minhas mensagens para ver se alguém se lembrou, e já recebi cinco: uma da Lilly, uma da Tina, uma do meu primo Hank — não acredito que ELE lembrou; ele é um modelo famoso e a gente quase não se vê mais, o que não faz muita diferença, a não ser quando ele aparece seminu em outdoors e do lado de fora de cabines telefônicas, o que é bem constrangedor quando ele aparece de cuequinha branca justinha —, uma do meu primo príncipe René e uma do Michael.

A do Michael é a melhor. Era um desenho que ele mesmo fez de uma menina com uma tiara de princesa com um gato ruivo grande abrindo um presente gigante. Quando ela tira todo o papel, saem umas palavras bem enfeitadas da caixa: "FELIZ ANIVERSÁRIO, MIA" e, em letras menores, "Com amor, Michael".

Amor. AMOR!!!!!!!!!!!

Apesar de já estarmos juntos há mais de quatro meses, ainda fico arrepiada quando ele diz — ou escreve — essa palavra. Quando está falando de mim, quer dizer. Amor. AMOR!!!!! Ele me AMA!!!!!

Então, por que é que ele está demorando tanto com essa coisa do baile de formatura? É o que eu queria saber.

Agora que eu tenho 15 anos, chegou a hora de deixar de lado as minhas coisas de criança, igual ao cara da Bíblia, e começar a viver como a adulta que eu estou me esforçando para ser. De acordo com Carl Jung, o famoso psicanalista, para alcançar a autorrealização — aceitação, paz, contentamento, razão de ser, satisfação, saúde, alegria e felicidade —, é preciso praticar compaixão, amor, caridade, carinho, perdão, amizade, gentileza, gratidão e confiança. Sendo assim, a partir de agora eu prometo:

1. Parar de roer as unhas. Desta vez estou falando sério
2. Tirar notas decentes
3. Ser mais simpática com as pessoas, até com Lana Weinberger
4. Escrever no meu diário todos os dias, de maneira fiel
5. Começar — e terminar — um romance. De escrever, quero dizer, não ler
6. Ter publicado algum texto antes dos 20 anos
7. Ser mais compreensiva com a minha mãe e com o que ela está passando agora que está no último trimestre de gravidez
8. Parar de usar a lâmina de barbear do Sr. G nas minhas pernas. Comprar minhas próprias lâminas
9. Tentar ser mais compreensiva com as questões de abandono do meu pai, ao mesmo tempo que vou tentar escapar de ter que passar julho e agosto em Genovia
10. Descobrir um jeito para fazer Michael Moscovitz me levar ao baile de formatura sem recorrer a truques e/ou humilhações

Depois que eu tiver feito tudo isso, devo ficar totalmente autorrealizada, pronta para experimentar um pouco de alegria bem merecida. E, de fato, tudo nesta lista é perfeitamente possível. Quer dizer, é verdade que Margaret Mitchell demorou dez anos para escrever ... *E o vento levou*, mas só tenho 15 anos, então mesmo que eu demore dez anos para escrever o meu romance, só vou ter 25 quando ele for publicado, o que só vai significar cinco anos de atraso.

O único problema é que eu não sei sobre o que o meu romance vai ser. Mas tenho certeza de que logo terei uma ideia. Talvez eu devesse começar a treinar com alguns contos ou haicais ou alguma coisa assim.

Já a coisa do baile de formatura... ISTO vai ser difícil. Porque eu realmente não quero que Michael se sinta pressionado por causa disto. Mas eu PRECISO IR AO BAILE DE FORMATURA COM MICHAEL!!! É A MINHA ÚLTIMA CHANCE!!!!!!!

Espero que Tina esteja certa, e que Michael tenha a intenção de me convidar no jantar de hoje à noite.

AH, POR FAVOR, DEUS, PERMITA QUE TINA ESTEJA CERTA!!!!!!!!!

Quinta, 1º de maio, Meu Aniversário, Álgebra

Josh convidou Lana para ir ao baile de formatura.

Ele convidou ontem à noite, depois do jogo do time principal de lacrosse. Os Leões ganharam. De acordo com Shameeka, que ficou por lá depois do jogo do time principal júnior, acompanhada pelo grupo de líderes de torcida dela, foi Josh que fez o gol da vitória. Daí, quando todos os torcedores do Albert Einstein invadiram o campo, Josh tirou a camisa e a rodou no ar algumas vezes, tipo a Brandi Chastain, mas é óbvio que Josh não estava usando um top atlético por baixo. Shameeka disse que ficou chocada com o pouco de pelo que Josh tem no peito. Disse que, nesse quesito, ele não passava nem perto do Hugh Jackman.

Isso, assim como os problemas que a minha mãe está tendo com a bexiga dela, é mais do que eu gostaria de saber.

Mas continuando, Lana estava fora do campo, com o microminivestido sem manga azul e dourado das líderes de torcida da EAE. Quando Josh tirou a camisa, ela entrou correndo no campo, comemorando. Daí ela pulou nos braços dele — o que, considerando que ele estava todo suado, era uma empreitada bem arriscada, se quer saber minha opinião — e os dois ficaram se beijando de língua até a diretora Gupta ir lá e bater na cabeça do Josh com a prancheta dela. Daí Shameeka disse que Josh colocou Lana no chão e disse: "Você vai comigo ao baile de formatura, gata?"

E Lana disse que sim, e daí saiu aos berros na direção de todas as outras líderes de torcida para contar.

E eu sei que uma das minhas resoluções, agora que tenho 15 anos, é ser mais legal com os outros, inclusive com Lana, mas fala sério, estou me segurando agora para não enfiar meu lápis na nuca dela. Bom, para falar a verdade, não, porque não acredito que a violência seja capaz de resolver nada. Bom, menos quando a questão é se livrar de nazistas e de terroristas e tal. Mas, fala sério, Lana está toda EXIBIDA. Antes de a aula começar, ela só estava no celular, contando para todo mundo. A mãe dela vai levá-la à loja da Nicole Miller no SoHo para comprar um vestido.

Um pretinho de um ombro só, com barra assimétrica e uma fenda do lado. Também vai à Saks comprar sapatos de salto alto com tiras de amarrar na canela.

Não há dúvidas de que ela também vai colocar glitter no corpo.

E eu sei que tenho muita coisa por que agradecer. Quer dizer, tenho:

1. Um supernamorado amável que, quando a limusine real encostou hoje para pegar Lilly e ele no caminho da escola, me presenteou com uma caixa de mini muffins de canela, meus preferidos, da Manhattan Muffin Company, que ele foi comprar em Tribeca de manhã bem cedo, para homenagear o meu aniversário
2. Uma melhor amiga excelente, que me deu uma coleira rosa bem forte para Fat Louie onde se lê EU PERTENÇO À PRINCESA MIA, em letras de *strass*, que ela mesma colou enquanto assistia a reprises de episódios de *Buffy, a Caça-Vampiros*
3. Uma mãe ótima que, apesar de ultimamente falar um pouco demais a respeito de suas funções corporais, mesmo assim conseguiu se arrastar para fora da cama hoje de manhã para me desejar feliz aniversário
4. Um padrasto maravilhoso que jurou não dizer nada na classe a respeito do meu aniversário e me deixar envergonhada na frente de todo mundo
5. Um pai que provavelmente vai me dar alguma coisa boa de aniversário quando a gente se vir no jantar hoje à noite, e uma avó que, se não for

me dar de fato alguma coisa de que eu goste, vai pelo menos QUERER que eu goste, por mais abominável que a tal coisa seja

É sério, eu não quero parecer ingrata por tudo isso, porque é muito mais do que muita gente tem. Quer dizer, tipo as crianças que moram na região dos montes Apalaches, elas ficam felizes de ganhar meias, ou qualquer coisa assim, de aniversário, porque os pais delas gastam tudo o que têm em birita.

Mas ACORDA. SERÁ QUE É DEMAIS QUERER GANHAR DE ANIVERSÁRIO A ÚNICA COISA QUE EU SEMPRE QUIS, que é UMA NOITE PERFEITA NO BAILE DE FORMATURA??????????????? Quer dizer, Lana Weinberger vai ganhar isto, e ela nem está se esforçando para se autorrealizar. Provavelmente, ela nem sabe o que isso quer dizer. Ela nunca foi simpática com ninguém durante toda a vida dela. Então, por que ELA vai ao baile de formatura?

Estou dizendo, não existe justiça no mundo.

NENHUMA.

* Expressões com radical podem ser multiplicadas ou divididas, contanto que a potência da raiz ou o valor sob o radical sejam os mesmos.

Quinta, 1º de maio, Meu Aniversário, S&T

Hoje, em homenagem ao meu aniversário, Michael almoçou na minha mesa, em vez de comer com o Clube do Computador, apesar de ser quinta. Na verdade, foi bem romântico, porque, além de ele acordar cedo para ir à Manhattan Muffin Company de manhã, também matou o quarto tempo e deu uma fugida até o Wu Liang Ye para comprar para mim o macarrão de gergelim frio de que eu tanto gosto e que não dá para comprar na cidade, do tipo que é tão apimentado que exige tomar DUAS latas de Coca para que a língua comece a voltar ao normal depois de comer.

O que foi mesmo muito fofo da parte dele, e foi até um certo alívio, porque eu estava ficando bem preocupada para saber o que Michael ia me dar de presente de aniversário, porque eu sei que ele deve estar achando que precisa se esforçar muito para compensar o que eu dei para ele de aniversário, tendo visto que foram rochas lunares.

Espero que ele perceba que, por eu ser uma princesa e tal, eu tenho acesso a rochas lunares, mas que eu realmente não espero que os outros me deem presentes à altura de rochas lunares. Quer dizer, espero que Michael saiba que eu ficaria feliz com um simples: "Mia, você quer ir ao baile de formatura comigo?" E, obviamente, uma pulseira de berloques da Tiffany com um que diz PROPRIEDADE DE MICHAEL MOSCOVITZ para que eu possa usar em todo lugar a que vou e para que, quando o próximo príncipe europeu me convidar para dançar em uma festa, eu possa mostrar a pulseira e falar assim: "Desculpa, você não sabe ler? Eu pertenço ao Michael Moscovitz."

Só que, para Tina, apesar de que seria totalmente maravilhoso se Michael me desse isso, ela acha que ele não vai dar, porque dar a uma garota — mesmo que seja a namorada — uma pulseira que diz PROPRIEDADE DE MICHAEL MOSCOVITZ parece um pouco presunçoso e não é algo que Michael faria. Mostrei para Tina a coleira que Lilly tinha me dado para o Fat Louie, mas Tina disse que não é a mesma coisa.

É errado da minha parte eu querer ser propriedade do meu namorado? Quer dizer, é óbvio que eu não quero abrir mão da minha própria identidade nem pegar o sobrenome dele nem nada assim se a gente se casasse — por ser princesa, mesmo que eu quisesse, eu não poderia, a não ser que abdicasse do trono. Na verdade, há grande possibilidade de o cara que se casar comigo ser obrigado a pegar o MEU sobrenome.

Eu só, sabe como é, não me importaria com um POUQUINHO de possessividade.

Ops, está acontecendo alguma coisa. Michael acabou de se levantar e foi até a porta, para se assegurar de que a Sra. Hill estava bem instalada na sala dos professores, e Boris acabou de sair do armário de material, mas o sinal ainda não tocou. O que será que eles estão aprontando?

Quinta, 1º de maio, ainda Meu Aniversário, Francês

Acho que eu não precisava me preocupar com o que Michael ia me dar de aniversário, porque foi bem aí que a banda dele apareceu — isso mesmo, a banda dele, a Skinner Box, bem ali na sala de S&T. Bom, Boris já estava lá, porque ele tinha que estudar violino durante a aula de S&T, mas os outros integrantes da banda — Felix, o baterista de cavanhaque; Paul, o tecladista alto; e Trevor, o guitarrista — mataram aula para se juntar na sala de S&T e tocar uma música que Michael escreveu para mim. Ela se chamava "Princess of My Heart", a princesa do meu coração, e era assim:

Coturnos e hambúrgueres vegetarianos
Só de olhar para ela fico arrepiado
Lá vai ela
A princesa do meu coração

Detesta injustiça social e nicotina
Ela não é uma rainha de beleza qualquer
Lá vai ela
A princesa do meu coração

Refrão:
Princesa do meu coração
Ah, eu nem sei por onde começar
Diga que eu sou seu príncipe
Até o fim da nossa vida.

Princesa do meu coração
Eu te amei desde o início
Diga que você também me ama
Você reina no meu coração

Prometa que você não vai me matar
Com aqueles sorrisos lindos que você dá
Lá vai ela
A princesa do meu coração

Você nem precisa me condecorar
Toda vez que ri, você me arrebata
Lá vai ela
A princesa do meu coração

Refrão:
Princesa do meu coração
Ah, eu nem sei por onde começar
Diga que eu sou seu príncipe
Até o fim da nossa vida.

Princesa do meu coração
Eu te amei desde o início
Diga que você também me ama
Para que juntos possamos reinar.

E dessa vez não houve dúvida de que a música falava sobre mim, como aconteceu naquela vez que Michael tocou para mim aquela música que tinha escrito, "Tall Drink of Water" (um copo grande de água)!

Mas eu ia dizendo que a escola inteira ouviu a música que Michael fez sobre mim, porque a Skinner Box colocou o som dos amplificadores superalto. A Sra. Hill, além de todo mundo mais que estava na sala dos professores, saiu de lá, esperou educadamente até que a Skinner Box terminasse a música, e deu advertência para a banda inteira.

E, tudo bem, no dia do aniversário da Mademoiselle Klein, o Sr. Wheeton mandou entregar uma dúzia de rosas para ela no meio do quinto tempo. Mas não escreveu uma música só para ela e tocou para a escola inteira ouvir.

Ah, é, e também, Lana até pode ir ao baile de formatura, mas o namorado dela — isso sem falar nos amigos dele — nunca levaram advertência por causa dela.

Então, tirando o negócio de ter-que-passar-julho-e-agosto-em-Genovia — ah, e a coisa do baile de formatura — ter 15 anos até agora está bem bom.

* DEVER DE CASA

Álgebra: É de pensar que o meu próprio padrasto seria legal e não me daria dever no DIA DO MEU ANIVERSÁRIO, mas não

Inglês: *Iceman Cometh*

Biologia: Minhocas do gelo

Saúde e Segurança: Ver com Lilly

S&T: Até parece

Francês: Ver com Tina

Civilizações Mundiais: Vai saber

Quinta, 1º de maio, ainda Meu Aniversário, banheiro feminino no Les Hautes Manger

Tudo bem, admito que este aqui é o melhor aniversário da minha vida. Quer dizer, até a minha mãe e o meu pai estão se dando bem — ou pelo menos estão tentando. Uma graça da parte deles. Estou muito orgulhosa. Dá para ver que minha mãe está totalmente incomodada com a meia-calça de maternidade dela, mas não está reclamando nem um pouco, e o meu pai também não fez nenhum comentário a respeito dos brincos com o símbolo do anarquismo que ela está usando. E o Sr. Gianini conseguiu interromper o discurso de Grandmère a respeito do cavanhaque dele (ela não aprova pelos faciais em homem nenhum) ao dizer que ela parece cada vez mais jovem quando ele a vê. O que deu para ver que agradou Grandmère infinitamente, já que ela ficou sorrindo durante o aperitivo (agora ela já consegue mover os lábios de novo, já que a inflamação do *peeling* químico finalmente passou).

Eu fiquei um pouco preocupada que talvez a observação do Sr. G pudesse fazer com que minha mãe começasse a falar mal da indústria de beleza, de como ela demonstra preconceito com a idade e está sempre querendo difundir o mito de que ninguém pode ser atraente a menos que tenha a pele macia de alguém da minha idade (o que não faz o menor sentido, já que a maior parte das pessoas da minha idade tem espinhas a não ser que tenha dinheiro para pagar um dermatologista chique igual àquele a que Grandmère me obriga a ir e que me receita um monte de cremes de manipulação para prevenir que eu perca a cabeça, já que princesas nunca perdem a cabeça), mas ela ficou bem quieta, em minha homenagem.

E quando Michael chegou atrasado por ter ficado de castigo na escola, por causa da advertência, Grandmère não disse nada desagradável a esse respeito, o que foi o maior alívio, porque Michael estava meio vermelho, como se tivesse vindo correndo do apartamento dele depois de passar em casa para se trocar. Acho que até Grandmère conseguiu perceber que ele tinha se esforçado muito mesmo para não se atrasar.

E até mesmo uma pessoa totalmente imune às emoções humanas normais, como Grandmère, teria que admitir que o meu namorado era o cara mais bonito do restaurante inteiro. O cabelo escuro do Michael estava meio que caindo em cima de um olho, e ele estava TÃO fofo de paletó (que não é o do uniforme da escola) e de gravata, vestuário obrigatório para o Les Hautes Manger (eu tinha avisado com antecedência).

Aliás, acho que a chegada do Michael foi meio que o sinal para que todo mundo começasse a me dar os presentes que tinham comprado.

E que presentes! Vou dizer uma coisa: eu me dei bem. Ter 15 anos É TUDO!

Papai

Tudo bem, o meu pai me deu uma caneta-tinteiro muito chique e que a gente vê que é cara só de pegar. Segundo ele, é para eu dar continuidade à minha carreira de escritora (estou usando a caneta para escrever exatamente agora). Eu gostaria muito mais de ganhar um passaporte para andar de montanha-russa no parque Six Flags Great Adventure durante todo o verão (e permissão de ficar neste país para usá-lo), mas a caneta é bem legal, toda roxa e dourada, e tem gravado nela *VA Princesa Amelia Renaldo.*

Mamãe e Sr. G

Um celular!!!!!!!!!!! Que beleza!!!!!!!! Só para mim!!!!!!!!!

Infelizmente, o telefone foi acompanhado de um sermão da minha mãe e do Sr. G, explicando que eles só tinham comprado aquilo para que pudessem me achar quando a mamãe entrasse em trabalho de parto, já que ela quer a minha presença (tipo *nunca* vai acontecer, devido ao meu desgosto excessivo de ver qualquer coisa saindo de dentro de outra coisa, mas a gente não discute com uma mulher que tem de ir ao banheiro 24 horas por dia) quando meu irmãozinho ou irmãzinha estiver nascendo, e que eu não devo usar o telefone na escola, e que o plano é só para usar em território nacional, que é para eu não ficar achando que vou poder usá-lo para ligar para Michael quando estiver em Genovia.

Mas eu não prestei nenhuma atenção, porque OBA! Eu ganhei alguma coisa que estava na minha lista!!!!!

Grandmère

Bom, isto aqui é bem esquisito mesmo, porque Grandmère de fato me deu uma coisa que estava na minha lista. Só que não foram cordas elásticas, nem uma escova de gato, nem um macacão novo. Foi uma carta declarando que eu tinha apadrinhado uma garotinha órfã na África chamada Johanna!!!!!!! Grandmère disse: "Eu não posso ajudá-la a acabar com a fome no mundo, mas imagino que posso ajudá-la a mandar uma menininha toda noite para a cama com um bom jantar."

Fiquei tão surpresa que quase soltei: "Mas Grandmère! Você detesta gente pobre!", porque é verdade, ela detesta mesmo. Sempre que ela vê aqueles adolescentes punks que ficam sentados na frente do Lincoln Center com casacos de couro e coturnos Doc Martens, com aqueles cartazes escrito SEM-TETO E COM FOME, ela dá bronca neles: "Se vocês parassem de gastar todo o dinheiro com tatuagens e piercings no umbigo, poderiam pagar por um cômodo em um apartamento alugado em NoLita!"

Mas acho que a Johanna é um assunto diferente, já que ela não tem pais em Westchester morrendo de preocupação por causa dela.

Eu não sei o que está acontecendo com Grandmère. Eu esperava total que ela fosse me dar um casaco de pele ou qualquer outra coisa igualmente revoltante de aniversário. Mas ter me dado uma coisa que eu queria de verdade... ajudar a sustentar uma órfã... quase demonstra que ela se preocupa comigo. Devo dizer, ainda estou meio chocada com a coisa toda.

Acho que a minha mãe e o meu pai sentiram a mesma coisa. Meu pai pediu um drinque *Kettle One Gibson* depois de ver o que Grandmère tinha me dado, e minha mãe só ficou lá parada, em silêncio, pela primeira vez desde que ficou grávida, mais ou menos. Não estou brincando.

Daí Lars me deu o presente dele, apesar de não ser correto, de acordo com o protocolo genoviano, receber presentes do guarda-costas (porque veja só o que aconteceu com a princesa Stephanie de Mônaco: o guarda-costas dela lhe deu um presente e eles se CASARAM. O que não teria mal nenhum se eles tivessem alguma coisa em comum, mas é evidente que o guarda-costas de Stephanie não está nem um pouco interessando em depilação de sobrancelhas, e é óbvio que Stephanie não sabe nada de jiu-jítsu, então a coisa toda já começou meio mal).

De qualquer jeito, deu para ver que Lars tinha mesmo se esforçado muito para arrumar aquele presente.

Lars
Um boné original do Esquadrão Antibombas do Departamento de Polícia de Nova York, que Lars conseguiu certa vez com um representante do esquadrão, quando ele estava checando a suíte de Grandmère no Plaza antes de uma visita do papa para ver se não tinha nenhum aparelho incendiário. O que eu achei que foi a MAIOR fofura da parte do Lars, porque eu sei muito bem como ele gosta daquele boné, e só o fato de ele estar disposto a dá-lo para mim já é prova verdadeira da devoção dele, e eu duvido muito que seja da variedade matrimonial, já que eu fiquei sabendo que Lars está apaixonado pela Mademoiselle Klein, assim como todos os homens heterossexuais que chegam a dois metros de distância dela.

Mas o melhor presente de todos foi o do Michael. Ele não me deu na frente de todo mundo. Esperou até eu me levantar para ir ao banheiro, agorinha há pouco, e veio atrás de mim. Daí, bem quando comecei a descer a escada para o banheiro feminino, ele falou assim: "Mia, isto aqui é para você. Feliz aniversário", e me deu uma caixinha fina embrulhada em papel dourado.

Eu fiquei surpresa de verdade — quase tão surpresa quanto fiquei quando recebi o presente de Grandmère. Eu fiquei toda: "Michael, mas você já me deu um presente! Você escreveu aquela música para mim! Você levou advertência por minha causa!"

Michael falou: "Ah, aquilo. Aquilo não era o seu presente. Este aqui é que é."

E preciso reconhecer, a caixa tinha o tamanho certo e eu achei — achei de verdade — que talvez contivesse entradas para o baile de formatura. Eu achei que talvez, sei lá, que Lilly tivesse contado para Michael o quanto eu queria ir à festa, e que daí ele tinha comprado os ingressos para fazer uma surpresa para mim.

Bom, foi uma surpresa, certo. Porque o que havia dentro da caixa não eram ingressos para o baile de formatura.

Mas, ainda assim, era algo quase tão bom quanto isso.

Michael

Um colar com um pingente de floco de neve prateado pequenininho pendurado.

"É de quando a gente estava na festa Inominável de Inverno", explicou ele, como se estivesse preocupado que eu não fosse entender. "Você se lembra dos flocos de neve de papel que estavam pendurados no teto do ginásio?"

Eu totalmente me lembrava dos flocos de neve. Eu tenho um deles, na gaveta da minha mesinha de cabeceira.

E, tudo bem, não são ingressos para o baile de formatura nem um berloque com PROPRIEDADE DE MICHAEL MOSCOVITZ escrito, mas chega bem, bem perto.

Então eu dei um beijão no Michael, bem ali perto da escada para o banheiro feminino, na frente dos garçons do Les Hautes Manger e das recepcionistas e da moça da chapelaria e de todo mundo. Não liguei a mínima para quem estava vendo. Até onde eu sei, a revista *US Weekly* poderia ter tirado todas as fotos que quisesse de nós — e até colocar na capa da edição da semana que vem com uma manchete que diz MIA FICA COM UM GAROTO! — E eu nem teria piscado. Era essa felicidade que eu estava sentindo.

Estou. Que eu estou sentindo. Meus dedos tremem enquanto eu escrevo isto, porque acho que, pela primeira vez na minha vida, é possível que eu tenha finalmente, finalmente atingido os galhos superiores da árvore jungiana da autorrealiz...

Espera um pouquinho. Tem um monte de barulho vindo do corredor. Tipo uns pratos quebrados e um cachorro latindo e alguém gritando...

Ai, meu Deus. É *Grandmère* que está gritando.

Sexta, 2 de maio, meia-noite, em casa

Eu devia saber que estava bom demais para ser verdade. Estou falando do meu aniversário. Estava tudo indo bem demais. Quer dizer, nada de convite para o baile de formatura nem cancelamento da minha viagem para Genovia, mas, sabe como é, estava todo mundo que eu amo (bom, quase todo mundo), sentado na mesma mesa, sem brigar. Eu estava ganhando tudo que eu queria (bom, quase tudo). Michael tinha escrito aquela música para mim. E o colar de floco de neve. E o celular.

Ah, mas espera aí. É de MIM que a gente está falando. Acho que, aos 15 anos, já está mais do que na hora de reconhecer o que já sei há algum tempo: eu simplesmente não estou destinada a ter uma vida normal. Nada de vida normal, nada de família normal e, com certeza, nada de aniversário normal.

Admito que este aqui poderia ter sido a exceção, se não fosse por Grandmère. Grandmère e Rommel.

Eu pergunto: quem é que leva um CACHORRO a um RESTAURANTE? Não ligo a mínima que isso seja normal na França. NÃO RASPAR EMBAIXO DO BRAÇO É NORMAL PARA AS GAROTAS DA FRANÇA. Será que isso REVELA alguma coisa a respeito da França? Quer dizer, pelo amor de Deus, eles comem LESMAS lá. LESMAS. Como é que uma pessoa com a cabeça no lugar pode achar que alguma coisa normal na França possa ser aceita socialmente nos Estados Unidos?

Vou dizer quem. A minha avó, ela e mais ninguém.

Fala sério. Ela não entende por que todo mundo faz tanto caso. Ela fica toda, tipo: "Mas é óbvio que eu trouxe Rommel."

Para o Les Hautes Manger. Para o meu jantar de aniversário. Minha avó levou o CACHORRO para o meu JANTAR DE ANIVERSÁRIO.

Ela diz que é só porque, se deixar Rommel sozinho, ele fica se lambendo até que o pelo todo caia. É um distúrbio obsessivo-compulsivo diagnosticado pelo veterinário real genoviano, e Rommel toma remédio de prescrição para amenizar o problema.

É isso aí: o cachorro da minha avó toma Prozac.

Mas, se quer saber a minha opinião, o Rommel não tem nada de obsessivo-compulsivo. O problema dele é que vive com Grandmère. Se eu tivesse que morar com ela, eu também lamberia meu cabelo até cair. Isso se a minha língua fosse comprida o bastante para isso.

Mesmo assim, só porque o cachorro dela tem um distúrbio psiquiátrico, isso NÃO é desculpa para Grandmère levá-lo ao JANTAR DO MEU ANIVERSÁRIO. Em uma bolsa Hermès. Com um fecho quebrado, nada menos do que isso.

Por causa do que aconteceu quando eu estava no banheiro feminino. Ah, o Rommel fugiu da bolsa de Grandmère. E saiu em disparada pelo restaurante, desesperado para fugir do cativeiro — mas também, quem não faria a mesma coisa se estivesse sob o jugo tirânico de Grandmère?

Só posso imaginar o que os clientes do Les Hautes Manger devem ter pensado, vendo aquele poodle toy despelado de três quilos e meio correndo de um lado para o outro por baixo das mesas. Na verdade, eu sei o que eles pensaram. Eu sei o que eles pensaram porque depois Michael me contou. Eles acharam que o Rommel era uma ratazana gigante.

E é verdade: assim sem pelo ele tem mesmo aparência de roedor.

Mas, ainda assim, não acho que subir na cadeira e se esgoelar de tanto gritar era necessariamente a coisa mais útil a ser feita àquele respeito. Mas Michael disse que vários turistas tiraram câmeras digitais do bolso e começaram a fazer fotos. Tenho certeza que amanhã vai ter a manchete em algum jornal japonês a respeito do problema de ratazanas gigantes no setor dos restaurantes quatro estrelas de Manhattan.

De qualquer jeito, eu não vi o que aconteceu em seguida, mas Michael me disse que foi igualzinho a um filme do Baz Luhrmann, só que a Nicole Kidman não estava à vista: um auxiliar de garçom que aparentemente não tinha notado o rebuliço entrou andando ligeiro, segurando uma bandeja enorme, cheia de pratos de sopa meio vazios. De repente, Rommel, que tinha sido encurralado pelo meu pai perto do bufê de salada, saiu correndo e atravessou o caminho do auxiliar de garçom e, no instante seguinte, tinha caldo de lagosta voando para todos os lados.

Ainda bem que a maior parte caiu em cima de Grandmère. Estou falando do caldo de lagosta. Ela merecia totalmente ficar com o tailleur Chanel todo estragado por conta de ser burra o bastante para levar o CACHORRO para o JANTAR DO MEU ANIVERSÁRIO. Então, bem que eu gostaria de ter visto aquilo. Ninguém reconheceria mais tarde — nem mesmo a minha mãe —, mas aposto que foi engraçado mesmo, mesmo, mesmo ver Grandmère coberta de sopa. Juro que se eu só tivesse ganhado isso de aniversário, já teria ficado totalmente contente.

Mas, quando eu saí do banheiro, Grandmère já tinha sido toda limpa pelo maître. Da sopa, só dava para ver várias manchas úmidas no peito dela. Eu perdi toda a parte divertida (como sempre). Em vez disso, cheguei bem na hora em que o maître estava mandando o auxiliar de garçom devolver a toalha dele: estava despedido.

DESPEDIDO!!! E por causa de uma coisa que não era nem um pouco culpa dele!

Jangbu — este era o nome do auxiliar de garçom — estava com aquela cara de quem vai chorar. Ficava repetindo sem parar que sentia muito. Mas não fazia a menor diferença. Porque quando a gente joga sopa em cima de uma princesa viúva em Nova York, pode dar tchauzinho para seu emprego no ramo dos restaurantes. Seria a mesma coisa se um cozinheiro gourmet fosse pego indo ao McDonald's em Paris. Ou se alguém visse o P. Diddy comprando cueca no Wal-Mart. Ou se a Nicky e a Paris Hilton fossem pegas largadas em uma noite de sábado, com seus moletons da Juicy Couture, assistindo à National Geographic Explorer, em vez de sair para a balada. Simplesmente Não Rola.

Tentei fazer com que o maître fosse razoável com Jangbu depois que Michael me contou o que tinha acontecido. Eu disse que não tinha jeito de Grandmère acusar o restaurante pelo que o cachorro DELA tinha feito. Um cachorro que ela nem DEVIA ter levado ao restaurante para começo de conversa.

Mas não adiantou nada. Quando vi Jangbu pela última vez, ele estava se dirigindo para a cozinha, todo tristonho.

Tentei fazer com que Grandmère, que era, afinal de contas, a parte prejudicada — ou a suposta parte prejudicada, porque ela obviamente não estava nem um pouquinho machucada — fizesse com que o maître devolvesse o emprego de Jangbu. Mas ela não se comoveu nem um pouco com as minhas súplicas em defesa de Jangbu. Ficou inabalável até mesmo quando eu a lembrei de que muitos auxiliares de garçom são imigrantes, novos no país, com família para sustentar no país de origem.

"Grandmère", gritei em desespero. "O que faz o Jangbu ser tão diferente da Johanna, a órfã africana que você está apadrinhando em meu nome? Os dois só estão tentando sobreviver neste planeta que chamamos de Terra."

"A diferença", Grandmère informou, segurando Rommel bem apertado no colo, tentando acalmá-lo (precisou da ação conjunta do Michael, do meu pai e do Lars para afinal conseguir pegar Rommel, logo antes de ele sair correndo pela porta giratória e se perder pela Quinta Avenida, para a liberdade dos trilhos subterrâneos), "entre Johanna e Jangbu é que Johanna não jogou SOPA EM CIMA DE MIM!"

Caramba. Como ela é MESQUINHA às vezes.

Então aqui estou eu, sabendo que em algum lugar da cidade — no Queens, mais provavelmente — há um jovem cuja família provavelmente vai morrer de fome, e tudo por causa do MEU ANIVERSÁRIO. Isso mesmo. Jangbu ficou desempregado porque EU NASCI.

Tenho certeza de que Jangbu, onde quer que esteja agora, está lá achando que eu não deveria. Ter nascido, é o que quero dizer.

E nem posso dizer que o culpo por isso, nem um pouquinho.

Sexta, 2 de maio, 1h, em casa

Mas o meu colar de floco de neve é muito lindo. Nunca mais eu tiro do pescoço.

Sexta, 2 de maio, 1h05, em casa

Bom, menos quando eu for nadar. Porque aí eu não vou querer perder.

Sexta, 2 de maio, 1h10, em casa

Ele me ama!

Sexta, 2 de maio, Álgebra

Ai, meu Deus. Só se fala nisso. Estou falando de Grandmère e o que aconteceu na noite passada no Les Hautes Manger. Hoje deve ser um dia sem notícias, porque até o jornal *The Post* deu a notícia. Estava bem na primeira página, na banca de jornal da esquina:

UMA BAGUNÇA REAL, grita *The Post*.

A PRINCESA E A (SOPA DE) ERVILHA, afirma *The Daily News* (o que é um erro, porque não tinha nada a ver com sopa de ervilha, e sim caldo de lagosta).

Chegou até ao *Times*! É de pensar que o *New York Times* estaria acima de fazer uma reportagem a respeito de algo assim, mas lá estava ela, na seção das notícias locais. Lilly fez essa observação quando entrou na limusine hoje de manhã com Michael.

"Bom, desta vez a sua avó conseguiu mesmo", comentou ela.

Como se eu ainda não soubesse! Como se eu já não estivesse sofrendo com a culpa terrível de saber que eu era, mesmo que de maneira indireta, responsável pela perda do sustento do Jangbu!

Mas preciso reconhecer que minha atenção se desviou um pouco da pena que eu sentia do Jangbu pelo fato de Michael estar tão incrivelmente gostoso, como toda manhã quando ele entra na minha limusine. Isso porque, quando pegamos ele e Lilly para ir para a escola, Michael sempre acabou de fazer a barba, e o rosto dele fica todo lisinho. Ele não é uma pessoa particularmente peluda, mas é verdade que, no fim do dia — que é quando a gente acaba tendo tempo para se beijar, já que somos os dois um pouco tímidos, acho, e temos o escuro da noite para esconder nossas bochechas coradas — os pelos faciais do Michael ficam meio que parecendo uma lixa. Na verdade, não consigo parar de pensar que deve ser muito melhor beijar Michael de manhã, quando o rosto dele está todo lisinho, do que à noite, quando arranha a minha pele. Principalmente o pescoço. Não que eu algum dia tenha pensado em beijar o pescoço do meu namorado. Quer dizer, isso seria muito esquisito.

Mas no que diz respeito ao pescoço dos garotos, o do Michael é bem legal. Às vezes, nas raras ocasiões em que ficamos sozinhos tempo bastante para começar a nos agarrar de verdade, coloco meu nariz perto do pescoço do Michael e simplesmente cheiro. Sei que parece estranho, mas o pescoço do Michael tem um cheiro muito, muito bom mesmo, de sabonete. Sabonete e alguma coisa a mais. Alguma coisa que faz com que eu sinta que nada de ruim pode acontecer comigo, não enquanto eu estiver nos braços do Michael, cheirando o pescoço dele.

MAS SE PELO MENOS ELE PUDESSE ME CONVIDAR PARA O BAILE DE FORMATURA!!!!!!!!! Daí eu poderia passar uma NOITE inteira cheirando o pescoço dele, só que ia parecer que estávamos dançando, então ninguém, nem Michael, saberia.

Espera aí. O que eu estava dizendo antes de ficar distraída com o cheiro do pescoço do meu namorado?

Ah, sim. Grandmère. Grandmère e Jangbu.

Bom, mas nenhuma das reportagens de jornal a respeito do que aconteceu ontem à noite mencionou a parte do Rommel. Nenhunzinho. Não houve nem mesmo uma sugestão de que a coisa toda podia ter sido culpa de Grandmère. Ah, não! Não mesmo!

Mas Lilly sabe, porque Michael contou para ela. E ela tinha muitas coisas a dizer a esse respeito.

"A gente vai fazer o seguinte", começou ela. "Vamos fazer uns cartazes na aula de superdotados & talentosos, e daí vamos lá depois da escola."

"Lá onde?", perguntei. Eu ainda estava ocupada, olhando para o pescoço lisinho do Michael.

"Lá no Les Hautes Manger", Lilly respondeu. "Para começar a manifestação."

"Que manifestação?" Parece que eu só conseguia ficar pensando se o meu pescoço cheirava tão bem para Michael quanto o dele cheira para mim. Para falar a verdade, eu nem me lembro se teve alguma vez que Michael cheirou o meu pescoço. Como ele é mais alto do que eu, é muito fácil para mim colocar meu nariz no pescoço dele e cheirar. Mas para ele cheirar o meu, ele teria que se debruçar em cima de mim, o que pareceria meio esquisito, e ele provavelmente ia ficar com torcicolo.

"A manifestação contra a demissão injusta do Jangbu Panasa!", Lilly gritou.

Ótimo. Agora eu já sei o que vou fazer depois da escola. Como se eu já não tivesse problemas suficientes, levando em conta:

1. Minhas aulas de princesa com Grandmère
2. Dever de casa
3. Preocupação com a festa que a minha mãe vai dar para mim sábado à noite e o fato de que provavelmente ninguém vai aparecer, e mesmo que apareça, é totalmente possível que a minha mãe e o Sr. G façam alguma coisa para me deixar envergonhada, tipo reclamar sobre suas funções corporais ou possivelmente começar a tocar bateria
4. Levantamento do cardápio da semana que vem para *O Átomo*
5. O fato de o meu pai achar que eu vou passar 62 dias com ele em Genovia este ano
6. Meu namorado ainda não ter me convidado para o baile de formatura

Ah, não, eu posso muito bem ESQUECER TUDO ISSO e me preocupar com o Jangbu. Quer dizer, não me leve a mal, eu estou totalmente preocupada com ele, mas acorda, eu também tenho meus problemas. Como por exemplo o fato de que o Sr. G acabou de devolver as provas de segunda, e a minha veio com um enorme 6 em vermelho e o recado: FALE COMIGO.

Hmm, acorda, Sr. G, até parece que a gente não acabou de se falar NO CAFÉ DA MANHÃ. Será que você não poderia ter comentado este fato NAQUELA OCASIÃO?

Ai, meu Deus, Lana acabou de virar para trás e jogou um exemplar do *New York Newsday* na minha carteira. Tem uma foto enorme na primeira página, de Grandmère saindo do Les Hautes Manger com Rommel aninhado nos braços dela, e restos de caldo de lagosta por toda a saia dela.

"Por que tem tanta gente ESQUISITA na sua família?", Lana perguntou.

Quer saber, Lana? Esta é mesmo uma boa pergunta.

Sexta, 2 de maio, Francês

Não dá para acreditar no Sr. G. Que coragem ele tem de sugerir que a minha relação com Michael está TIRANDO A MINHA ATENÇÃO das aulas! Como se Michael tivesse feito alguma coisa além de me ajudar a entender álgebra. Acorda!

Tudo bem, e daí que Michael vem me visitar todo dia antes de a aula começar? Como é que isso prejudica alguém? Quer dizer, é verdade, a LANA fica furiosa, porque Josh Richter NUNCA faz a mesma coisa, porque está ocupado demais admirando seus atributos físicos no espelho do banheiro masculino. Mas como é que ISSO tira a minha atenção das aulas?

Vou ter que ter uma conversa muito séria com a minha mãe, porque acho que o nascimento iminente do primeiro filho dele está transformando o Sr. G em um misantropo. E daí que eu tirei 69 no último teste? As pessoas têm direito a um dia livre, não têm? Isso NÃO significa que as minhas notas estão caindo, nem que eu estou passando tempo demais com Michael, nem que fico pensando sem parar em cheirar o pescoço dele, nem nada desse tipo.

E o Sr. G sugerir que eu passei o segundo tempo inteiro escrevendo no meu diário é uma coisa completamente risível. Eu prestei total atenção a respeito do sermãozinho que ele fez a respeito de polinômios nos últimos dez minutos de aula. FAÇA-ME O FAVOR!

E aquela coisa que eu escrevi VA Michael Moscovitz Renaldo 17 vezes na margem inferior da prova foi só uma PIADA. Credo. Sr. G, o que aconteceu? Você *costumava* ter senso de humor.

Sexta, 2 de maio, Biologia

> M,
> Então... ele te convidou ontem à noite? No seu jantar de aniversário.
> — S

Não.

> Mia! Faltam exatamente oito dias para o baile de formatura. Você vai ter que tomar as rédeas da situação e simplesmente perguntar para ele.

SHAMEEKA! Você sabe muito bem que eu não posso fazer isso.

> Bom, está chegando a hora da decisão. Se ele não te convidar até a sua festa, amanhã à noite, você não vai poder dizer que sim, nem se ele DE FATO for te convidar. A gente precisa ter um pouco de orgulho!

Isso é muito fácil para uma pessoa como você dizer, Shameeka. Você é líder de torcida.

> Pois é. E você é princesa!

Você sabe muito bem do que eu estou falando.

> Mia, você não pode deixar que ele te despreze desse jeito. Você precisa fazer com que os caras fiquem sempre prestando atenção... não importa quantas músicas eles escrevem para você ou quantos colares de floco de neve eles te dão. Você precisa fazer com que eles percebam que VOCÊ é quem manda.

Às vezes você parece a minha avó falando.

EEEEEEEEEECAAAAAAAAAA!

Sexta, 2 de maio, S&T

Ai, meu Deus. Lilly não PARA de falar do Jangbu e do infortúnio dele. Olha, eu também sinto muito pelo cara, mas não vou violar a privacidade do coitado tentando achar onde ele mora e o número do telefone dele — principalmente não usando um CELULAR NOVINHO EM FOLHA de uma integrante da realeza.

Eu ainda não fiz NENHUMA ligação nele. NENHUMAZINHA. Lilly já fez cinco.

Essa coisa do auxiliar de garçom está totalmente fora de controle. A Leslie Cho, redatora-chefe de *O Átomo*, passou na nossa mesa na hora do almoço e perguntou se eu poderia fazer uma reportagem aprofundada a respeito do acontecimento para a edição de segunda-feira. Percebi que finalmente recebi a oferta para dar início à minha carreira de repórter de verdade — e não o papo furado do cardápio da cantina —, mas será que a Leslie acha mesmo que eu sou a pessoa mais apropriada para o serviço? Quer dizer, será que ela não está correndo o risco de a reportagem não ser nada livre de preconceito nem de retratar só um lado da situação? Quer dizer, eu acho que Grandmère estava errada, mas ela continua sendo minha AVÓ, pelo amor de Deus.

Não sei se gostei muito dessa ideia de fazer uma reportagem sobre o que há de podre no mundo no jornal da escola. Escrever um romance em vez de trabalhar para *O Átomo* me parece cada vez mais interessante.

Como é sexta, Michael estava no bufê pegando um segundo prato de feijão para mim, e Lilly estava ocupada com outras coisas. Tina veio me perguntar o que eu ia fazer a respeito de Michael ainda não ter me convidado para o baile de formatura.

"O que eu POSSO fazer?", choraminguei. "Só tenho que ficar aqui sentada esperando, igual a Jane Eyre fez quando o Sr. Rochester estava ocupado jogando bilhar com Blanche Ingram e fingindo que não sabia que Jane estava viva."

Ao que Tina respondeu: "Eu acho mesmo que você devia dizer alguma coisa. Quem sabe amanhã à noite, na sua festa?"

Ah, que beleza. Eu estava meio que ansiosa pela minha festa — sabe como é, menos pela parte que a minha mãe com certeza vai parar todo mundo na porta e falar a respeito da Bexiga Incrivelmente Encolhida dela —, mas agora? Sem chance. Porque eu sei que Tina vai ficar olhando para mim a noite inteira, mostrando que ela acha que eu devo perguntar ao Michael sobre o baile de formatura. Que maravilha. Muito obrigada.

Lilly acabou de me entregar um cartaz gigante. Ele diz: O LES HAUTES MANGER É ANTIAMERICANO!

Observei que todo mundo já sabe que o Les Hautes Manger é antiamericano. É um restaurante francês. Ao que Lilly respondeu: "Só porque o dono nasceu na França, isso não é motivo para ele pensar que não precisa respeitar as leis e os costumes sociais do nosso país."

Eu disse que achei que uma das nossas leis previa que as pessoas podiam contratar e demitir quem bem entendessem. Sabe como é, dentro de certos parâmetros.

"De que lado você está, aliás, Mia?", Lilly perguntou.

Eu respondi: "Do seu, óbvio. Quer dizer, do lado do Jangbu."

Mas será que Lilly não percebe que eu já tenho problemas demais para ficar me preocupando com os de um auxiliar de garçom itinerante também? Quer dizer, eu preciso me preocupar com as férias de verão, isso sem falar na minha nota de álgebra e a órfã que eu amadrinhei. E não acho mesmo que podem esperar de mim que consiga devolver o emprego de Jangbu, se eu nem consigo fazer o meu namorado me convidar para o baile de formatura.

Devolvi o cartaz para Lilly, explicando que não vou poder ir à manifestação depois da escola, já que tenho que assistir a uma aula de princesa. Lilly me acusou de estar mais preocupada comigo mesma do que com os três filhos do Jangbu, que vão morrer de fome. Perguntei como é que ela sabia que Jangbu tinha filhos, porque, até onde eu sei, isso não tinha sido mencionado em nenhuma reportagem de jornal a respeito do acontecido, e Lilly ainda não tinha conseguido falar com ele. Mas ela só respondeu que estava falando de modo figurado, não literal.

Estou muito preocupada com Jangbu e seus filhos figurativos, é verdade. Mas vivemos num mundo em que cada um depende só de si, e neste momento tenho meus próprios problemas para resolver. Tenho quase certeza de que Jangbu compreenderia.

Mas eu disse a Lilly que tentaria convencer Grandmère a falar com o dono do Les Hautes Manger para recontratar Jangbu. Acho que é o mínimo que eu posso fazer, levando em conta que a minha presença na Terra é a razão por que o sustento desse coitado foi destruído.

* DEVER DE CASA

Álgebra: Vai saber

Inglês: Não estou nem aí

Biologia: Sei lá

Saúde e Segurança: Faça-me o favor

S&T: Até parece

Francês: Um negócio qualquer

Civilizações Mundiais: Outro negócio

Sexta, 2 de maio, na limusine, voltando para casa da suíte de Grandmère

Grandmère resolveu agir como se nada tivesse acontecido ontem à noite. Como se ela não tivesse levado o *poodle* dela para o meu jantar de aniversário e tivesse feito com que um inocente auxiliar de garçom fosse demitido. Como se o rosto dela não estivesse estampado na primeira página de todos os jornais de Manhattan, menos *The Times*. Ela só ficou falando sobre como no Japão é considerada a maior falta de educação espetar os pauzinhos na tigela de arroz. Aparentemente, se você faz isso, é um sinal de desrespeito para com os mortos ou qualquer coisa assim.

Tanto faz. Até parece que eu vou para o Japão em alguma data próxima. Acorda, parece que eu não vou nem ao BAILE DE FORMATURA.

"Grandmère", comecei quando não consegui mais aguentar. "Será que a gente vai falar sobre o que aconteceu no jantar ontem à noite, ou será que simplesmente vamos fingir que não aconteceu nada?"

Grandmère fez uma cara de inocente. "Desculpe-me, Amelia, não sei do que você está falando."

"Ontem à noite", insisti. "No meu jantar de aniversário. No Les Hautes Manger. Você fez com que demitissem o auxiliar de garçom. Estava em todos os jornais hoje de manhã."

"Ah, aquilo." Grandmère deu uma mexida no Sidecar dela, toda inocente.

"Bom?", eu perguntei a ela. "O que você vai fazer a este respeito?"

"Fazer?" Grandmère parecia mesmo surpresa. "Bem, nada. O que eu posso fazer?"

Acho que eu não devia ter ficado tão chocada. Grandmère consegue olhar só para o umbigo dela mesma quando quer.

"Grandmère, um homem acabou de perder o emprego por sua causa", gritei. "Você precisa fazer alguma coisa! Ele pode morrer de fome."

Grandmère olhou para o teto. "Pelos céus, Amelia. Eu já arrumei uma órfã para você. Você está dizendo que também quer adotar um auxiliar de garçom?"

"Não. Mas, Grandmère, não foi por culpa do Jangbu que ele derramou sopa em cima de você. Foi um acidente. Mas foi causado pelo seu cachorro."

Grandmère tapou os ouvidos de Rommel.

"Não fale tão alto", pediu ela. "Ele é muito sensível. O veterinário disse..."

"Não dou a mínima para o que o veterinário disse", berrei. "Grandmère, você precisa fazer alguma coisa! Meus amigos estão lá na frente do restaurante bem agora, fazendo uma manifestação!"

Só para ser dramática, liguei a televisão e coloquei no canal New York One. Na verdade, não achava que ia ter alguma coisa a respeito do protesto da Lilly.

Talvez só alguma coisa sobre um engarrafamento no lugar porque todo mundo que passava por lá ia mais devagar para dar uma espiada no que Lilly estava aprontando.

Então dá para imaginar que fiquei bem surpresa quando um repórter começou a descrever "a cena extraordinária na frente do Les Hautes Manger, o restaurante quatro estrelas que está na moda, na rua 57", e mostraram Lilly andando de um lado para o outro com um cartaz grande em que se lia A GERÊNCIA DO LES HAUTES MANGER É INJUSTA. A maior surpresa não foi o grande número de alunos da Escola Albert Einstein que Lilly tinha convencido a se juntar a ela. Quer dizer, eu achei que ia ver Boris lá, e não foi exatamente surpreendente ver o Clube dos Socialistas da EAE lá também, já que eles participam de qualquer manifestação que veem pela frente.

Não, o maior choque foi que havia um grande número de homens que eu nunca tinha visto junto com a Lilly e os outros alunos da EAE.

Logo o repórter explicou por quê.

"Auxiliares de garçom de toda a cidade se reuniram aqui na frente do Les Hautes Manger para demonstrar sua solidariedade a Jangbu Panasa, o empregado que foi demitido do restaurante na noite passada, depois de um incidente envolvendo a princesa de Genovia, que anda com seu cachorro."

Mesmo com tudo isso, Grandmère continuou inabalável. Só olhou para a tela e estalou a língua.

"Azul", comentou ela, "não é a melhor cor para Lilly, não é mesmo?"

Eu não sei mesmo o que vou fazer com essa mulher, fala sério. Ela é totalmente IMPOSSÍVEL.

Sexta, 2 de maio, em casa

É de pensar que na minha própria casa eu teria um pouco de paz e sossego. Mas não. Cheguei em casa e encontrei a minha mãe e o Sr. G tendo a maior briga. Geralmente, as brigas deles giram em torno de minha mãe querer ter o bebê em casa com uma parteira e o Sr. G querer que o bebê nasça no hospital, com a equipe da Mayo Clinic de plantão.

Mas dessa vez era porque minha mãe quer que o bebê se chame Simone, se for menina, em homenagem a Simone de Beauvoir, e Sartre, se for menino, em homenagem a — bom, um cara aí chamado Sartre, acho.

Mas o Sr. G quer que o bebê se chame Rose, se for menina, em homenagem à avó dele, e Rocky, se for menino, em homenagem a... bom, aparentemente ao Sylvester Stallone. O que, sabe como é, depois de ver o filme *Rocky — O Lutador*, não é necessariamente uma coisa ruim, já que o Rocky era um cara bem legal e tal...

Mas minha mãe diz que nem sob o cadáver dela o filho dela — se ela tiver um filho — vai ter o nome de um boxeador praticamente analfabeto.

Ainda assim, se quer saber a minha opinião, Rocky é melhor do que o último nome de menino que eles sugeriram: Granger. Graças a Deus que eu fui olhar no livro de nomes de bebês que eu dei a eles o que *Granger* quer dizer. Porque daí eles ficaram sabendo que *Granger* quer dizer "sitiante" em francês antigo, eles desencanaram total. Quem é que coloca o nome de "Sitiante" em um bebê?

Amelia não quer dizer nada em francês. Dizem que é derivado de *Emily*, ou de *Emmeline*, que quer dizer "criativa" em alemão antigo. O nome Michael, que é em hebraico antigo, significa "Aquele que gosta do Senhor". Então, dá para ver que juntos fazemos um belo par, sendo que uma é criativa e o outro gosta de Deus.

Mas a briga não terminou com a coisa de Sartre-contra-Rocky. Ah, não. Minha mãe quer ir à BJ, uma loja de venda por atacado em Nova Jersey, amanhã, para comprar as coisas da minha festa, mas o Sr. G está com medo que terroristas coloquem uma bomba no túnel Holland e prendam todo mundo lá dentro, igual aconteceu no filme *Daylight*, do Sylvester Stallone, e daí a minha mãe pode entrar em trabalho de parto prematuro e ter o bebê no meio de um monte de água vazando do rio Hudson.

O Sr. G prefere ir à Paper House, na Broadway, e comprar pratos e copos de aniversário da rainha Amidala.

Acorda, eu espero que eles saibam que eu tenho 15 anos — não meses —, e que sou capaz de entender perfeitamente tudo que eles estão dizendo.

Tanto faz. Coloquei meu fone de ouvido e liguei o computador, na esperança de encontrar algum sossego de todas aquelas vozes exaltadas, mas não tive tanta sorte. Lilly mal tinha chegado em casa daquele negócio de protesto dela e já tinha mandado um e-mail para todo mundo na escola:

De: **WomynRule**

ATENÇÃO ALUNOS DA ESCOLA ALBERT EINSTEIN:

Nós, da Associação de Alunos Contra a Demissão Injusta de Jangbu Panasa (AACDIJP), precisamos muito da sua ajuda e do seu apoio! Junte-se a nós amanhã (sábado, dia 3 de maio), ao meio-dia, para uma manifestação no Central Park, e depois uma passeata de protesto pela Quinta Avenida, até a porta do Les Hautes Manger, na rua 57. Mostre a sua desaprovação sobre a maneira como os donos de restaurantes de Nova York tratam seus empregados! Não ouça quem diz que a nossa geração é materialista. Faça com que ouçam a sua voz!

Lilly Moscovitz, Presidente
AACDIJP

Acorda. Eu não sabia que a minha geração era a Geração Materialista. Como é que pode ser? Eu não tenho quase nada. A não ser um celular. E só tenho faz, tipo, um dia.

Tinha outra mensagem da Lilly. Era assim:

WomynRule: Mia, senti a sua falta hoje na manifestação. Você tinha que ter estado lá, foi simplesmente O MÁXIMO! Vieram auxiliares de garçom até de Chinatown para se juntar ao nosso protesto pacífico. No ar, tinha uma supersensação de companheirismo e carinho! E o melhor de tudo, você nem sabe: o próprio Jangbu Panasa apareceu! Ele tinha ido ao Les Hautes Manger para pegar o último pagamento. E ele ficou mesmo muito surpreso de ver nós todos lá, protestando contra a demissão dele! No começo, ele ficou todo envergonhado e não queria falar comigo. Mas eu falei para ele que, apesar de eu ter sido criada em uma casa de classe alta, e de os meus pais serem membros da *intelligentsia*, no coração eu sou tão classe trabalhadora quanto ele, e só desejo o melhor para os representantes do povo no coração. O Jangbu vai à passeata amanhã! Você também deveria ir, vai ser demais!!!!!!!!

— Lilly

PS: Você não me contou que o Jangbu só tinha 18 anos. Você sabia que ele é sherpa? Fala sério. Do Nepal. No país dele, ele já se formou no ensino médio. Veio para cá à procura de uma vida melhor porque o mercado agrícola do país dele entrou em um impasse por causa da política das forças de ocupação da China no Tibet, e o único emprego que os jovens sherpas que não trabalham na agricultura podem conseguir é trabalhar de carregador e de guia no monte Everest. Mas o Jangbu não gosta de altura.

PPS: Você também não me disse que ele era o maior GOSTO-SO!!!! Ele parece uma mistura de Jackie Chan com o Enrique Iglesias.

Realmente é muito exaustivo quando tanto a sua melhor amiga e o seu namorado são gênios. Juro que eu mal consigo aguentar os dois. Os exercícios mentais que eles fazem realmente estão fora do meu alcance.

Por sorte, também tinha uma mensagem da Tina, que tem capacidade intelectual mais parecida com a minha:

Iluvromance: Mia, estive pensando, e resolvi que a melhor hora para perguntar ao Michael se ele vai ou não te convidar para o baile de formatura é mesmo amanhã à noite, durante a sua festa. Acho que a gente tem que organizar uma brincadeira de Sete Minutos no Paraíso (a sua mãe não vai ligar, né? Quer dizer, ela e o Sr. G não vão ESTAR LÁ de verdade durante a festa, vão?), e daí, quando você estiver no armário com Michael, e as coisas ficarem bem quentes para o lado dele, é aí que você tem que perguntar. Acredite em mim, nenhum menino nega nada durante Sete Minutos no Paraíso. Pelo menos, foi isso que eu *li*. — T

Caramba! Qual é o problema das minhas amigas? Parece que elas vivem em um universo completamente diferente do meu. Sete Minutos no Paraíso? Onde Tina está com a cabeça? Eu quero que a minha festa seja LEGAL, com Coca-Cola e Cheetos e talvez Túnel do Tempo se o Sr. G me ajudar a afastar o sofá. Eu NÃO quero uma festa em que as pessoas entram no armário para ficar se agarrando. Quer dizer, se eu quiser agarrar meu namorado, vou fazer isso na privacidade do meu próprio quarto... mas é óbvio que eu não tenho permissão para convidar Michael para vir aqui em casa quando ninguém mais está lá, e quando ele vem, tenho que deixar a porta do quarto aberta, pelo menos dez centímetros, o tempo todo (obrigada, Sr. G. Sabe como é, é a maior chatice ter um padrasto que é professor do ensino médio, porque quem poderia ser melhor para acabar com a festa de uma adolescente se não um professor do ensino médio?).

Vou te dizer, entre a minha avó e as minhas amigas, não sei quem é que me dá mais dor de cabeça.

Pelo menos Michael deixou uma mensagem legal:

> **LinuxRulz:** Você parecia bem quietinha durante S&T hoje. Está tudo bem?

Ainda bem que posso contar com o meu namorado para me apoiar. Tirando, lógico, o fato de ele não me convidar para ir ao baile de formatura.

Resolvi ignorar as mensagens da Lilly e da Tina, mas respondi à do Michael. Tentei implementar um pouco daquela sutileza de que Grandmère falava outro dia. Não que agora eu tenha começado a aprovar o que Grandmère faz nem nada assim. Mas é preciso dizer que ela já teve bem mais namorados do que eu.

> **FtLouie:** Ei! Está tudo bem comigo. Valeu por perguntar. Só não consigo deixar de sentir que estou me esquecendo de alguma coisa. Mas não consigo descobrir o que é. Só que tem alguma coisa a ver com esta época do ano, acho...

Pronto! Perfeito! Sutil e, ainda assim, exato. E Michael, por ser um gênio, obviamente vai se ligar. Ou foi o que eu pensei, até receber a resposta... que veio na hora, porque acho que ele também estava on-line.

> **LinuxRulz:** Bom, julgando pelo 6 que você tirou naquela prova hoje, eu diria que você está se esquecendo de tudo que tem acontecido nas últimas semanas em álgebra. Se você quiser, posso ir aí no domingo e ajudar com a lição de segunda. — M

Ai meu Deus. Será que alguma outra garota tem um namorado assim tão sem noção? Sem falar, possivelmente, na Lilly? Só que eu acho que até Boris Pelkowski teria entendido a minha intenção no texto acima.

Estou tão deprimida. Acho que vou para a cama. Está passando uma maratona de *Farscape*, mas não estou no clima de assistir às aventuras espaciais dos outros. As minhas já são bem desconcertantes.

Sábado, 3 de maio, Dia da Grande Festa

Minha mãe enfiou a cabeça no meu quarto de manhã cedo, toda animada, e perguntou se eu queria ir com ela e o Sr. G até a BJ para comprar as coisas da festa. Acho que ela ganhou a briga. Normalmente, eu adoro a BJ, porque é um galpão enorme cheio de coisas em tamanho família, e tem amostra grátis de queijo e de pipoca e de tudo o mais. Isso sem falar na loja de bebidas em que atendem a gente no carro, em que o Sr. G gosta de passar na volta: abrem o porta-malas e enchem de pacotes de Coca-Cola, e a gente nem precisa descer do carro.

Mas hoje, por alguma razão, eu estava deprimida demais até para a loja de bebidas em que a gente entra de carro. Então, só fiquei embaixo das cobertas e perguntei à minha mãe, com a voz fraquinha, se ela ligava se eu não fosse. Disse que estava com dor de garganta e achava que devia ficar na cama até a hora da festa, só para ter certeza de que eu estaria me sentindo bem o bastante para participar dela.

Acho que ela não caiu na minha história de estar doente, mas ela não disse nada. Só falou: "Como você quiser", e saiu com o Sr. G. O que, considerando o humor dela ultimamente, significa que eu me dei bem.

Eu não sei qual é o meu problema. Nada dá certo. Quer dizer, eu tenho tanto problema... Quero ir ao baile de formatura com o meu namorado, só que ele não me convidou, e tenho medo de que ele vá achar que eu estou forçando a barra demais se for falar disso com ele. Não quero passar o verão em Genovia, mas assinei uma porcaria de um contrato dizendo que eu iria, e agora acho que não dá mais para escapar. A minha melhor amiga está tentando fazer tanto bem para a humanidade e tal, e eu nem posso ir lá segurar um cartaz para ajudá-la, apesar de a pessoa que ela está tentando ajudar ser alguém cuja desgraça é toda culpa minha para começo de conversa. E a minha nota de álgebra está começando a desabar de novo, e eu não estou nem aí.

Realmente, com todo este peso em cima dos meus ombros, que escolha eu tenho a não ser ligar a TV no canal Lifetime? Talvez, se eu assistir a alguns filmes sobre mulheres de verdade que ultrapassaram obstáculos realmente intransponíveis, eu encontre coragem para enfrentar os meus.

Ei, pode dar certo.

Sábado, 3 de maio, 19h30, meia hora antes de a minha festa começar

Parece que ligar a TV no canal Lifetime não foi uma ideia tão boa assim. Eu só fiquei me sentindo inadequada. Fala sério, não sei quem pode assistir àqueles filmes sem se sentir mal consigo mesma. Quer dizer, aqui está uma pequena amostra do que essas mulheres fizeram:

O Sequestro do Voo 847: a História de Uli Derickson

Lindsey Wagner, de *A mulher biônica*, salva todos os passageiros, menos um, nesta história real de um sequestro de avião em meados dos anos 1980. No filme, Uli convence os sequestradores a poupar a vida dos passageiros quando canta uma música popular bem emocionante, fazendo com que os olhos dos sequestradores se encham de lágrimas.

Infelizmente, eu não sei nenhuma canção popular, e as músicas que eu conheço, tipo "I Love Myself Today (Uh-Huh)", do Bif Naked, provavelmente não acalmariam ninguém, muito menos um sequestrador.

O Sequestro de Kari Swenson

A mulher de Michael J. Fox, Tracy Pollan, é a estrela dessa história real de uma biatleta olímpica que é sequestrada por caipirões que querem se casar com ela. Eca! Como se acampar já não fosse ruim o suficiente. Imagine só ter que acampar com gente que nunca toma banho. Mas Kari consegue fugir e ganha a medalha de ouro, e os criminosos vão para a cadeia, onde são obrigados a se barbear e escovar os dentes todos os dias.

Eu, no entanto, não sou biatleta nenhuma. Não sou sequer atleta. Se eu fosse sequestrada, eu provavelmente começaria a chorar, até eles me soltarem de tanto desgosto.

Um Grito de Socorro: A História de Tracey Truman

Jo, de *The Facts of Life*, é atacada brutalmente pelo marido enquanto policiais observam, daí ela processa a polícia por não a ter protegido e ganha, o que a transforma em heroína de todas as vítimas de violência doméstica.

Mas eu tenho um guarda-costas. Se alguém tentar me atacar, Lars acerta essa pessoa na mesma hora com sua pistola paralisante.

Terror Repentino: O Sequestro do Ônibus Escolar nº 17

Maria Conchita Alonso, logo depois do papel de Amber, que fez em *Maratona da morte*, faz o papel de Marta Caldwell, a motorista corajosa de um ônibus escolar para alunos especiais que é sequestrado por um cara que está bravo com a Receita Federal. Sua conduta calma e gentil faz com que o sequestrador fique imóvel tempo bastante para que um integrante da SWAT dê um tiro na cabeça dele através da janela do ônibus, para o horror dos passageiros, que ficam todos respingados de sangue e do tecido cerebral do cara.

Mas eu vou de limusine para a escola, então as chances de isso acontecer são bem remotas.

Ela Acordou Grávida

Essa é a história verdadeira de uma mulher que sofre constantes abusos sexuais do dentista enquanto está sob efeito de anestesia para fazer um tratamento de canal. Daí o dentista ainda tem a coragem de dizer que ele e a paciente tinham um caso e que ela está inventando essa história de estupro para que o marido não fique com raiva por ela ter engravidado... Então uma policial vai ao consultório disfarçada de paciente e os policiais usam uma câmera escondida para pegar o dentista no ato, tirando a blusa da policial!

Mas isso nunca aconteceria comigo, porque eu não tenho nada na área peitoral que pudesse interessar a alguém, nem a um dentista psicopata.

Aterrissagem Milagrosa

Connie Sellecca faz o papel da Primeira Oficial Mimi Tompkins, que conseguiu pousar o voo 243 depois de o teto do avião ter saído no meio do voo devido ao desgaste do metal. Ela não é a única pessoa corajosa naquele voo, já que também tinha uma comissária de bordo que ficava indo ver como estavam as pessoas da parte da frente do avião, onde não havia teto, e ficava dizendo a elas que ia ficar tudo bem, apesar de elas estarem com pedaços gigantes do tapete do avião amarrados na cabeça.

Eu nunca seria capaz de pousar um avião, nem de dizer a pessoas com ferimentos gigantescos na cabeça que elas iriam ficar bem, porque eu estaria vomitando um montão.

Fala sério, eu não sei como é que se pode esperar de alguém que simplesmente saia da cama se sentindo feliz depois de ver filmes como esses.

Pior ainda, por acaso eu peguei alguns minutos de *Bichos de estimação milagrosos*, e fui obrigada a reconhecer que, como bicho de estimação, Fat Louie está bem no fim da escala no que diz respeito à inteligência. Quer dizer, no programa tinha um burro que salvou o dono de cães selvagens, um papagaio que salvou os donos de um incêndio em casa, um cachorro que salvou a dona de morrer de choque hipoglicêmico quando ficou sacudindo-a de levinho, até que ela engolisse uma bala, e um gato que reparou que o dono estava inconsciente e sentou no botão de discagem automática de emergência e ficou miando até chegar ajuda.

Sinto muito, mas Fat Louie não peitaria cães selvagens, provavelmente se esconderia em um incêndio, não saberia a diferença entre uma bala e um buraco na parede e não saberia sentar no botão de discagem automática da emergência se eu estivesse inconsciente. Na verdade, se eu estivesse inconsciente, Fat Louie provavelmente só ficaria sentado do lado da tigela de comida chorando, até a nossa vizinha, Ronnie, perder a cabeça e chamar a síndica para abrir a porta e calar a boca do gato.

Até o meu gato é um fracasso.

Pior ainda, minha mãe e o Sr. G se divertiram muito na BJ, sem mim. Bom, menos na hora que a minha mãe precisava mesmo fazer xixi e eles estavam totalmente presos no meio do túnel Holland, de modo que ela teve que segurar até chegarem ao primeiro posto Shell do outro lado, e quando ela correu até o banheiro feminino e a porta estava trancada e ela quase arrancou o braço do frentista que lhe entregou a chave quando a puxou com tudo da mão dele.

Mas acharam toneladas de coisas da rainha Amidala, inclusive calcinhas (para mim, não para os convidados da festa, obviamente). Minha mãe enfiou a cabeça no quarto quando eles chegaram em casa para me mostrar o pacote de seis calcinhas da Amidala que ela tinha comprado, mas não consegui demonstrar nenhum entusiasmo, apesar de ter tentado.

Talvez eu esteja de TPM.

Ou talvez o peso da minha recém-descoberta feminilidade, já que agora eu tenho 15 anos, seja demais para mim.

E eu devia mesmo estar feliz, porque o Sr. G pendurou um monte de faixas da rainha Amidala pela casa, e colocou luzinhas de Natal brancas nas tubulações do teto, e colocou uma máscara da rainha Amidala no busto do Elvis em tamanho natural da mamãe. Ele até prometeu que não vai ficar batucando na bateria dele para acompanhar a música (um mix cuidadosamente selecionado por Michael, que inclui todos os meus lançamentos preferidos do Destiny's Child e da Bree Sharp).

QUAL É O MEU PROBLEMA???? Será que tudo isto é só porque o meu namorado ainda não me convidou para o baile de formatura? Por que eu ligo para isso? Por que não posso ficar feliz com o que tenho?

POR QUE EU NÃO POSSO FICAR FELIZ COM O SIMPLES FATO DE TER UM NAMORADO E DEIXAR AS COISAS ASSIM MESMO?

Esta festa foi uma péssima ideia. Não estou nem um pouco em clima de festa. O que eu estava pensando, dar uma festa? EU SOU UMA PRINCESA NERD NADA POPULAR!!!!! UMA PRINCESA NERD NADA POPULAR NÃO DEVERIA DAR FESTAS!!!!!!!!! NEM MESMO SÓ PARA OS AMIGOS NERDS E NADA POPULARES DELA!!!!!!!!!

Ninguém vai aparecer. Ninguém vai aparecer, e eu vou acabar ficando sentada aqui sozinha a noite inteira, com as luzinhas de Natal piscantes e as porcarias das faixas da rainha Amidala, o Cheetos, a Coca-Cola e a playlist do Michael, SOZINHA.

Ai, meu Deus, o interfone acabou de tocar. Alguém chegou. Por favor, meu Deus, me dê forças para que eu sobreviva a esta noite. Me dê a força de Uli, Kari, Tracey, Marta, aquela moça paciente do dentista, Mimi e a comissária de bordo. Por favor, isto é tudo o que eu peço. Obrigada.

Domingo, 4 de maio, 2h

Bom, é isso aí. Acabou. A minha vida acabou.

Gostaria de agradecer a todos aqueles que ficaram ao meu lado nos momentos mais difíceis: minha mãe, antes de se transformar em uma massa tremelicante de cem quilos de hormônios sem bexiga; o Sr. G, por ter tentado salvar a minha média; e o Fat Louie, por simplesmente ser, bom, o Fat Louie, apesar de ser totalmente inútil quando comparado aos animais de *Bichos de estimação milagrosos*.

Mas ninguém mais. Porque todas as outras pessoas que eu conheço obviamente fazem parte de alguma conspiração nefasta para me levar à loucura, igual a Bertha Rochester.

Pegue a Tina, por exemplo. Tina, que chega na minha festa e a primeira coisa que faz é me pegar pelo braço e me arrastar para o meu quarto, onde todo mundo ia deixar o casaco, e me fala: "Ling Su e eu já planejamos tudo.

Ling Su vai distrair sua mãe e o Sr. G, e daí eu vou anunciar o jogo Sete Minutos no Paraíso. Quando for a sua vez, você leva Michael para o armário e começa a beijá-lo e quando chegar ao auge da paixão, você pergunta sobre o baile de formatura."

"Tina!" Eu fiquei bem chateada. E não só porque eu também achei o plano dela bem fraquinho. Não, eu fiquei de mau humor porque Tina estava usando glitter no corpo. Fala sério! Tinha passado no colo todo. Como é que eu nem consigo achar glitter de corpo para comprar? E mesmo que eu achasse, será que eu ia conseguir passar no colo todo? Não. Porque eu sou o maior tédio.

"A gente não vai brincar de Sete Minutos no Paraíso na minha festa", informei.

Tina ficou arrasada: "Por que não?"

"Porque esta é uma festa de nerd! Pelo amor de Deus, Tina! A gente é um monte de nerd. A gente não brinca de Sete Minutos no Paraíso. Esse é o tipo de coisa que gente como Lana e Josh fazem nas festas deles. Em festas de nerd, a gente brinca de jogo do copo, de largar o peso do corpo nas mãos dos outros como prova de confiança e essas coisas. Mas a gente não brinca de beijar!"

Mas Tina bateu o pé e afirmou que os nerds brincam SIM de beijar.

"Porque, se não fizerem isso", ela observou, "como é que você acha que os bebês nerd nascem?"

Sugeri que os bebês nerd são feitos na privacidade doméstica, depois que os nerds se casam, mas Tina já não estava nem mais ouvindo. Ela saiu borboleteando para a sala para receber Boris que, na verdade, tinha chegado meia hora antes, mas, como não queria ser o primeiro, ficou parado no hallzinho de entrada durante 30 minutos, lendo todos os cardápios de comida chinesa que os entregadores tinham enfiado embaixo da porta.

"Cadê a Lilly?", perguntei ao Boris, porque achei que os dois iam chegar juntos, tendo visto que estão namorando e tal.

Mas Boris disse que não via Lilly desde a passeata no Les Hautes Manger, à tarde.

"Ela estava no grupo da frente", ele explicou para mim, parado do lado da mesa de refrescos (na verdade, a nossa mesa de jantar), enfiando um monte de Cheetos na boca. Um montão de pó laranja ficou preso no aparelho dele. Era uma cena estranhamente fascinante de assistir, de um jeito completamente nojento. "Você sabe, com o megafone, puxando o coro. Foi a última vez que a gente se viu. Fiquei com fome e parei para comer um cachorro-quente e, quando me dei conta, tinham seguido em frente sem mim."

Eu disse para Boris que aquilo era, exatamente, o objetivo de uma passeata... que as pessoas supostamente seguem em frente, sem esperar os integrantes do grupo que param para comer um cachorro-quente. Boris pareceu meio surpreso ao ouvir isso, o que acho que não é nada surpreendente, já que ele veio da Rússia, onde fazer passeata por qualquer coisa foi proibido durante muitos anos, a não ser passeatas para a glorificação de Lênin ou qualquer coisa assim.

Mas, bom, o negócio é que Michael foi o próximo a chegar, trazendo uma playlist para tocar na festa. Pensei em chamar a banda dele para tocar na festa, já que eles sempre estão atrás de lugares para se apresentar, mas o Sr. G disse que de jeito nenhum, que ele já arruma confusão demais com o nosso vizinho de baixo, Verl, só de tocar a bateria dele. Uma banda inteira poderia fazer Verl perder a cabeça. Ele vai para a cama todo dia, impreterivelmente, às 21h, para poder acordar antes do nascer do sol e registrar as atividades dos vizinhos do outro lado, que ele acredita serem alienígenas enviados a este planeta para nos observar e fazer relatórios para a nave-mãe, como preparativo para uma futura guerra interplanetária. O pessoal que mora do outro lado não me parece nada alienígena, mas eles *são* alemães, então dá para ver por que o Verl pode ter cometido esse erro.

Michael, como sempre, estava o maior gostoso. POR QUE ele sempre tem que estar tão lindo toda vez que a gente se vê? Quer dizer, é de pensar que a esta altura eu já estaria acostumada com ele, considerando que a gente se vê quase todo dia... mais de uma vez por dia, até.

Mas cada vez que a gente se vê, meu coração dá um pulo gigante. Como se ele fosse um presente que eu ainda não abri, ou alguma coisa assim. É um nojo, é uma fraqueza que eu tenho por ele. Um nojo, vou dizer.

Bom, mas Michael foi lá e colocou a música, e outras pessoas começaram a chegar, e todo mundo só falava da passeata e da maratona de *Farscape* de ontem à noite — todo mundo menos eu, que não tinha participado de nenhuma das duas coisas. Em vez disso, eu só ficava correndo de um lado para o outro, pegando o casaco das pessoas (porque, apesar de já ser maio, estava meio frio na rua) e rezando para que todo mundo estivesse se divertindo e não resolvesse ir embora mais cedo nem ouvisse a minha mãe falando a respeito da bexiga incrivelmente encolhida dela...

Daí a campainha tocou e eu fui abrir a porta e lá estava Lilly, parada com os braços em volta de um cara de cabelos escuros e casaco de couro.

"Oi!", Lilly disse, toda esfuziante e animadinha. "Acho que vocês dois não se conhecem. Mia, este aqui é o Jangbu. Jangbu, esta aqui é a princesa Amelia de Genovia. Ou Mia, como a gente chama."

Fiquei olhando para o Jangbu, chocada. Não porque Lilly tinha levado ele à minha festa sem perguntar se podia, sabe como é, nem nada assim. Mas porque, bom, Lilly estava abraçando a cintura dele. Ela estava praticamente dependurada nele, pelo amor de Deus. E o namorado dela, Boris, estava bem ali, na sala ao lado, tentando aprender um passo de dança com Shameeka...

"Mia", Lilly disse, entrando aqui em casa com cara emburrada. "Você nem fala oi nem nada?"

Eu disse: "Ah, oi, desculpa."

O Jangbu devolveu o cumprimento e sorriu. A verdade era que o Jangbu era MESMO incrivelmente bonito, bem como Lilly tinha dito. Na verdade, ele era bem mais bonito que o coitado do Boris. Bom, é um horror ter que reconhecer, mas quem não é? Mesmo assim, nunca achei que Lilly gostasse do Boris por causa da beleza, aliás. Quer dizer, Boris é um gênio musical, e por acaso eu sei, devido ao fato de eu namorar um deles, que isso não é nada fácil de encontrar.

Por sorte, Lilly teve que largar Jangbu tempo bastante para que ele pudesse tirar o casaco de couro dele quando eu me ofereci para levar para o quarto. Então, quando Boris finalmente viu que ela tinha chegado e foi até ela dar oi, não reparou em nada de estranho. Peguei o casaco da Lilly e o do Jangbu e cambaleei, tonta, até o meu quarto. Cruzei com Michael no caminho, ele sorriu para mim e disse: "Já está se divertindo?"

Só sacudi a cabeça. "Você viu aquilo?", perguntei. "A sua irmã e o Jangbu?"

Michael olhou na direção deles. "Não. O que foi?"

"Nada", respondi. Eu não queria fazer com que Michael tivesse um ataque com a Lilly, igual ao Colin Hanks quando pegou a irmã Kirsten Dunst beijando o melhor amigo dele no filme *Volta por cima*. Porque, apesar de eu nunca ter percebido nenhuma atitude protetora do Michael em relação a Lilly, tenho certeza que é só porque ela está namorando Boris há tanto tempo, e Boris é amigo do Michael, e além do mais, respira pela boca. Quer dizer, ninguém fica muito incomodado se a sua irmã mais nova namora um violinista que respira pela boca. Um sherpa recém-desempregado e gostosão, no entanto, é outra coisa... Agora tudo pode ser completamente diferente.

E apesar de não dar para perceber só de olhar para ele, Michael é bem esquentadinho. Uma vez eu o peguei olhando com cara de mau para uns pedreiros que assobiaram para mim e para Lilly na Sexta Avenida quando estávamos saindo do Charlie Mom's. A última coisa de que eu precisava na minha festa era uma briga.

Mas Lilly conseguiu ficar longe do Jangbu na meia hora seguinte, e nesse período eu tentei deixar minha depressão de lado e me unir à diversão, principalmente quando todo mundo começou a pular de um lado para o outro, dançando a Macarena, que Michael tinha colocado de brincadeira na playlist que preparou.

Pena que não existam mais danças que todo mundo conhece, igual à Macarena. Sabe quando todo mundo começa a dançar a mesma dança ao mesmo tempo, tipo em *Ela é demais* e *Footloose — Ritmo louco*? Seria tão legal se isso acontecesse alguma vez, tipo, na cantina. A diretora Gupta podia estar falando pelos alto-falantes, lendo as mensagens dela, e de repente alguém coloca os Yeah Yeah Yeahs para tocar, ou outra banda assim, e todo mundo começa a dançar em cima das mesas.

No passado, todo mundo sabia dançar as mesmas danças... tipo o minueto e tal. Pena que as coisas não são mais como antigamente.

Mas eu obviamente também não ia querer ter que usar dentes de madeira nem ter varíola.

Mas, bom, as coisas finalmente estavam começando a se animar, e eu estava mesmo me divertindo, indo de um lado para o outro, quando, de repente, Tina deu uma de: "Sr. G, acabou a Coca-Cola!" E o Sr. G ficou tipo: "Como é que pode ser? Eu comprei sete pacotões hoje de manhã, na loja drive-thru."

Mas Tina ficou falando que a Coca tinha acabado mesmo. Descobri depois que ela tinha escondido tudo no quarto do bebê. Mas tanto faz. Na hora, o Sr. G achou mesmo que a Coca tinha acabado.

"Bom, vou dar um pulo ali no supermercado Grand Union e comprar mais", ele disse, colocando o casaco e saindo.

Foi aí que Ling Su perguntou à minha mãe se podia ver os slides dela. Ling Su, por ser ela mesma artista, sabia exatamente a coisa certa a dizer para a minha mãe, uma colega artista, apesar de ela, desde que ficou grávida, ter precisado abandonar a pintura a óleo e só trabalhar com têmpera agora.

Assim que minha mãe levou Ling Su para o quarto dela para mostrar os slides, Tina desligou o som e anunciou que a gente ia brincar de Sete Minutos no Paraíso.

Todo mundo pareceu ficar bem animado com isso — com certeza não brincamos de Sete Minutos no Paraíso nenhuma vez na última festa a que fomos, que tinha sido na casa da Shameeka. Mas o Sr. Taylor, o pai da Shameeka, não era do tipo de se deixar enganar pelo negócio de "acabou a Coca" ou "posso ver seus slides?". Ele deixa à vista o taco de beisebol, com que ganhou uma partida uma vez, como "lembrete" aos garotos que namoram Shameeka do que ele é capaz de fazer, para o caso de eles passarem do limite com a filha dele.

Então a coisa do Sete Minutos no Paraíso deixou todo mundo agitado. Quer dizer, todo mundo menos Michael. Ele não se interessa muito por demonstrações públicas de afeto, e, aparentemente, muito menos em ficar preso em um armário com a namorada. Não que ele tivesse nada contra ficar em um espaço pequeno e escuro comigo, ele informou depois que Tina, dando risadinhas, fechou a porta do armário — prendendo nós dois com os casacos de inverno da minha mãe, do Sr. G, o aspirador, o carrinho da lavanderia e a minha mala de rodinhas. Ele ficava incomodado mesmo pelo fato de todo mundo do lado de fora ficar ouvindo a gente lá dentro.

"Ninguém está ouvindo", eu disse. "Está vendo? Ligaram a música de novo."

O que tinham feito mesmo.

Mas eu meio que concordava com Michael. Sete Minutos no Paraíso é uma brincadeira idiota. Quer dizer, uma coisa é agarrar o namorado. E outra bem diferente é fazer isso dentro de um armário, com todo mundo do outro lado da porta sabendo o que você está fazendo. Simplesmente não tem clima.

Estava escuro no armário — tão escuro que nem dava para ver a minha própria mão na frente do rosto, imagine só Michael. Além disso, tinha um cheiro esquisito. Isso, eu sabia, era por causa do aspirador. Já fazia algum tempo desde que alguém tinha esvaziado o reservatório de pó — mais especificamente eu mesma, já que a minha mãe nunca se lembra de fazer isso e o Sr. G não entende o nosso aspirador, porque ele é velho demais, e o saco estava cheio de pelo ruivo de gato e de pedacinhos de areia de gato que Fat Louie sempre espalha pela casa inteira. Como estava com cheiro de areia de gato, tinha um pouco de cheiro de pinho, mas não era assim muito bom.

"Então, a gente tem mesmo que ficar aqui sete minutos?", Michael perguntou.

"Acho que sim", respondi.

"E se o Sr. G voltar e encontrar a gente aqui?"

"Ele provavelmente vai matar você", informei.

"Bom", resolveu Michael. "Então eu devia te dar algum motivo para se lembrar de mim."

Então ele me deu um abraço e começou a me beijar. Preciso reconhecer que, depois daquilo, eu meio que comecei a achar que, no final das contas, Sete Minutos no Paraíso não era nada mau. Na verdade, eu até que comecei a gostar. Era legal estar lá no escuro, com o corpo do Michael bem apertado contra o meu, e a língua dele na minha boca, e tal. Acho que era porque não dava para ver nada, mas meu olfato estava bem mais aguçado, ou alguma coisa assim, porque dava para sentir bem o cheiro do pescoço do Michael. Tinha um cheiro maravilhoso — muito melhor do que o do saco do aspirador. O cheiro meio que me deu vontade de pular em cima dele. Não consigo achar outro jeito de explicar. Mas eu sinceramente queria pular em cima do Michael.

Em vez de pular em cima dele, que eu acho que ele não ia gostar — e também não seria algo socialmente aceitável... além disso, sabe como é, os casacos todos meio que estavam impedindo nossa capacidade de se mexer muito —, eu afastei meus lábios dos dele e falei, sem nem pensar na Tina, nem na Uli Derickson, nem no que eu estava fazendo, mas meio que levada pelo calor do momento: "Então, Michael, e o baile de formatura? A gente vai ou não vai?"

E Michael respondeu, com uma risadinha, enquanto dava umas mordidinhas com o lábio no meu pescoço (só que eu duvido muito que ele estava cheirando a minha pele): "O baile de formatura? Você perdeu a cabeça? Este baile é ainda mais idiota do que esta brincadeira."

A essa altura, eu me desvencilhei do abraço dele e dei um passo para trás, bem para cima do taco de hóquei do Sr. G. Só que eu nem liguei porque, sabe como é, estava em estado de choque.

"Como assim?", perguntei. Se não estivesse tão escuro, eu teria olhado para Michael com o meu olhar examinador, procurando algum sinal de que ele estava brincando. Mas, devido à situação, eu só podia ouvir com muita atenção.

"Mia", Michael continuou tateando no escuro, à minha procura. Para alguém que achava que Sete Minutos no Paraíso era um jogo tão idiota, ele parecia estar gostando bastante. "Você só pode estar brincando. Eu não sou exatamente o tipo de cara que vai a um baile de formatura."

Mas eu afastei as mãos dele com um tapa. Foi difícil, sabe como é, enxergar no escuro, mas também não dava muito para errar. A única coisa que tinha na minha frente, além do Michael, era um monte de casacos.

"Do que você está falando, que não é do tipo que vai ao baile de formatura?", perguntei. "Você está no último ano. Está se formando. Você tem que ir à festa. Todo mundo vai."

"É", Michael disse. "Bom, todo mundo faz um monte de coisa. Mas isso não quer dizer que eu também vá fazer. Quer dizer, fala sério, Mia. Os bailes de formatura são para os Josh Richter do mundo."

"Ah, é mesmo?", exclamei, bem fria, até para os meus próprios ouvidos. Mas isso foi provavelmente por eles estarem superaguçados, já que eu não conseguia enxergar. Meus ouvidos, no caso. "O que é então que os Michael Moscovitz do mundo fazem na noite do baile de formatura?"

"Sei lá", Michael respondeu. "A gente pode fazer mais *disto aqui*, se você quiser."

Por *isto aqui* ele quis dizer ficar se agarrando em um armário. Eu nem me dei ao trabalho de responder àquilo.

"Michael", tentei, com a minha melhor voz de princesa. "Estou falando sério. Se você não tem planos de ir à festa de formatura, o que, exatamente, você planeja fazer em vez disto?"

"Sei lá", Michael respondeu, e parecia verdadeiramente estupefato com a minha pergunta. "Jogar boliche?"

JOGAR BOLICHE!!!!!!!!!!!!!!!! O MEU NAMORADO PREFERE JOGAR BOLICHE NA NOITE DO BAILE DE FORMATURA DELE DO QUE IR À FESTA!!!!!!!!!!!!

Será que ele não tem nem um pingo de romantismo no corpo? Deve ter, porque ele me deu aquele colar de floco de neve... o colar que eu não tirei nenhuma vez desde que ganhei. Como é que o homem que me deu aquele colar pode ser o mesmo que prefere ir *jogar boliche* na noite da festa de formatura em vez de ir à festa?

Ele deve ter sentido que eu não estava aceitando muito bem a notícia que ele me deu, já que começou a falar: "Mia, por favor. Reconheça. O baile de formatura é a coisa mais brega do mundo. Quer dizer, a gente gasta uma tonelada de dinheiro em uma roupa de pinguim alugada em que nem dá para se sentir confortável, daí gasta mais uma tonelada de dinheiro em um jantar em algum lugar chique que provavelmente nem chega aos pés do Number One Noodle Son, daí fica parado em algum ginásio..."

"No Maxim", eu o corrigi. "A sua formatura do último ano vai ser no Maxim."

"Tanto faz", respondeu Michael, impaciente. "Daí você vai lá e come um monte de bolacha murcha e dança umas músicas ruins de doer com um pessoal que não dá para suportar e que a gente nunca mais quer ver..."

"Tipo eu, é disto que você está falando?", eu estava praticamente chorando de tão magoada que estava. "Você nunca mais quer me ver? É isto? Você simplesmente vai se formar e vai para a faculdade e esquecer que eu existo?"

"Mia", exclamou Michael, em um tom de voz bem diferente. "É óbvio que não. Eu não estava falando de você. Estava falando de gente tipo... bom, tipo Josh e aqueles caras. Você sabe muito bem. Qual é o seu problema?"

Mas eu não podia dizer ao Michael qual era o meu problema. Porque o meu problema era que meus olhos estavam cheios de lágrimas e tinha um nó na minha garganta e não tenho certeza, mas acho que o meu nariz começou a escorrer. Porque de repente eu percebi que o meu namorado não tinha a mínima intenção de me convidar para o baile de formatura. Não porque ele ia convidar alguém mais popular em vez de mim, nem nada disso. Tipo o Andrew McCarthy em *A garota de rosa-shocking*. Porque o meu namorado, Michael Moscovitz, a pessoa que eu mais amava no mundo inteiro (com exceção do meu gato), o homem a quem eu entregara meu coração por toda a eternidade, não tinha absolutamente nenhum interesse em participar DO PRÓPRIO BAILE DE FORMATURA!!!!!!!!!!!!!!!!!!!!!!!!!!!!!!!!!!!!

Realmente não sei o que teria acontecido se, logo em seguida, Boris não tivesse aberto a porta de supetão e gritado: "O tempo acabou!" Talvez Michael tivesse ouvido minhas fungadas, teria percebido que eu estava chorando e ia perguntar por quê. E daí, depois de me abraçar com carinho, eu podia ter contado para ele, aos soluços, com a cabeça apoiada no peito másculo dele.

E daí ele podia ter beijado a minha cabeça com carinho e murmurado: "Ah, querida, eu não sabia", e ter jurado ali mesmo que faria qualquer coisa, qualquer coisa no mundo, para ver meus olhos brilhando outra vez, e daí, em nome de Deus, nós iríamos ao baile de formatura.

Só que não foi *nada disso* que aconteceu. O que rolou, em vez disso, foi que Michael ficou ofuscado com a luz que entrou lá de repente e colocou a mão na frente dos olhos para se proteger da luz, então ele nem viu meus olhos cheios de lágrimas e o meu nariz que provavelmente estava escorrendo... apesar de que isso teria sido uma atitude terrivelmente não digna de uma princesa, e provavelmente nem aconteceu mesmo.

Além disso, eu quase me esqueci da minha mágoa, de tão surpresa que fiquei com o que aconteceu a seguir. É que Lilly começou a gritar: "Minha vez! Minha vez!"

E todo mundo saiu da frente dela quando ela se jogou na direção do armário...

Só que a mão que ela pegou — o homem que escolheu para acompanhá-la no Sete Minutos no Paraíso — não foi a mão pálida e macia do virtuose do violino que havia oito meses compartilhava beijos de língua furtivos e *dim-sums* de domingo de manhã com ela. A mão que Lilly pegou não pertencia a Boris Pelkowski, que respira pela boca e enfia o suéter dentro da calça. Não, a mão que Lilly pegou pertencia a ninguém menos que Jangbu Panasa, o sherpa gostoso que é auxiliar de garçom.

Um silêncio desagradável tomou conta da sala — bom, tirando os uivos do Sahara Hotnights no aparelho de som — quando Lilly enfiou um Jangbu todo surpreso dentro do armário de casacos do corredor da minha casa e entrou logo atrás dele. Ficamos todos parados lá, piscando para a porta fechada, sem saber muito bem o que fazer.

Pelo menos, *eu* não sabia o que fazer. Olhei para Tina, e dava para ver pela expressão chocada do rosto dela que *ela* também não sabia o que fazer.

Michael, por outro lado, parecia saber o que fazer. Colocou a mão no ombro do Boris, em um gesto solidário, e disse: "Que dureza, cara", e daí foi até a mesa e pegou um punhado de Cheetos.

QUE DUREZA, CARA?????? É isso que um garoto diz para o outro quando vê que o coração dele acabou de ser arrancado do peito e jogado no chão?

Não dava para acreditar que Michael era tão desalmado assim. E toda aquela história do Colin Hanks? Por que ele não tinha aberto a porta de supetão, arrancado Jangbu Panasa de lá de dentro e socado o cara até ele virar uma massa sanguinolenta? Quer dizer, Lilly era a irmã mais nova dele, pelo amor de Deus. Será que ele não tinha nem um pingo de instinto protetor em relação a ela?

Esquecendo completamente do meu desespero em relação à coisa toda do baile de formatura — acho que o meu choque de ver a avidez com que os lábios da Lilly se fecharam em cima dos de uma outra pessoa que não é o namorado dela me deixou paralisada —, segui Michael até a mesa de refrescos e disse: "Só isso? É só isso que você vai fazer?"

Ele olhou para mim sem entender nada. "Sobre o quê?"

"Sua irmã!", exclamei. "E Jangbu."

"O que você quer que eu faça?", Michael perguntou. "Puxe o cara lá de dentro e dê umas porradas nele?"

"Bom", respondi. "É isso mesmo!"

"Por quê?" Michael bebeu um pouco de Fanta, porque não tinha mais Coca. "Não dou a mínima para quem minha irmã leva para dentro de um armário. Se fosse você, daí eu ia dar umas porradas no cara. Mas não é você, é Lilly. Lilly, como já foi comprovado diversas vezes ao longo dos últimos anos, é totalmente capaz de tomar conta de si mesma." Esticou uma travessa na minha direção. "Cheetos?"

Cheetos! Quem é que pode pensar em comida em um momento destes?

"Não, muito obrigada", respondi. "Mas você não está nem um pouquinho preocupado que Lilly...", continuei, sem saber muito bem o que dizer depois. Michael me ajudou.

"Tenha sido arrebatada pela aparência rústica e bonita de sherpa do cara?" Michael sacudiu a cabeça. "Para mim, parece que se alguém está sendo explorado, este alguém é Jangbu. Parece que o cara nem sabe o que aconteceu com ele."

"M-mas...", gaguejei. "Mas e o Boris?"

Michael olhou para Boris, que tinha se afundado no sofá-cama, com a cabeça enfiada nas mãos. Tina tinha corrido na direção dele e estava tentando dar uma força, dizendo que Lilly provavelmente só estava mostrando para Jangbu como era o interior de um armário de casacos verdadeiramente americano. Até eu achei que ela não parecia muito convincente, e eu me convenço facilmente de quase qualquer coisa. Por exemplo, nas convocações em que somos obrigados a ouvir as equipes de debate, eu quase sempre concordo com qualquer coisa que esteja sendo defendida no momento, não importa o que estejam dizendo.

"Boris vai se recuperar", comentou Michael, esticando a mão para pegar uma batatinha com molho.

Eu não entendo os garotos. Não mesmo. Quer dizer, se fosse a MINHA irmã mais nova naquele armário com Jangbu, eu teria tido um acesso de fúria. E se fosse o MEU baile de formatura, eu estaria me desdobrando para conseguir ingressos antes que todos acabassem.

Mas eu é que sou assim, acho.

De qualquer maneira, antes que algum de nós tivesse a oportunidade de fazer qualquer coisa, a porta da frente do apartamento se abriu e o Sr. G entrou, carregando sacos com mais Coca.

"Cheguei", o Sr. G avisou, colocando os sacos no chão, e começando a tirar o casaco. "Trouxe também um pouco de gelo. Achei que já devia estar acabando..."

A voz do Sr. G foi sumindo. Isso porque ele abriu a porta do armário do corredor para guardar o casaco e deparou com Lilly e Jangbu lá dentro, se agarrando.

Bom, aí foi o fim da minha festa. O Sr. G não é nenhum Sr. Taylor, mas ele também é bem severo. Além disso, por ser professor do ensino médio e tal, ele meio que conhece brincadeiras como Sete Minutos no Paraíso. A desculpa da Lilly — de que ela e Jangbu tinham ficado presos no armário juntos por acidente — não serviu exatamente para convencê-lo. O Sr. G disse que achava que estava na hora de todo mundo ir para casa. Daí, ele e o Hans, o motorista da minha limusine, que tínhamos escalado para levar todo mundo para casa depois da festa, asseguraram-se de que Jangbu não estivesse no carro quando ele levasse Lilly e Michael, e de que Lilly entrasse em casa direitinho, subisse no elevador e tal, e não tentasse escapar para se encontrar com Jangbu mais tarde, no Blimpie's ou em algum lugar assim.

E agora eu estou deitada aqui, um caco de garota... 15 anos, e, no entanto, tão mais velha de tantas maneiras... Porque eu sei como é ver todas as suas esperanças arrasadas e os seus sonhos despedaçados sob o punho desalmado do desespero. Eu vi nos olhos do Boris, enquanto ele observava Lilly e Jangbu saindo daquele armário, todos corados e suados, com Lilly *puxando a barra da camisa* (não dá para acreditar que alguém pegou nos peitos da Lilly antes de pegar nos meus. E ainda por cima, um cara que ela só conhece há 48 horas — isso sem mencionar que ela fez isso no MEU armário do corredor).

Mas os olhos do Boris não eram os únicos que estavam registrando desespero hoje à noite. Os meus também tinham aquela aparência vazia. Percebi isso quando estava escovando os dentes para ir para a cama. Mas é óbvio que o motivo não é nenhum mistério. Meus olhos têm uma aparência assombrosa porque eu estou assombrada... assombrada pelo espectro do sonho de um baile de formatura que agora eu sei que nunca vai acontecer. Eu nunca vou poder colocar um vestidinho preto de um ombro só e repousar minha cabeça no ombro de um Michael de smoking no baile de formatura do último ano dele. Nunca vou poder saborear as bolachas murchas que ele mencionou, ou ver a cara da Lana Weinberger quando ela perceber que não é a única aluna do primeiro ano, junto com Shameeka, que foi à festa.

O meu sonho do baile de formatura acabou. Assim como, creio eu, a minha vida.

Domingo, 4 de maio, 9h, em casa

É muito difícil estar afundada em um poço escuro de desespero quando a sua mãe e o seu padrasto acordam com o primeiro raio de sol e colocam The Donnas para tocar enquanto preparam waffles para o café da manhã. Por que eles não podem simplesmente ir em silêncio até a igreja para ouvir a palavra do Senhor, como pais normais, e me deixar ficar deprimida com minhas mágoas? Juro que isso basta para fazer eu pensar na possibilidade de mudar para Genovia.

Mas é óbvio que, nesse caso, eles também iam querer que eu me levantasse para ir à igreja. Acho que eu deveria estar agradecendo à minha estrela da sorte minha mãe e o marido dela serem pagãos sem Deus. Mas eles pelo menos podiam ABAIXAR o som.

Domingo, 4 de maio, meio-dia, em casa

Meu plano para hoje era ficar na cama com as cobertas por cima da cabeça até a hora de ir para a escola na segunda de manhã. É isso que as pessoas de quem a vontade de viver lhes foi cruelmente arrancada fazem: ficam na cama o máximo que podem.

Mas o meu plano foi destruído de um jeito injusto pela minha mãe, que veio entrando com tudo no meu quarto (do tamanho que ela está atualmente, não pode fazer nada além de entrar com tudo nos lugares) e se sentou na beirada da cama, quase esmagando o Fat Louie, que tinha se enfiado embaixo das cobertas comigo e estava roncando no meu pé. Depois de gritar porque Fat Louie tinha enfiado as garras no traseiro dela, através do edredom, mamãe pediu desculpa por se intrometer na minha solidão cheia de mágoas, mas — segundo ela — achou que estava na hora de termos Uma Conversa.

Nunca é bom quando a minha mãe acha que é hora de Uma Conversa. Da última vez que eu e ela tivemos Uma Conversa, eu fui obrigada a ouvir um discurso muito comprido a respeito de imagem corporal e a ideia distorcida que eu supostamente tinha a respeito da minha. Minha mãe estava muito preocupada com a possibilidade de eu estar pensando em usar meu dinheiro de Natal para colocar silicone nos peitos, e ela queria que eu soubesse que ela achava aquela ideia muito ruim mesmo, porque a obsessão das mulheres com a aparência tinha saído totalmente do controle. Na Coreia, por exemplo, 30% das mulheres na faixa dos 20 anos já tinham passado por algum tipo de cirurgia plástica, desde redefinição das bochechas e mudança do formato dos olhos até retirada do músculo da batata da perna (para ter pernas mais finas) com o objetivo de obter um visual mais ocidental. Isso em relação a 3% das mulheres nos Estados Unidos que tinham feito cirurgia plástica por motivos puramente estéticos.

A boa notícia? Os Estados Unidos NÃO são o país mais obcecado com a imagem do mundo. A má notícia? Mulheres demais fora de nossa cultura sentem-se pressionadas a mudar o visual para imitar melhor o nosso, achando que os padrões ocidentais de beleza são mais importantes do que os do próprio país delas, porque é o que elas veem nos episódios antigos de *Friends* e *S.O.S. Malibu* que ficam passando lá. O que é errado, muito errado, porque as mulheres nigerianas são tão bonitas quanto as mulheres de Los Angeles ou de Manhattan. Só que, talvez, de um jeito diferente.

Por mais constrangedor que AQUELE papo tenha sido (eu não estava pensando em usar o meu dinheiro de Natal para colocar silicone no peito: estava pensando em usar meu dinheiro de Natal para comprar a coleção inteira de CDs da Shania Twain, mas é óbvio que eu não podia CONFESSAR isso para ninguém, então a minha mãe naturalmente pensou que tinha alguma coisa a ver com o meu peito), o de hoje realmente leva o prêmio no que diz respeito às conversas entre mãe e filha.

Porque é lógico que hoje rolou A Conversa entre mãe e filha. Não aquela conversa de: "Querida, seu corpo está mudando e logo, logo você vai ter uma função diferente para aqueles absorventes íntimos que você roubou do meu banheiro para fazer caminhas para os seus bonecos de *Guerra nas estrelas*." Ah, não. Hoje foi aquela assim: "Agora você tem 15 anos e você tem namorado e ontem à noite meu marido pegou você e os seus amiguinhos brincando de Sete Minutos no Paraíso, então acho que chegou a hora de conversarmos sobre Você Sabe o Quê."

Registrei nossa conversa aqui da melhor maneira que eu pude, para que, quando eu tiver uma filha, eu possa me assegurar de NUNCA, NUNQUINHA falar nenhuma dessas coisas para ela, para me lembrar de como EU ME SENTI A MAIOR IDIOTA COMPLETA E INACREDITÁVEL QUANDO A MINHA MÃE FALOU ESTAS COISAS PARA MIM. Até onde eu sei, minha filha pode aprender tudo a respeito de sexo no Lifetime, como todo mundo no planeta.

Minha mãe: Mia, Frank acabou de me contar que Lilly e aquele amigo novo dela, o Jambo...

Eu: Jangbu.

Minha mãe: Ou isso. Que Lilly e o amigo novo dela estavam, hmm, se beijando no armário do corredor. Parece que vocês estavam fazendo alguma brincadeira de se agarrar, Cinco Minutos no Armário...

Eu: Sete Minutos no Paraíso.

Minha mãe: Ou isso. O negócio é que, Mia, agora você está com 15 anos. Você já é adulta, e eu sei que você e Michael são um casal. É bastante natural que vocês tenham curiosidade sobre sexo... talvez até estejam experimentando...

Eu: AI, MÃE!!!! QUE NOJO!!!!!!!!!

Minha mãe: Não tem nada de nojento em relações sexuais entre duas pessoas que se amam, Mia. Eu certamente preferiria se você esperasse até ficar mais velha. Até estar na faculdade, talvez. Ou depois dos 30 anos, aliás. No entanto, eu sei muito bem o que é ser refém dos hormônios, então é importante que se tomem os cuidados necess...

Eu: Estou falando que é um nojo falar disso com a minha MÃE.

Minha mãe: Bom, é, eu sei. Ou melhor, não sei, já que a minha mãe teria caído mortinha se algum dia viesse falar deste assunto comigo. Mas eu acho que é importante que mães e filhas sejam abertas umas com as outras em relação a essas coisas. Por exemplo, Mia, se algum dia você sentir necessidade de conversar a respeito de métodos anticoncepcionais, eu posso marcar uma consulta com o meu ginecologista, o Dr. Brandeis...

Eu: MÃE!!!!!! EU E MICHAEL NÃO ESTAMOS TRANSANDO!!!!!!!

Minha mãe: Bom, fico feliz em saber disso, já que você é um pouco nova demais. Mas se você dois resolverem que é hora, quero que você saiba de tudo que precisa saber. Por exemplo, você e seus amigos sabem que infecções como a Aids podem ser transmitidas também por meio do sexo oral e que...

Eu: É, MÃE, EU SEI DISSO SIM. ESTOU NA AULA DE SAÚDE & SEGURANÇA NESTE SEMESTRE, LEMBRA?????

Minha mãe: Mia, o sexo não é nada de que se envergonhar. É uma das necessidades básicas dos seres humanos, assim como água, alimento e interação social. É importante que, se você resolver ser ativa sexualmente, você se proteja.

Ah, é, mãe? Igual *você* fez quando engravidou do Sr. Gianini? Ou do MEU PAI????

Mas é óbvio que eu não disse isso. Porque, sabe como é, qual seria o objetivo? Em vez disso, só concordei com a cabeça e disse: "Tudo bem, mãe. Obrigada, mãe. Pode deixar, mãe", na esperança de que ela fosse desistir e fosse embora.

Só que não funcionou. Ela só ficou por lá, igual a uma das irmãzinhas menores da Tina quando eu estou na casa dela e a gente quer dar uma olhada na coleção da *Playboy* do pai dela. Fala sério, dá para aprender um monte de coisas na coluna de dicas da *Playboy*, desde que tipo de som funciona melhor em um Porsche Boxter até como descobrir se o seu marido está tendo um caso com a secretária. Tina diz que é uma boa ideia conhecer o inimigo, e é por isso que ela lê os exemplares da *Playboy* do pai sempre que pode... só que nós duas concordamos que, a julgar pelas coisas que tem nessa revista, o inimigo é muito, muito esquisito.

E tem uma fixação bizarra em carros.

Finalmente minha mãe ficou sem gás. A Conversa meio que morreu. Ela ficou lá sentada um minuto, olhando em volta no meu quarto, que é uma pequena área de desastre. De maneira geral, até que sou organizada, porque sempre acho que preciso arrumar o quarto antes de começar a fazer o dever de casa. Tem alguma coisa a ver com um ambiente limpo ajudar a limpar os pensamentos. Sei lá. Talvez seja porque fazer dever de casa é tão chato que eu faço de tudo para adiar.

"Mia", minha mãe disse depois de uma longa pausa. "Por que você ainda está na cama ao meio-dia de um domingo? Não é esta a hora em que você costuma encontrar os seus amigos para comer dim-sum?"

Dei de ombros. Eu não queria admitir na frente da minha mãe que provavelmente dim-sum era a última coisa a passar na cabeça de todo mundo hoje de manhã... Quer dizer, tendo em vista que parecia que Lilly e Boris não estavam mais juntos.

"Espero que você não esteja chateada com Frank", mamãe prosseguiu, "por ter acabado com a sua festa. Mas, realmente, Mia, você e Lilly já têm idade suficiente para não fazer brincadeirinhas bobas como Sete Minutos no Paraíso. Qual é o problema de fazer jogos normais?"

Dei de ombros mais uma vez. O que eu ia dizer? Que a razão por que eu estava chateada não tinha nada a ver com o Sr. G e que tinha tudo a ver com o fato de o meu namorado não querer ir ao baile de formatura? Lilly estava certa: o baile de formatura não passa de um ritual pagão de dança idiota. Por que eu ligava para aquilo?

"Bom", minha mãe disse, ficando em pé toda desajeitada. "Se você quiser ficar na cama o dia inteiro, não vou ser eu que vou impedir. Confesso que não existe um lugar melhor onde eu gostaria de estar. Mas, bom, eu sou só uma velha grávida, e não uma menina de 15 anos."

Daí ela foi embora. GRAÇAS A DEUS. Não dá para acreditar que ela tentou conversar sobre sexo comigo. Sobre *Michael*. Quer dizer, será que ela não sabe que Michael ainda nem pegou nos meus peitos? Aliás, isso ainda não aconteceu com ninguém que eu conheço, sem contar Lana. Pelo menos eu acho que já aconteceu com Lana, levando em conta o que picharam a respeito dela na parede do ginásio durante as férias de primavera. E agora Lilly também.

Meu Deus. Minha melhor amiga já fez mais coisas do que eu. E *eu* é que encontrei minha alma gêmea. Não *ela*.

A vida é mesmo injusta.

Domingo, 4 de maio, 19h, em casa

Acho que hoje deve ser o Dia Nacional de Dar uma Conferida na Saúde Mental da Mia, porque todo mundo está ligando para saber se estou bem. Agorinha mesmo, era o meu pai no telefone. Ele queria saber como tinha sido a minha festa. Por um lado, isso é bom — significa que nem a minha mãe nem o Sr. G comentaram a respeito daquele negócio todo de Sete Minutos no Paraíso com ele, o que teria feito com que ele ficasse furioso de verdade —, mas por outro é ruim, porque significa que eu ia ter que mentir para ele. Mentir para o meu pai é mais fácil do que mentir para a minha mãe, porque como o meu pai nunca foi menina, ele não sabe a capacidade que nós meninas temos de inventar coisas — e aparentemente ele também não sabe que, além disso, as minhas narinas inflam quando eu minto —, mas mesmo assim me deixa muito nervosa. Quer dizer, ele SOBREVIVEU ao câncer, afinal de contas. Parece meio maldoso mentir para alguém que é, basicamente, igual ao Lance Armstrong. Só que ele não ganhou o Tour de France.

Mas tanto faz. Eu disse que a festa tinha sido ótima, blá-blá-blá.

Que bom que ele não estava junto comigo. Ele ia ter reparado nas minhas narinas inflando descontroladamente.

Assim que eu terminei de falar com meu pai, o telefone tocou de novo, e eu atendi logo, achando que podia ser, sei lá, O MEU NAMORADO. É de pensar que Michael ia ligar para mim em alguma hora do dia, só para ver se eu estava bem. Sabe como é, para ver se eu não estava arrasada de desgosto por causa daquela coisa do baile de formatura.

Mas, aparentemente, Michael não está assim tão preocupado com a minha saúde mental, porque além de ele não ter ligado ainda, a pessoa que estava do outro lado da linha quando eu tirei o fone do gancho com tanta avidez estava o mais longe possível de ser Michael.

Era, na verdade, Grandmère.

Nossa conversa foi assim:

Grandmère: Amelia, é a sua avó. Preciso que você reserve a noite de quarta-feira, dia 7. Fui convidada para jantar no Le Cirque com meu velho amigo, o sultão de Brunei, e quero que você me acompanhe. E não quero ouvir aquela baboseira a respeito de que o sultão precisa abrir mão do Rolls-Royce dele porque o carro está contribuindo para a destruição da camada de ozônio. Você precisa de mais cultura na sua vida e ponto final. Estou cansada de ouvir falar de *Bichos de estimação milagrosos* e do Lifetime Movie Channel para Donas de Casa ou sei lá o que, essas coisas que você vive assistindo na TV. Já é hora de você conhecer pessoas interessantes, e não as que você vê na TV, ou aqueles supostos artistas que a sua mãe convida para jogar bingo ou sei lá o quê.

Eu: Tudo bem, Grandmère. Como você quiser, Grandmère.

E aí eu pergunto: qual é o problema dessa resposta? Fala sério? Que parte de "Tudo bem, Grandmère. Como você quiser, Grandmère" poderia levantar suspeitas em qualquer avó NORMAL? Tudo bem, estou esquecendo que a minha avó está bem longe de normal. Porque ela já começou a me interrogar no mesmo minuto.

Grandmère: Amelia. Qual é o seu problema? Fale logo, não tenho muito tempo. Eu deveria estar jantando com o duque di Bomarzo.

Eu: Não tem problema nenhum, Grandmère. Só estou... um pouco deprimida, só isso. E não tirei uma nota muito boa na última prova de álgebra, e estou um pouco chateada com isso...

Grandmère: Pffft. Qual é o seu problema DE VERDADE, Mia? E faça uma versão resumida.

Eu: Ah, TUDO BEM. É o Michael. Lembra aquela coisa do baile de formatura que eu comentei outro dia? Bom, ele não quer ir.

Grandmère: Eu sabia. Ele ainda está apaixonado por aquela moça que ficava rodeando, não está? Ele vai convidá-la, é isso? Bom, não faz mal. Eu tenho o telefone do príncipe William aqui em algum lugar. Vou dar uma ligada para ele, e ele pode pegar o Concorde e levar você a esta festinha, se você quiser. Isto vai mostrar àquele rapaz desleixado...

Eu: Não, Grandmère, Michael não vai levar outra pessoa. Ele nem quer ir. Ele... acha que o baile de formatura é bobo.

Grandmère: Ah... pelo... amor... de... Deus. *Não* me diga que ele é desse tipo.

Eu: É, Grandmère. Acho que é sim.

Grandmère: Bom, não faz mal. Seu avô era igualzinho. Sabe que, se eu deixasse tudo a cargo dele, nós teríamos nos casado no cartório e depois ido a uma *lanchonete* para almoçar? O homem simplesmente não compreendia o que é romance, e menos ainda o que um casamento real significaria para o povo de Genovia.

Eu: É. Bom. É por isso que eu estou meio chateada hoje. Agora, se você não se importa, Grandmère, eu preciso mesmo começar a fazer o dever de casa. Tenho que entregar uma reportagem para o jornal amanhã de manhã, também...

Não mencionei que era uma reportagem sobre ELA. Bom, mais ou menos. Era uma reportagem sobre o incidente no Les Hautes Manger. De acordo com o jornal *The Sunday Times*, a gerência do restaurante continuava se negando a recontratar Jangbu. Então a passeata da Lilly não tinha servido para nada. Bom, tirando o fato de que, aparentemente, tinha feito ela arrumar um namorado novo.

Grandmère: Certo. Vá estudar. Você precisa manter sua média alta, senão o seu pai vai me passar mais um daqueles sermões dele, dizendo que eu a obrigo a se concentrar demais em assuntos reais e deixar de lado a trigonometria ou outra coisa qualquer com que você esteja tendo dificuldade. E não se preocupe muito com a situação com *aquele rapaz*. Ele vai mudar de ideia, assim como aconteceu com o seu avô. Você só precisa incentivá-lo da maneira adequada. Adeus.

Incentivo? Do que Grandmère está falando? Que tipo de incentivo faria com que Michael mudasse de ideia em relação a ir ao baile de formatura? Não consigo imaginar nada que possa fazer com que ele supere o preconceito profundamente enraizado que tem com relação a festas de formatura.

A não ser que o baile de formatura fosse uma mistura de baile *Guerra nas estrelas*, *Jornadas nas estrelas*, *Senhor dos anéis* e convenção de computador.

Domingo, 4 de maio, 21h, em casa

Eu sei por que Michael não ligou. Porque, em vez disso, ele me mandou uma mensagem. Só que eu só fui checar minhas mensagens quando liguei o computador para digitar minha reportagem para O Átomo.

> **LinuxRulz:** Mia espero que você não tenha se ferrado por causa daquele negócio do armário ontem à noite. Mas o Sr. G é um cara legal. Acho que ele não deve ter ficado muito bravo depois daquele ataque que ele teve.
> As coisas estão bem tensas por aqui, com esse negócio de Lilly e Boris terminarem. Estou tentando ficar de fora e recomendo de verdade, para que você não perca a cabeça, que faça a mesma coisa. É problema deles, NÃO NOSSO. Eu te conheço bem, Mia, e estou falando sério. É melhor ficar de fora. Não vale a pena.
> Vou ficar por aqui o dia inteiro, se você quiser ligar. Se você não estiver de castigo ou algo assim, a gente talvez possa ir comer um dim-sum. Ou, se você quiser, posso dar uma passada aí mais tarde para ajudar com o dever de casa de álgebra. Me fala.
>
> Com amor,
> Michael

Bom. A julgar pelo tom DISSO, acho que Michael não está se sentindo assim tão mal com a coisa toda do baile de formatura. É quase como se ele não SOUBESSE que arrancou meu coração e o deixou em pedacinhos.

Mas, considerando o fato de que eu não disse a ele exatamente como estava me sentindo, pode muito bem ser verdade. Que ele não sabe, quero dizer.

Mas ignorância, como Grandmère adora dizer, não é desculpa.

Também me arrisco a afirmar que, pelo tom despreocupado da mensagem, os Drs. Moscovitz não foram ao quarto do Michael para falar com ELE a respeito de métodos contraceptivos e da riqueza da experiência sexual humana.

Ah, não. Esse tipo de coisa sempre acaba sendo problema da garota. Mesmo que o seu namorado, como o meu, seja um ardente defensor dos direitos das mulheres.

Bom, pelo menos ele escreveu. E isso é bem mais do que se pode dizer da minha suposta melhor amiga. É de pensar que Lilly pelo menos telefonaria para pedir desculpa por ter acabado com a minha festa (bom, na verdade foi Tina que acabou com tudo, com aquela ideia idiota de Sete Minutos no Paraíso. Mas foi Lilly que acabou com a festa espiritualmente, quando agarrou um cara que não é namorado dela na frente do suposto namorado. Bom, praticamente).

Mas não tive absolutamente nenhuma notícia daquela ingrata que dispensou o Boris. Longe de mim jogar pedra em alguém por sair com um cara quando gosta de outro... quer dizer, não foi exatamente o que eu fiz no semestre passado? Mesmo assim, eu não AGARREI Michael antes de me separar formalmente do Kenny. Eu fui BEM íntegra, viu?

E é óbvio que eu não posso culpar Lilly realmente por gostar mais do Jangbu do que do Boris. Quer dizer, fala sério. O cara é gostoso. E Boris é tão... não é.

Mesmo assim. Não foi muito legal da parte dela. Estou morrendo de vontade de saber o que ela tem a dizer em sua própria defesa.

E parece que todo o resto do mundo tem a mesma vontade que eu.

Desde que eu me conectei, fui bombardeada por mensagens — de todo mundo, menos da parte envolvida.

Da Tina:

Iluvromance: Mia, tudo bem com você? Eu fiquei TÃO ENVERGONHADA por você ontem à noite, quando o Sr. G pegou Lilly e Jangbu no armário... Ele ficou bravo DE VERDADE? Quer dizer, eu sei que ele ficou bravo, mas ele quis cometer ASSASSINATO? Meu Deus, espero que você não esteja morta. Tipo, que ele não te matou. Seria uma DROGA se você ficasse de castigo, com o baile de formatura na semana que vem.

    O que foi que ele disse, aliás? Estou falando do Michael. Quando vocês dois estavam dentro do armário?

    Aliás, Lilly já falou com você? Foi mesmo MUITO ESQUISITO o que aconteceu ontem à noite. Quer dizer, com ela e o Jangbu, bem na frente do coitado do Boris. Eu fiquei com tanta PENA dele... Ele estava praticamente chorando, você reparou? E qual era o problema com a blusa dela? Quando ela saiu do armário, quer dizer. Você viu? Responde logo.

— T.

Da Shameeka:

Beyonce-Is-Me: Ai, meu Deus, Mia, aquela festa de ontem ARRASOU!!!!!!!!! Se pelo menos eu e Jeff tivéssemos tido a nossa vez naquele armário, eu teria tido finalmente um pouco de ação no meu Victoria's Secret, se é que você me entende. Estou brincando. Hahaha. Bom, mas você viu só aquele negócio da Lilly/Jangbu? O que foi AQUILO? O Sr. G vai contar para o PAI dela? Ai, meu Deus, se o meu pai descobrisse que eu entrei em um armário com um cara que já saiu da escola, eu estaria MORTINHA. Na verdade, ele me mataria se eu entrasse no armário com qualquer cara... Aliás, ela deu notícias? Responda logo, com todas as FOFOCAS!!!!!!!!!!!!!!

PS: Você falou com Michael sobre o baile de formatura? O QUE ELE DISSE??????????????????????

— SHAMEEKA —

Da Ling Su:

Painturgurl: Mia, a sua mãe é uma artista boa DEMAIS, os slides dela eram INCRÍVEIS. Aliás, o que ACONTECEU enquanto eu estava no quarto dela? Shameeka disse que o Sr. G pegou Lilly e aquele cara auxiliar de garçom no armário juntos, foi isso? Mas tenho certeza que ela quis dizer que era Lilly e Boris. O que Lilly estava fazendo no armário com alguém que não era Boris? Eles terminaram?

— Ling Su

PS: Você acha que a sua mãe me empresta os pincéis de pelo de marta dela? Só para experimentar? Eu nunca tive um pincel bacana, e quero ver se faz mesmo diferença antes de ir lá na Pearl Paint e gastar a minha mesada de um ano neles.

PPS: Michael já te convidou para o baile de formatura???????

Mas nada disso se compara à mensagem que eu recebi do Boris:

JoshBell2: Mia, eu estava aqui pensando se você teve notícias da Lilly hoje. Estou ligando para a casa dela o dia inteiro, mas Michael fala que ela não está lá. Ela não está com você, está? (Espero que esteja.) Estou achando que eu fiz alguma coisa que a deixou muito chateada. Se não, por que ela ia ter escolhido aquele outro cara para levar para o armário ontem à noite? Ela falou alguma coisa para você, sabe, sobre estar chateada comigo? Você sabe que eu parei para comer aquele cachorro-quente durante a passeata dela, mas eu estava com fome de verdade. Ela sabe que eu sou levemente hipoglicêmico e que preciso comer a cada uma hora e meia.

Por favor, se você tiver notícias dela, me diz? Eu não ligo se ela estiver brava comigo. Só quero saber se está tudo bem com ela.

— Boris Pelkowski

Dá vontade de matar a Lilly por causa disso. Dá mesmo. Isso é muito pior do que aquela vez que ela fugiu com o meu primo Hank. Porque, pelo menos, daquela vez não teve esse negócio de armário.

Caramba! É uma dureza quando a sua melhor amiga é um gênio feminista/socialista em defesa dos representantes do povo.

É mesmo.

Segunda, 5 de maio, Sala de Estudos

Bom, descobri onde Lilly se meteu o dia inteiro ontem. O Sr. G me mostrou no café da manhã. Estava na primeira página do *New York Times*. Aqui está o artigo. Recortei para guardar em nome da posteridade. E também como modelo para como deve ser a minha próxima reportagem para *O Átomo*, já que eu sei que a Leslie também vai colocar o meu texto na capa:

GREVE DE AUXILIARES DE GARÇOM EM TODA A CIDADE

MANHATTAN — Funcionários de restaurantes da cidade inteira jogaram suas toalhas no chão em uma iniciativa de demonstrar sua solidariedade a Jangbu Panasa, um colega auxiliar de garçom que foi demitido da *brasserie* quatro estrelas Les Hautes Manger na quinta-feira da semana passada, depois de uma confusão envolvendo a princesa viúva de Genovia.

Testemunhas dizem que Panasa, 18 anos, estava atravessando o restaurante, carregando uma bandeja cheia de louças, quando tropeçou e, sem querer, derramou sopa na princesa viúva. Pierre Jupe, gerente do Les Hautes Manger, diz que Panasa já tinha recebido uma advertência verbal por ter derrubado uma bandeja anteriormente, naquele mesmo dia.

"O sujeito é desastrado, pura e simplesmente", Jupe, de 42 anos, declarou aos repórteres.

No entanto, as pessoas que ficaram do lado de Panasa contam uma história bem diferente. Há razão para acreditar que o auxiliar de garçom não perdeu simplesmente o equilíbrio, mas que teria tropeçado no cachorro de um dos clientes. As regulamentações do Departamento de Saúde Pública da Prefeitura de Nova York exigem que apenas animais funcionais, como os cães-guias de deficientes visuais, tenham licença para entrar em estabelecimentos onde se serve comida ao público. Se ficar provado que o Les Hautes Manger permitiu a algum cliente levar um cachorro ao salão do restaurante, o estabelecimento estará sujeito a multas e pode até ser fechado.

"Não havia cachorro nenhum", declarou aos repórteres o proprietário do restaurante, Jean St. Luc. "O boato a respeito de um cachorro não passa disso, um boato. Nossos clientes jamais entrariam com um cachorro no salão. Todos eles são muito bem educados."

No entanto, os rumores a respeito de um cachorro — ou de uma ratazana grande — persistem. Diversas testemunhas afirmam ter visto uma criatura despelada, aproximadamente do tamanho de um gato ou de uma ratazana grande, correndo de um lado para o outro, entre as mesas. Algumas delas mencionaram que o animal provavelmente seria algum tipo de bicho de estimação da princesa viúva, que estava no restaurante para comemorar o 15º aniversário de sua neta, a representante da realeza em Nova York, a princesa de Genovia, Amelia Thermopolis Renaldo.

Seja qual for a razão da demissão de Panasa, auxiliares de garçom de toda a cidade afirmaram que prosseguirão com a greve até que ele tenha seu emprego de volta. Os proprietários de restaurantes afirmam que seus estabelecimentos continuarão abertos, com auxiliares de garçom ou sem eles, mas há motivo de preocupação. A maior parte dos garçons e das garçonetes, acostumada apenas a tomar pedidos e servir pratos, pode se sentir sobrecarregada. Alguns deles já estão discutindo fazer uma greve solidária aos auxiliares, entre os quais muitos são imigrantes ilegais que trabalham clandestinamente, geralmente ganhando menos do que o salário mínimo e sem benefícios como férias, dias de descanso remunerados, seguro-saúde ou plano de aposentadoria.

Independentemente disto, os restaurantes da cidade vão ter dificuldade de continuar abertos — e as pessoas que estão do lado da greve ficariam muito contentes de ver a comunidade de *restaurantes* da área metropolitana sofrer pelo que compreendem como décadas de negligência e condescendência.

"Os auxiliares de garçom há muito tempo são alvo de piada de todo mundo", declarou Lilly Moscovitz, 15 anos, que apoia a greve e que ajudou a organizar uma passeata-surpresa até a prefeitura no domingo. "Está na hora de o prefeito e de todo mundo que mora aqui acordar e sentir o cheiro da louça suja: sem os auxiliares de garçom, o nome desta cidade é lama."

Fala sério, não dá para acreditar. Essa coisa toda extrapolou os limites. E tudo por causa do Rommel!!!! Bom, e da Lilly.

Juro que não acreditei quando Hans encostou na frente do prédio dos Moscovitz hoje de manhã e Lilly estava lá parada do lado do Michael, com uma cara de que manteiga não derreteria dentro da sua boca. Na verdade, eu não sei o que esta expressão significa, mas a Vovó Thermopolis diz isso o tempo todo, então deve ser alguma coisa bem ruim. E a cara da Lilly estava bem assim mesmo. Tipo como se ela estivesse MUUUUUUUUITO feliz consigo mesma.

Eu só olhei para ela e soltei: "Já falou com Boris, Lilly?" Eu nem disse nada para Michael, porque ainda estava meio brava com ele por causa daquela coisa toda do baile de formatura. Foi bem difícil ficar brava com ele porque era de manhã e ele estava muito, muito lindo mesmo, todo barbeado e com o rosto macio, e tipo o pescoço dele devia estar mais cheiroso do que nunca. E é óbvio que ele é o melhor namorado de todos os tempos, já que ele escreveu aquela música para mim e me deu aquele colar de floco de neve e tal.

Mas tanto faz. Eu tenho que estar brava com ele. Porque esta é a coisa mais absurda que eu já ouvi, um cara que não quer ir à própria formatura do último ano. Daria para entender se ele não tivesse com quem ir ou alguma coisa assim, mas Michael TEM com quem ir. EU!!!!!!!!!! E será que ele não sabe que, se não me levar no baile de formatura do último ano dele, estará me privando totalmente de uma lembrança do ensino médio que eu vou poder ter depois sem sentir um calafrio? Uma lembrança que eu vou poder cultivar, e até mostrar as fotos dela para os meus netos?

Não, Michael com certeza não sabe nada disso porque eu não disse a ele. Mas como é que eu posso falar? Quer dizer, ele já devia saber disso. Se ele é mesmo minha alma gêmea, ele tinha que SABER sem eu ter que falar. Todo mundo que anda com a gente sabe muito bem que eu já vi *A garota de rosa--shocking* 47 vezes. Será que ele acha que eu só assisti a esse filme tantas vezes por gostar do ator que faz o Duck?

Mas Lilly ignorou totalmente a minha pergunta a respeito do Boris.

"Você tinha que ter ido lá ontem, Mia", ela disse. "Para a passeata na prefeitura, quer dizer. Devia ter umas mil pessoas. Foi totalmente uma demonstração de poder. Fiquei com lágrimas nos olhos de ver as pessoas se unirem daquele jeito para ajudar a causa do trabalhador."

"Você sabe o que mais causou lágrimas nos olhos de alguém?", perguntei na lata. "Você agarrando o Jangbu no armário. Isso fez brotar lágrimas nos olhos do seu namorado. Você lembra do seu namorado, BORIS, não lembra, Lilly?"

Mas Lilly só olhou pela janela, para as flores que tinham brotado como que por magia da sujeira no canteiro central da Park Avenue (na verdade, não tem nada de mágico nisso: o serviço de paisagismo da prefeitura de Nova York vai lá e planta as flores já abertas, na calada da noite). "Ah, olha só", exclamou, toda inocente. "A primavera chegou."

Quanta frieza. Vou te contar, às vezes nem eu sei por que sou amiga dela.

Segunda, 5 de maio, Biologia

Então...

Então o quê?

Então, ele te convidou ontem à noite????

Você não soube?

Soube o quê?

Michael não acredita em baile de formatura. Ele acha a maior bobeira.

NÃO!!!!!!!!!!!!!!!!!!!!

É. Ai, Shameeka, o que eu vou fazer? Eu sonho em ir ao baile de formatura com Michael a vida inteira, praticamente. Bom, pelo menos desde que a gente começou a namorar. Quero que todo mundo veja a gente dançando e saiba de uma vez que eu sou propriedade de Michael Moscovitz. Apesar de eu saber que isso é muito machista e que ninguém pode ser propriedade de ninguém. Só que... só que eu quero ser propriedade de Michael Moscovitz!!!!!!!!!!!!!!!!

  Eu sei. Então, o que você vai fazer?

O que eu POSSO fazer? Nada.

  Hmm... você pode tentar conversar com ele sobre isso.

ATÉ PARECE! Michael disse que acha o baile de formatura uma BOBEIRA. Se eu disser a ele que sempre foi minha fantasia secreta ir ao baile de formatura com o homem que eu amo, o que ele vai ficar pensando de mim? Acorda. Aí eu é que vou ser boba.

  Michael nunca ia achar que você é boba, Mia. Ele te ama. Quer dizer, talvez, se ele soubesse como você se sente de verdade, ele pudesse mudar de ideia sobre esse negócio do baile de formatura.

Shameeka, desculpe, mas acho que você anda assistindo a *Sétimo Céu* demais.

  Não é minha culpa. É a única coisa que o meu pai me deixa assistir.

Segunda, 5 de maio, S&T

Não sei quanto tempo mais eu vou aguentar isto. Dá para cortar a tensão nesta sala com uma faca. Eu quase queria que a Sra. Hill entrasse aqui e começasse a gritar com a gente ou qualquer coisa assim. Qualquer coisa, QUALQUER COISA para acabar com este silêncio horroroso.

É, silêncio. Eu sei que parece bem esquisito a sala de S&T estar em silêncio, considerando que é onde Boris Pelkowski deveria estar tocando violino, e geralmente ele o faz com tanto vigor que somos obrigados a trancá-lo no armário de material para não enlouquecer com o barulho de arranhar que o arco dele faz.

Mas não. Aquele arco está em silêncio... e temo que assim ficará para sempre. Silenciado pelo terrível golpe da desilusão amorosa na forma de uma namorada assanhada... que por acaso é a minha melhor amiga, Lilly.

Lilly está sentada do meu lado, fingindo que não sente as ondas silenciosas de mágoa que emanam do namorado dela, que está sentado no canto no fundo da sala perto do globo, com a cabeça enfiada nos braços. Ela tem que estar fingindo, porque todo mundo que está ali está sentindo. As ondas silenciosas de mágoa que emanam do namorado dela, quer dizer. Pelo menos é o que eu acho. É verdade, Michael está trabalhando no teclado dele como se nada estivesse acontecendo. Mas ele está usando fone de ouvido. Talvez fones de ouvido sirvam de escudo para ondas silenciosas de mágoa que emanam de alguém.

Eu devia ter pedido fones de ouvido de aniversário.

Fico me perguntando se devo ir até a sala dos professores, chamar a Sra. Hill e dizer que Boris está doente. Porque acho mesmo que ele pode estar. Doente, quer dizer. Doente do coração e possivelmente até do cérebro. Como é que Lilly pode ser tão malvada? É como se ela estivesse castigando Boris por um crime que ele não cometeu. Durante todo o almoço, ele ficou perguntando para ela se eles podiam ir a algum lugar reservado, tipo a escada do último andar, para conversar, e Lilly só ficou repetindo: "Desculpa, Boris, mas não temos nada sobre o que conversar. Acabou tudo entre a gente. Você simplesmente vai ter que aceitar o fato e seguir em frente."

"Mas por quê?", Boris ficava choramingando. E bem alto, ainda por cima. Tão alto que os atletas e as líderes de torcida, lá na mesa dos populares, ficavam olhando para a gente e dando risadinhas. Foi meio embaraçoso. Mas muito dramático. "O que foi que eu fiz?"

"Você não fez nada", respondeu Lilly, finalmente jogando um osso para ele. "Só que eu não estou mais apaixonada por você. Nossa relação progrediu até seu auge natural, e ao passo que eu sempre vou me lembrar com carinho dos momentos que passamos juntos, chegou a hora de seguir em frente. Eu ajudei você a alcançar a autorrealização, Boris. Você não precisa mais de mim. Eu voltei a minha atenção para uma outra alma torturada."

Eu não sei o que Lilly quer dizer quando fala que Boris alcançou a autorrealização. Quer dizer, ele nem se livrou do aparelho dele, nem nada disso. E ele continua enfiando o suéter dentro da calça (menos quando eu falo para ele não fazer isso). Ele é provavelmente a pessoa menos autorrealizada que eu conheço... Com exceção de mim mesma, óbvio.

Boris não conseguiu engolir nada daquilo muito bem. Quer dizer, no que diz respeito a levar um fora, esse aí foi *bem* ruim. Mas Boris devia saber, como todo mundo sabe, que quando Lilly enfia uma coisa na cabeça ninguém consegue fazer com que ela mude de ideia. Ela está sentada aqui neste instante, escrevendo o discurso que quer que o Jangbu leia em uma entrevista coletiva que ela está organizando no Holiday Inn de Chinatown hoje à noite.

Boris precisa encarar: já era.

Fico imaginando o que os Drs. Moscovitz vão achar quando Lilly os apresentar ao Jangbu. Tenho plena certeza de que meu pai não me deixaria namorar um cara que já saiu da escola. Menos Michael, óbvio. Mas ele não conta, porque a gente já se conhece há muito tempo.

Opa. Está acontecendo alguma coisa. Boris ergueu a cabeça da carteira. Está olhando para Lilly com olhos que me fazem pensar em carvões em brasa... se algum dia eu já tivesse visto carvões em brasa, o que eu não vi, porque é proibido fazer fogo com carvão nos limites metropolitanos de Manhattan, devido às regulamentações antifumaça. Mas tanto faz. Ele está olhando para ela com aquele mesmo tipo de fixação concentrada que ele costumava usar para admirar a fotografia do seu modelo de vida, o violinista internacional

Joshua Bell. Ele está abrindo a boca. Ele vai falar alguma coisa. POR QUE EU SOU A ÚNICA PESSOA NESTA CLASSE QUE PRESTA A MENOR ATENÇÃO NO QUE ESTÁ ACONTECENDO...

Segunda, 5 de maio, Enfermaria

Ai, meu Deus. Foi o maior drama. Mal consigo escrever. Sério. Nunca vi tanto sangue.

Mas tenho quase certeza de que estou destinada a alguma carreira no campo das ciências médicas, porque não me senti como se fosse desmaiar. Nenhuma vez. Na verdade, tirando Michael, e talvez Lars, eu fui a única pessoa na sala que pareceu ficar com a cabeça no lugar. Isso sem dúvida tem a ver com o fato de que, por ser escritora, observo naturalmente todas as interações humanas, e vi o que ia acontecer antes de todo mundo... talvez até mesmo antes do Boris. A enfermeira até disse que, se não fosse pela minha rápida intervenção, Boris podia ter perdido muito mais sangue. Ha! E aí, Grandmère, o que você acha disso como atuação digna de uma princesa? Eu salvei a vida de um cara!

Bom, tudo bem, talvez não tenha salvado a *vida* dele, mas Boris podia ter desmaiado ou qualquer coisa assim se não fosse por mim. Nem posso imaginar o que o fez perder a cabeça. Bom, é, acho que posso sim. Acho que o silêncio na sala de S&T fez com que Boris tivesse um acesso de insanidade. Sério.

E consigo entender perfeitamente como isso aconteceu, porque também estava me incomodando.

Bom, mas o que aconteceu foi o seguinte: estávamos lá sentados, cada um pensando nos seus problemas — bom, menos eu, lógico, porque eu estava observando Boris — quando de repente ele ficou em pé e falou: "Lilly, não aguento mais! Você não pode fazer isto comigo! Você tem que me dar uma chance para eu provar minha devoção eterna!"

Ou pelo menos, foi alguma coisa desse tipo. É meio difícil lembrar, devido ao que aconteceu em seguida.

Mas eu lembro bem de como Lilly respondeu. Na verdade, ela até que foi um pouco gentil. Dava para ver que ela estava se sentindo meio mal por causa do jeito que tinha agido com Boris na minha festa. Ela falou, com uma voz bem suave: "Boris, sério, desculpa, principalmente pelo jeito como aconteceu. Mas a verdade é que, quando um amor como o que eu sinto pelo Jangbu toma conta da gente, não dá para segurar. Não dá para segurar os torcedores de beisebol de Nova York quando os Yankees vencem o campeonato. Não dá para segurar as consumidoras de Nova York quando a Century Twenty-one entra em liquidação. Não dá para segurar a enchente nos túneis da linha F do metrô quando chove demais. Da mesma maneira, não dá para conter o amor do tipo que eu sinto pelo Jangbu. Peço desculpas, do fundo do coração, mas é sério, não posso fazer nada. Eu amo Jangbu."

Essas palavras, por mais que tenham sido ditas com gentileza — e até eu, a crítica mais severa da Lilly, tirando talvez o irmão dela, preciso admitir que ela foi mesmo bem gentil —, pareceram atingir Boris como um soco no estômago. Ele tremeu todo. De repente, ele tinha pegado o globo gigante que estava perto dele — o que de fato foi um grande feito atlético, porque aquele globo pesa uma tonelada. Na verdade, ele está na sala de S & T porque é tão pesado que ninguém mais consegue fazê-lo girar, então a diretoria, em vez de jogar fora, deve ter achado que era melhor simplesmente enfiar lá na classe dos nerds, afinal, eles são nerds e aceitam qualquer coisa.

Então, lá estava Boris — hipoglicêmico, asmático, com desvio de septo e suscetível a alergias — segurando aquele globo enorme em cima da cabeça, como se ele fosse o Atlas ou o He-Man ou The Rock ou qualquer coisa assim.

"Lilly", começou ele com uma voz estrangulada, que era bem atípica dele — devo ressaltar que, a essa altura, todo mundo na sala estava prestando atenção: quer dizer, Michael tinha tirado o fone de ouvido e estava olhando para Boris com muita atenção, e até o cara quietinho que devia estar trabalhando em um tipo novo de supercola que gruda nos objetos mas não na pele (para não ter aquele problema de dedos grudados depois de colar a sola do sapato) pela primeira vez percebeu o que estava acontecendo ao redor dele.

"Se você não me aceitar de volta", Boris disse, arfando — o globo devia pesar mais de vinte quilos, no mínimo, e ele estava segurando a coisa EM CIMA DA CABEÇA —, "vou largar este globo em cima da minha cabeça."

Todo mundo meio que prendeu a respiração ao mesmo tempo. Acho que posso dizer com segurança que não havia dúvidas na cabeça de ninguém de que Boris estava falando muito sério. Ele estava completamente pronto para deixar aquele globo cair em cima da cabeça dele. Ver isto escrito parece meio engraçado — quer dizer, quem é que FAZ uma coisa dessas? Ameaça deixar um globo cair na cabeça?

Mas tratava-se da aula de superdotados & talentosos. Quer dizer, os gênios estão SEMPRE fazendo coisas esquisitas como deixar cair globos em cima da cabeça. Aposto que existem gênios por aí que já deixaram cair coisas mais esquisitas em cima da cabeça. Tipo blocos de concreto, gatos e coisas assim. Só para ver o que acontece.

Quer dizer, fala sério. São todos gênios.

Porque Boris era um gênio, assim como Lilly, e ela reagiu à ameaça dele como qualquer outro gênio faria. Uma pessoa normal como eu teria dito: "Não, Boris! Coloque o globo no chão, Boris. Vamos conversar, Boris!"

Mas Lilly, por ser um gênio, e por ter curiosidade de gênio a respeito do que aconteceria se Boris largasse mesmo o globo em cima da cabeça — e talvez porque ela queria ver se tinha mesmo poder bastante sobre ele para que fizesse aquilo —, só falou com uma voz cheia de nojo: "Pode largar. Eu não estou nem aí."

E foi quando aconteceu. Deu para ver que Boris pensou duas vezes — tipo quando finalmente entrou no cérebro dele, desordenado pelo amor, que largar um globo de mais de vinte quilos em cima da cabeça provavelmente não era a melhor maneira de encarar aquela situação.

Mas bem quando ele ia colocar o globo no chão, ele escorregou — talvez por acidente. Ou talvez de propósito — o que os Drs. Moscovitz podem chamar de profecia autoinfligida, como quando a gente diz: "Ah, eu não quero que *isto* aconteça", e daí, exatamente porque você disse isso e porque pensa tanto naquilo, você sem-querer-querendo faz a coisa acontecer —, Boris largou o globo em cima da cabeça.

O globo fez um barulho oco de pancada quando bateu no crânio do Boris — o mesmo barulho da berinjela que eu deixei cair sem querer da janela do 16º andar da casa da Lilly —, daí ricocheteou e caiu no chão com o maior estrondo.

E daí Boris colocou a mão na cabeça e começou a cambalear pela sala, incomodando o carinha da cola, que parecia estar com medo de Boris cair em cima dele e bagunçar todas as suas anotações.

Foi meio que interessante ver como todo mundo reagiu. Lilly colocou as mãos nas bochechas e simplesmente ficou parada lá, pálida como... bom, a morte. Michael falou um palavrão e saiu correndo na direção do Boris. Lars saiu correndo da sala, gritando: "Sra. Hill! Sra. Hill!"

E eu — sem nem mesmo me dar conta do que estava fazendo — levantei, peguei meu suéter da escola, fui andando com firmeza na direção do Boris e gritei: "Senta!", já que ele estava correndo de um lado para o outro igual a uma barata tonta. Não que eu já tenha visto uma barata tonta — e espero nunca na vida ter que ver.

Mas você entendeu o que eu quis dizer.

Boris, para a minha enorme surpresa, fez o que eu mandei. Ele se afundou na carteira mais próxima, tremendo igual ao Rommel durante uma tempestade de trovões. Daí eu disse, com a mesma voz de comando que parecia não pertencer a mim: "Tira as mãos daí!"

E Boris tirou as mãos da cabeça.

Foi aí que eu coloquei o meu suéter enrolado em cima do buraquinho na cabeça dele pra parar o sangramento, igualzinho eu tinha visto em *Recinto animal*, quando a policial Annemarie Lucas apareceu com um pit bull que tinha levado um tiro.

Depois disso, a zona — desculpe o linguajar, mas é verdade — comeu solta.

- Lilly começou a chorar com soluços enormes, de bebê, o que eu não a vejo fazer desde a primeira série quando eu sem-querer-querendo enfiei uma espátula na garganta dela quando estávamos decorando bolinhos de aniversário para distribuir para a classe porque ela estava comendo toda a cobertura e eu achei que não ia sobrar o bastante para cobrir todos os bolinhos.
- O cara da cola saiu correndo da sala.
- Sra. Hill *entrou* correndo na sala, seguida por Lars e mais ou menos metade do corpo docente, que aparentemente estava todo na sala dos professores sem fazer nada, como os professores da Escola Albert Einstein geralmente fazem.

↪ Michael se debruçou em cima do Boris e ficou falando, com uma voz bem calma e tranquilizadora, que eu tenho certeza de que ele aprendeu com os pais, que com frequência recebem ligações no meio da noite de pacientes que não tomaram o remédio por alguma razão e ameaçam ficar andando para cima e para baixo da Merritt Parkway com roupa de palhaço: "Vai ficar tudo bem. Boris, vai ficar tudo bem com você. Só respire fundo. Bom. De novo. Respire bem profundamente, devagar. Bom. Você vai ficar bem. Você vai ficar bem de verdade."

E eu só fiquei lá parada, segurando meu suéter no topo da cabeça do Boris, enquanto o globo, que aparentemente se soltou com a queda — ou talvez por causa da lubrificação do sangue de Boris —, ficou lá rodopiando pelo chão preguiçosamente, até parar mostrando o Equador.

Um dos professores foi chamar a enfermeira, que me fez afastar o suéter um pouquinho para ver o machucado do Boris. Daí ela logo fez com que eu pressionasse o suéter de novo. Daí ela falou com Boris, com o mesmo tom de voz calmo que Michael estava usando: "Vamos lá, rapaz. Acompanhe-me até a enfermaria."

Só que Boris não conseguia caminhar sozinho até a enfermaria, porque quando tentou ficar de pé, os joelhos dele meio que ficaram moles, provavelmente por causa da hipoglicemia. Então Lars e Michael meio que carregaram Boris até a enfermaria enquanto eu ficava lá com o suéter pressionado na cabeça dele, porque, bom, ninguém me disse que era pra parar.

Quando passamos pela Lilly no caminho, dei uma boa encarada, e ela tinha mesmo ficado pálida como a morte — o rosto dela estava da cor da neve de Nova York, um cinza pálido meio amarelado. Ela parecia meio enjoada. O que, se você quer saber a minha opinião, é bem feito.

Então, agora Michael, Lars e eu estamos sentados aqui enquanto a enfermeira preenche o relatório de acidente. Ela ligou para a mãe do Boris, que deve vir buscá-lo para levá-lo ao médico da família. O ferimento causado pelo globo não é muito profundo, mas a enfermeira acha que vai precisar de alguns pontos, e Boris vai ter que tomar vacina antitetânica. A enfermeira elogiou muito a minha ação rápida. Ela falou: "Você é a princesa, não é?", e eu respondi bem séria que era.

Não dá para evitar, mas estou um pouco orgulhosa de mim mesma.

É estranho como, apesar de eu não gostar de ver sangue em filmes e tal, na vida real não me incomodou nem um pouquinho. Ver o sangue do Boris, quer dizer. Porque eu tive que ficar sentada com a cabeça entre os joelhos naquela vez na aula de biologia em que mostraram um filme sobre acupuntura. Mas ver o sangue jorrar da cabeça do Boris na vida real não me causou nenhum calafrio.

Talvez eu demore a sentir as coisas ou qualquer coisa assim. Sabe como é, estresse pós-traumático.

Apesar de que, para ser franca, se toda essa coisa de princesa não provocou estresse pós-traumático em mim, duvido muito que ter visto o ex-namorado da minha melhor amiga jogar um globo na cabeça vá fazer isso.

Ops. Lá vem a diretora Gupta.

Segunda, 5 de maio, Francês

> Mia, é verdade o que falaram do Boris? Ele tentou mesmo se matar durante o quinto tempo tentando apunhalar o próprio peito com um compasso? — Tina

Lógico que não. Ele tentou se matar deixando um globo cair na cabeça.

> AI, MEU DEUS!!!!!!!! Ele vai ficar bem?

Vai, vai sim, graças à ação rápida minha e do Michael. Mas ele provavelmente vai ficar com uma tremenda dor de cabeça durante alguns dias. A pior parte foi ter que falar com a diretora Gupta. Porque é óbvio que ela quis saber por que ele fez aquilo. E eu não queria que Lilly se ferrasse, nem nada. Não que seja culpa da Lilly, não mesmo. Bom, acho que meio que é sim...

> Óbvio que é!!!! Você não acha que ela podia ter lidado com a situação um pouco melhor? Meu Deus, ela estava praticamente

beijando o Jangbu de língua bem na frente do Boris! Então, o que foi que você disse para a diretora mala?

Ah, você sabe. O de sempre. Que Boris devia ter explodido por causa da pressão que os professores da EAE exercem sobre a gente, e por que a diretoria não pode cancelar as provas finais, como fizeram em Harry Potter 2. Só que ela não ouviu, porque, tipo, ninguém morreu, nem apareceu uma cobra gigante para perseguir a gente por aí, nem nada do tipo.

Mesmo assim, é totalmente a coisa mais romântica de que eu já ouvi falar. Nem nos meus maiores sonhos um homem ficaria tão desesperado para reconquistar meu coração que faria algo como deixar um globo cair em cima da cabeça.

Eu sei! Se quer saber a minha opinião, Lilly está total repensando toda a coisa do Jangbu. Pelo menos, acho que sim. Na verdade, ainda não falei com ela desde que tudo aconteceu.

Meu Deus, quem diria que durante todo este tempo batia dentro do peito do Boris um coração do tipo do Heathcliff?

Pois é! Fico pensando se o espírito dele vai ficar vagando pela Rua 75 igual ao do Heathcliff ficou lá no Morro dos Ventos Uivantes. Sabe como é, depois que a Cathy morreu.

Eu meio que sempre achei o Boris fofo. Quer dizer, eu sei que você se incomoda com gente que respira pela boca, mas você precisa admitir, ele tem mãos muito lindas.

MÃOS? Quem é que liga para MÃOS?????

Hmm, elas são um pouco importantes. Acorda. É o que os caras usam para PEGAR em você.

Você é nojenta, Tina, muito nojenta.

Apesar de que pode ser o sujo falando do mal lavado, levando em conta o negócio todo do pescoço do Michael. Mas deixa pra lá. Eu nunca CONFESSEI isso para ninguém. Em voz alta.

Segunda, 5 de maio, na limusine a caminho da aula de princesa

Eu sou totalmente a estrela da escola. Como se o negócio de princesa já não bastasse, agora está circulando por toda a Albert Einstein que Michael e eu salvamos a vida do Boris. Meu Deus, somos iguais ao Dr. Kovac e a enfermeira Abby da EAE!!!!!!!!! E Michael até se PARECE um pouco com o Dr. Kovac. Sabe como é, com o cabelo escuro e aquele peito lindo e tal.

Nem sei por que a minha mãe vai se dar ao trabalho de contratar uma parteira. Ela devia simplesmente pedir para eu fazer o parto. Tipo, eu poderia totalmente fazer isto. E, tipo, eu só preciso de uma tesoura e uma luva de apanhador de beisebol. Caramba.

Meu Deus. Vou ter que pensar melhor neste negócio de ser escritora. Meus talentos podem estar em uma esfera completamente diferente.

Segunda, 5 de maio, no lobby do Plaza

Lars acabou de me dizer que, para entrar na faculdade de medicina, precisa tirar nota boa em matemática e em ciências. Dá para entender por que é preciso saber ciências, mas MATEMÁTICA?????? POR QUÊ?????? Por que o sistema educacional americano está conspirando contra mim para impedir que eu atinja meus objetivos profissionais?

Segunda, 5 de maio, à caminho de casa voltando do Plaza

Pode deixar com Grandmère a tarefa de colocar fim à minha alegria. Eu ainda estava toda alegre por causa do milagre médico que eu tinha realizado na escola — bom, foi MESMO um milagre: um milagre eu não ter desmaiado ao ver todo aquele sangue — e Grandmère falou uma coisa tipo assim: "Então, quando é que eu posso marcar a sua prova de roupa na Chanel? Porque eu mandei reservar um vestido lá para você que eu acho que vai ser perfeito para esta festinha de formatura que a deixa tão animada, mas se você quiser que fique pronto a tempo, precisa ir lá experimentar amanhã ou depois."

Então, daí eu tive que explicar a ela que Michael e eu não iríamos ao baile de formatura.

Ela não reagiu à notícia como uma avó normal, lógico. Uma avó normal teria se mostrado solidária e teria feito um agradinho na minha mão e me dado uns biscoitos feitos em casa ou um dólar ou alguma coisa assim.

Mas não a minha avó. Ah, não. A *minha* avó só ficou, tipo: "Bom, então você obviamente não fez o que eu sugeri."

Caramba, é isso aí, culpe a vítima, vó!

"Doq cê tá falando?", eu soltei.

Então, é óbvio que ela ficou toda: "Do que eu estou falando? Foi isso que você disse? Então pergunte da maneira adequada."

"Do... que... é... que... você... está... falando... Grandmère?", perguntei de novo, com mais educação, apesar de por dentro, é óbvio, eu não me sentir nem um pouco educada.

"Estou dizendo que você não fez o que eu falei para fazer. Eu falei que se você encontrasse o incentivo adequado, o seu Michael ficaria feliz da vida de acompanhá-la ao baile de formatura. Mas, claramente, você prefere ficar aí sentada de mau humor em vez de tomar a atitude necessária para conseguir aquilo que você deseja."

Fiquei muito ofendida com isso.

"Desculpe-me, Grandmère", justifiquei-me, "mas eu fiz tudo humanamente possível para convencer Michael a ir ao baile de formatura." Menos, obviamente, explicar para ele de fato *por que* é tão importante para mim. Porque eu não tenho muita certeza de que *se* dissesse a ele por que é tão importante para mim ele resolveria ir. E aí, sim, seria uma droga COMPLETA. Sabe como é, se eu despisse a minha alma para o homem que eu amo, estaria nas mãos dele decidir se quer ou não ir a uma coisa boba como a festa de formatura para fazer o meu desejo se tornar realidade.

"Pelo contrário, não fez, não", Grandmère discordou. Ela apagou o cigarro no cinzeiro, soltando nuvens de fumaça acinzentada pelo nariz — é totalmente chocante ver como o peso do trono de Genovia repousa unicamente sobre os meus ombros magros, e, no entanto, minha avó continua despreocupada em relação aos efeitos da fumaça sobre os meus pulmões — e mandou: "Eu já expliquei isto antes para você, Amelia. Em situações em que as partes opostas estão tentando chegar a um acordo, mas têm dificuldade em fazê-lo, é sempre de seu interesse recuar e perguntar a si mesma qual é o desejo do inimigo."

Pisquei para ela, no meio de toda aquela fumaça. "Eu tenho que descobrir o que Michael quer?"

"Correto."

Dei de ombros. "Fácil. Ele não quer ir ao baile de formatura. Porque é uma bobeira."

"Não. Isso é o que Michael *não* quer. O que ele *quer*?"

Precisei pensar bem na resposta.

"Hmm", fiz eu, observando Rommel quando ele, ao perceber que Grandmère estava ocupada com outra coisa, curvou o corpo e começou a lamber o pelo das patas. "Acho que... Michael quer tocar com a banda dele?"

"*Bien*", Grandmère disse, o que quer dizer "bom" em francês. "Mas o que *mais* ele pode querer?"

"Hmm... Não sei." Eu ainda estava pensando no negócio da banda. É obrigação dos alunos dos anos mais baixos organizar o baile de formatura para os alunos do último ano, apesar de nós mesmos não podermos ir, a menos que algum aluno do último ano nos convide. Tentei me lembrar do que o comitê do baile de formatura tinha dito em *O Átomo*, no que diz respeito às providências musicais que tinham tomado para a festa. Acho que tinham contratado um DJ ou qualquer coisa assim.

"É lógico que você sabe o que Michael quer", Grandmère exclamou, de maneira brusca. "Michael quer o que *todos* os homens querem."

"Você está falando de..." Fiquei estupefata com a rapidez com que a mente da minha avó trabalhava. "Você está dizendo que eu devia pedir ao comitê de formatura para a banda do Michael tocar na festa?"

Grandmère começou a engasgar por alguma razão. "O-o quê?", perguntou ela, praticamente com o uso de apenas meio pulmão.

Recostei-me na cadeira, completamente sem palavras. Isso nunca tinha me ocorrido antes, mas a solução de Grandmère para o problema era absolutamente perfeita. Nada deliciaria mais ao Michael do que uma apresentação de verdade e remunerada da Skinner Box. E daí eu ia conseguir ir à festa... e não só com o homem dos meus sonhos, mas com um *verdadeiro integrante da banda que ia tocar*. Será que tem alguma coisa mais legal no mundo do que ir ao baile de formatura com um integrante da banda que vai tocar na festa? Hmm, não. Não, não tem não.

"Grandmère", falei, quase sem fôlego. "Você é um gênio."

Grandmère estava tomando o restinho do gelo do Sidecar dela. "Não faço a menor ideia do que você está falando, Amelia", retrucou ela.

Mas eu sabia que, pela primeira vez na vida, Grandmère só estava sendo modesta.

Daí eu me lembrei de que devia estar brava com ela, por causa do Jangbu. Então eu mandei: "Mas, Grandmère, vamos falar sério um minuto. Essa coisa dos auxiliares de garçom... a greve. Você precisa fazer alguma coisa. É tudo culpa sua, você sabe disso."

Grandmère me olhou através de toda aquela fumaça azul que saía do cigarro novo que ela acabara de acender.

"Como assim, sua garotinha ingrata?", devolveu ela. "Eu resolvo todos os seus problemas e é assim que você me agradece?"

"Estou falando sério, Grandmère", insisti. "Você precisa ligar para o Les Hautes Manger e contar a eles a respeito do Rommel. Dizer que foi sua culpa que Jangbu tropeçou, e que eles precisam devolver o emprego dele. Senão, não é justo. Quer dizer, o coitado perdeu o emprego!"

"Ele encontra outro", Grandmère comentou, fazendo pouco caso.

"Não sem referências", observei.

"Então ele que volte para sua terra natal", resolveu ela. "Tenho certeza de que os pais dele sentem sua falta."

"Grandmère, ele é do *Nepal*, um país que está sob a opressão dos chineses há décadas. Ele não pode voltar para lá. Não tem nenhum emprego lá. Ele vai morrer de fome."

"Eu não quero mais discutir este assunto", Grandmère decidiu, toda pomposa. "Diga-me quais são os dez pratos servidos em um casamento real genoviano."

"Grandmère!"

"Diga!"

Daí eu não tive outra escolha senão ficar falando dos dez pratos servidos tradicionalmente em um casamento genoviano — azeitonas, antepasto, massa, peixe, carne, salada, pão, queijo, frutas e sobremesa (observação para mim mesma: quando eu e Michael nos casarmos, lembrar de não fazer a cerimônia em Genovia, a menos que o palácio faça um banquete totalmente vegetariano).

Não sei como alguém que se entregou totalmente para o lado do mal como Grandmère pode sair com uma ideia tão brilhante como conseguir fazer com que a banda do Michael toque no baile de formatura.

Mas acho que até o Darth Vader tem lá os seus momentos. Não consigo pensar em nenhum agora, mas tenho certeza de que ele teve algum.

Segunda, 5 de maio, 21h, em casa

Más notícias:
Passei horas olhando edições antigas de *O Átomo* tentando descobrir quem era o chefe do comitê do baile de formatura. Queria mandar uma mensagem para ele ou para ela pedindo que a Skinner Box fosse considerada uma possível atração ao vivo em alternativa ao DJ que eles tinham contratado. Então você só pode imaginar a minha surpresa e decepção quando finalmente passei

os olhos pelo artigo que estava procurando e encontrei a resposta apavorante bem ali, preto no branco:

Lana Weinberger.

LANA WEINBERGER é a chefe do comitê do baile de formatura deste ano.

Bom, acabou tudo. Estou morta. Não vou conseguir ir ao baile de formatura DE JEITO NENHUM agora. Quer dizer, Lana ia preferir largar a dieta da Zona dela a contratar a banda do meu namorado. Quer dizer, Lana me odeia com todas as forças, e sempre odiou.

E posso afirmar que o sentimento é mútuo.

O que eu vou fazer AGORA? NÃO DÁ para perder o baile de formatura. Simplesmente NÃO DÁ!!!!!!!!!

Mas acho que o meu problema não é o maior do mundo. Quer dizer, tem gente muito pior do que eu. Tipo Boris, por exemplo. Acabei de receber esta mensagem dele:

> **JoshBell2:** Mia, eu só queria agradecer pelo que você fez por mim hoje. Não sei por que eu tive uma atitude tão idiota. Acho que eu estava tomado pela emoção. Eu amo tanto a Lilly! Mas agora ficou óbvio para mim que não estamos destinados um para o outro, como achei que estávamos durante tanto tempo (erroneamente, percebo afinal). Não, Lilly é como um cavalo selvagem, nascida para correr livre. Agora eu vejo que homem nenhum — muito menos alguém como eu — pode achar que vai domá-la.
>
> Aprecie o que você tem com Michael, Mia. Amar e ser amado é uma coisa rara e linda.
>
> — Boris Pelkowski
>
> PS: A minha mãe disse que vai mandar o seu suéter para a lavanderia para eu poder devolver no final da semana. Ela disse que o pessoal na Star Cleaners acha que consegue tirar a mancha de sangue sem estragar o tecido.
>
> — B.P.

Coitado do Boris! Imagine só, pensar na Lilly como um cavalo selvagem. Talvez um cogumelo selvagem. Mas um *cavalo*? Acho que não.

Achei que era melhor ver se estava tudo bem com ela, porque da última vez que eu a vi, Lilly estava com o rosto meio verde. Enviei uma mensagem completamente não acusatória, totalmente amigável, perguntando como ia a saúde mental dela depois das provações deste dia.

Você pode imaginar como eu fiquei escandalizada quando vi que o que recebi em troca dos meus esforços foi o seguinte:

WomynRule: Fala, P.D.G.!

(PDG é o apelido que Lilly resolveu me dar há algumas semanas. Significa Princesa de Genovia. Eu já pedi mil vezes para ela parar com isso, mas ela insiste, provavelmente porque eu cometi o erro de deixar que ela soubesse que me incomoda.)

E aí? Senti sua falta na coletiva de imprensa da JPAACDIJP hoje. Parece que vamos conseguir o apoio do sindicato dos hotéis. Se eu conseguir fazer com que os hotéis entrem em greve, além dos empregados de restaurantes, vamos fazer a cidade se ajoelhar diante de nós! Afinal, as pessoas vão começar a perceber que não se deve brincar com os funcionários do setor de serviços! O homem do povo merece receber um salário digno!

O que foi aquilo com Boris hoje à tarde, hein? Preciso dizer, ele me deu o maior susto. Eu não fazia ideia de que ele era tão maluco. Mas, bom, ele *é* músico, né? Eu já devia saber. Mas foi bem legal o jeito que você e Michael lidaram com a situação. Vocês dois pareciam o Dr. McCoy e a enfermeira Chapel. Mas acho que você ia preferir se eu dissesse que foi igual ao Dr. Kovac e a enfermeira Abby. O que eu acho que meio que foi mesmo.

Bom, preciso ir. Minha mãe quer que eu tire a mesa.

— Lil

PS: O Jangbu fez a coisa mais fofa do mundo depois da coletiva de imprensa hoje à noite. Ele comprou uma rosa de seda para mim em uma barraquinha da Canal Street. Tãããão romântico. Boris nunca fez uma coisa dessas.

— L

Preciso reconhecer: fiquei chocada. Chocada pelo fora frio que Lilly deu no coitado do Boris, com toda a dor dele. Chocada com o *e aí* dela e a referência que ela fez a *Jornada nas estrelas* original... A própria Lilly teria dito que isso é coisa do passado, principalmente porque ela sempre está atualizadíssima em tudo que se trata da cultura pop. E fiquei VERDADEIRAMENTE chocada por ela sugerir que todos os músicos são malucos. Quer dizer, acorda! O irmão dela, Michael, O MEU NAMORADO, é músico! E, sim, é óbvio que a gente tem os nossos problemas, mas não por ele ser maluco, de jeito nenhum. Na verdade, se é para falar alguma coisa, os meus problemas com Michael têm a ver com o fato de ele, por ser de Capricórnio, ter os pés plantados DEMAIS no chão, ao passo que eu, uma taurina de espírito livre, desejo trazer um pouco mais de diversão à nossa relação.

Respondi no mesmo instante. Reconheço que estava tão brava que as minhas mãos tremiam enquanto eu digitava.

FtLouie: Lilly, talvez te interesse o fato de Boris ter que levar dois pontos E uma vacina antitetânica por causa do que aconteceu em S&T hoje. Além disso, ele pode até ter tido uma concussão. Talvez você pudesse se desvencilhar um pouquinho do seu trabalho incansável pela causa do Jangbu, um cara que VOCÊ SÓ CONHECEU HÁ TRÊS DIAS, e demonstrar um pouco de apreço pelo seu ex, com quem você saiu durante OITO MESES INTEIROS.

— M

A resposta da Lilly foi quase instantânea.

WomynRule: Desculpa, P.D.G., mas acho que não gostei nem um pouquinho do seu tom condescendente. Por favor, não venha dar uma de princesa para cima de mim. Sinto muito se por acaso você não gosta do Jangbu ou do trabalho que eu estou fazendo para ajudar a ele e às pessoas iguais a ele. No entanto, isso não significa que eu deva ficar refém do meu antigo relacionamento devido à teatralidade juvenil de um narcisista cheio de ilusões como Boris. Eu não o obriguei a pegar aquele globo e largar em cima da cabeça dele. Ele fez essa escolha sozinho. E eu achei que você, como telespectadora fiel do Lifetime, reconheceria o comportamento manipulador do Boris como uma atitude clássica de psicopata.

Mas, bom, talvez se você parasse de assistir a tantos filmes e tentasse viver de verdade para variar, você pudesse enxergar tudo isso. Você também estaria escrevendo algo mais desafiador do que o cardápio da cantina para o jornal da escola.

Dava para ver que ela estava se sentindo culpada pelo que tinha feito ao Boris pela maneira seca com que ela o atacou. Isso dava para ignorar. Mas o ataque dela aos meus textos não podia ficar em branco. Respondi ao ataque imediatamente, assim:

FtLouie: Ah, tá, talvez eu assista mesmo a muitos filmes, mas pelo menos eu não fico andando por aí com a cara grudada em uma lente de câmera do jeito que você faz. Eu prefiro ASSISTIR a filmes a ficar inventando dramas PARA os filmes. Além do mais, fique sabendo que a Leslie Cho me pediu outro dia para escrever uma reportagem para o jornal.

E foi isso que eu recebi como resposta:

WomynRule: É, uma reportagem que *EU* tornei possível. Você é uma fraca. Volte para os seus lamentos porque você tem que passar o verão em um palácio em Genovia (buá-buá-buá) e que o meu irmão não quer ir ao baile de formatura com você, e deixe a resolução de problemas REAIS para gente como eu, que tem mais bagagem intelectual para lidar com eles.

Bom, foi a gota de água. Lilly Moscovitz não é mais a minha melhor amiga. Eu já aguentei todas as agressões que posso suportar. Estou pensando em escrever para ela e dizer isto.

Mas talvez seja algo infantil demais, não INTELECTUAL o bastante.

Talvez eu só pergunte para Tina se ela não quer ser a minha melhor amiga daqui para a frente.

Mas, não, isto também seria infantil demais. Quer dizer, até parece que a gente ainda está na segunda série. Somos praticamente mulheres, como a minha mãe disse. Mulheres como a minha mãe não saem por aí declarando quem é a melhor amiga delas e quem não é. Elas só meio que... sabem. Sem dizer nada a esse respeito. Não sei como, mas elas sabem. Talvez seja a coisa do estrogênio ou algo assim.

Ai, meu Deus, que dor de cabeça.

Segunda, 5 de maio, 23h

Quase caí no choro agora há pouco quando fui checar minhas mensagens pela última vez antes de ir para a cama. Isso porque o que eu achei lá foi o seguinte:

> **LinuxRulz:** Mia, tem certeza que você não está brava comigo por causa de alguma coisa? Porque você mal disse três palavras para mim o dia inteiro. Menos durante aquela coisa toda do Boris. Eu fiz alguma coisa errada?

Daí outro, um segundo depois:

> **LinuxRulz:** Esquece a última mensagem. Foi uma idiotice. Eu sei que se eu tivesse feito alguma coisa para deixar você chateada, você teria me dito. Porque você é assim. E essa é uma das razões por que a gente dá tão certo juntos. Porque podemos dizer qualquer coisa um para o outro.

E daí:

LinuxRulz: Não é aquele negócio da sua festa, é? Você sabe, porque eu não queria bater no Jangbu por ficar agarrando a minha irmã? Porque me envolver na vida amorosa da minha irmã não é nunca uma boa ideia, como você já deve ter reparado.

E daí:

LinuxRulz: Bom, sei lá. Boa noite. E eu te amo.

Ah, Michael, meu doce protetor!
POR QUE VOCÊ NÃO ME LEVA AO SEU BAILE DE FORMATURA???????????????

Terça, 6 de maio, 3h

Ainda não estou conseguindo acreditar na coragem dela. Eu aprendi MUITA COISA sobre escrita assistindo a filmes. Por exemplo:

DICAS VALIOSAS QUE EU, MIA THERMOPOLIS, APRENDI SOBRE ESCRITA COM OS FILMES

Aspen — Dinheiro, sedução e perigo

T.J. Burke se muda para Aspen para se tornar instrutor de esqui, mas na verdade ele só quer escrever. Quando acaba de redigir sua homenagem tocante ao amigo falecido Dex, coloca o texto em um envelope e manda para a revista *Powder*. Um balão de ar quente e dois cisnes passam voando. Daí a gente vê um carteiro colocando um exemplar da revista *Powder* na caixa de correio de T.J. Na capa tem uma chamada sobre o artigo que ele escreveu! É fácil *assim* ser publicado.

Garotos incríveis
Sempre faça um backup dos seus arquivos.

Adoráveis mulheres
Idem.

Moulin Rouge — Amor em vermelho
Quando estiver escrevendo uma peça, não se apaixone pela atriz principal. Especialmente se ela estiver doente. Também não beba nada verde oferecido por um anão.

A redoma de vidro
Não deixe a sua mãe ler o seu livro até *depois* de ele estar publicado (daí ela não vai mais poder fazer nada a respeito dele).

Adaptação
Nunca confie em um irmão gêmeo.

Ela é inesquecível — A história de Jacqueline Susann
Os editores na verdade não ligam se você entregar um manuscrito em papel cor-de-rosa. Além disso, sexo vende bem.

Como é que a Lilly OUSA sugerir que eu perdi meu tempo assistindo à TV?

    E se por acaso eu escolher uma profissão na área médica, ainda vou me dar bem, porque já vi praticamente todos os episódios de *Plantão Médico* que já foram produzidos.

    Isso sem falar em *M*A*S*H (o filme)*.

Terça, 6 de maio, S&T

Que dia mais horrível até agora, em todos os aspectos:

1. O Sr. G nos deu uma prova-surpresa de álgebra em que eu fui mal porque estava com a cabeça cheia daquela coisa toda de Boris/Lilly/baile de formatura ontem à noite para estudar. É de pensar que o meu próprio padrasto seria legal o bastante para me dar uma ou duas dicas de que ia ter prova-surpresa. Mas aparentemente isso iria contra algum tipo de código ético dos professores. Até parece. E o código de ética dos padrastos? Alguém já pensou NISSO?
2. Shameeka e eu fomos pegas passando bilhetinhos de novo. Preciso escrever uma redação de mil palavras sobre os efeitos do aquecimento global nos ecossistemas da América do Sul.
3. Não consegui ninguém para fazer dupla comigo no projeto de doenças e síndromes que estamos desenvolvendo em Saúde e Segurança, porque Lilly e eu não estamos nos falando. Ela está naquela de ficar me evitando. Até pegou o metrô para vir à escola em vez de vir comigo e com Michael na limusine. Mas eu não estou nem aí.

    Além disso, quando sorteamos as doenças, eu peguei síndrome de Asperger. Por que eu não peguei uma legal, tipo ebola? É a maior injustiça, principalmente porque agora eu estou considerando a possibilidade de seguir carreira na área médica.
4. No almoço eu comi um pedaço de linguiça que por acaso estava na minha pizza individual só de queijo. Além disso, Boris passou todo o período escrevendo *Lilly* sem parar no estojo do violino dele. Lilly nem apareceu para o almoço. Espero que ela e Jangbu tenham entrado em um avião para o Nepal e não venham mais encher o nosso saco. Mas Michael acha que não. Ele acha que Lilly tinha outra entrevista coletiva de imprensa.
5. Michael não mudou de ideia a respeito do baile de formatura. Não que eu tenha tocado no assunto nem nada. Só que por acaso eu passei com ele

ao lado da mesa em que Lana e o resto do comitê da festa estão vendendo as entradas e Michael disse "otário" por entre os dentes quando viu o cara que odeia quando colocam milho no chili comprando entradas para ele e a namorada.

Até o cara que odeia quando colocam milho no chili vai ao baile de formatura. Todo mundo na face da Terra vai ao baile de formatura. Menos eu.

Lilly ainda não voltou de onde ela foi antes do almoço. O que provavelmente é melhor assim. Acho que Boris não ia aguentar se ela entrasse aqui agora. Ele achou um corretor no armário de material e está usando para fazer redemoinhos em volta do nome da Lilly no estojo do violino dele. Estou com vontade de sacudi-lo e falar: "Sai dessa, cara! Ela não vale a pena!"

Mas tenho medo de que isso solte os pontos dele.

Além disso, a Sra. Hill, claramente devido aos acontecimentos de ontem, está sentada à mesa dela e não levanta, folheando catálogos da Garnet Hill e ficando de olho na gente. Aposto que ela se encrencou por causa da coisa toda do virtuose-do-violino-largando-um-globo-em-cima-da-cabeça. A diretora Gupta realmente é muito severa em relação ao derramamento de sangue dentro da escola.

Já que eu não tenho nada melhor para fazer, vou compor um poema que expresse meus verdadeiros sentimentos sobre tudo que está acontecendo. Minha intenção é chamá-lo de "Febre da Primavera". Se for bom o suficiente, eu vou apresentá-lo em O Átomo. Anonimamente, lógico. Se Leslie ficasse sabendo que eu tinha escrito aquilo, ela nunca publicaria, porque, como eu sou foca, ainda não paguei o preço de estar no jornal.

Mas se ela simplesmente ENCONTRAR o papel enfiado por baixo da porta da redação de O Átomo, talvez ela publique.

Da maneira como eu vejo as coisas, não tenho nada a perder. Porque parece que pior do que está não fica.

Terça, 6 de maio, Hospital St. Vincent

As coisas pioraram. Muito, muito, muito. Provavelmente, a culpa é toda minha. É tudo culpa minha porque eu escrevi aquilo antes. Sobre pior do que está não fica. Acontece que as coisas PODEM SIM ficar piores do que:

- Ir mal na prova de álgebra.
- Se ferrar em biologia por passar bilhetinhos.
- Tirar síndrome de Asperger como projeto de Saúde e Segurança.
- Seu pai tentar fazê-la passar a maior parte do verão em Genovia.
- Seu namorado se recusar a levá-la ao baile de formatura.
- Sua melhor amiga chamá-la de fraca.
- O namorado dela precisar levar pontos na cabeça por ter se machucado de propósito com um globo.
- E a sua avó tentar obrigá-la a jantar com o sultão de Brunei.

O que é pior do que tudo isso é a sua mãe grávida desmaiar na seção de congelados do supermercado Grand Union.

Estou falando supersério. Ela caiu de cara em cima dos sorvetes da Häagen-Dazs. Ainda bem que ela desviou dos potes de Ben & Jerry e caiu de costas, ou então meu futuro irmão ou futura irmã teria sido esmagado sob o peso da própria mãe.

O gerente do Grand Union aparentemente não tinha ideia do que fazer. De acordo com testemunhas, ele saiu correndo pela loja inteira, agitando os braços e berrando: "Mulher morta no corredor quatro! Mulher morta no corredor quatro!"

Não sei o que teria acontecido se o Departamento de Bombeiros de Nova York não estivesse lá por acaso. Estou falando sério. A Companhia 9 faz as compras do quartel no Grand Union — eu sei disso porque Lilly (quando ainda era minha melhor amiga e a gente percebeu que os bombeiros são gostosos) e eu costumávamos ir lá o tempo todo para vê-los escolhendo mangas e nectarinas —, e por acaso eles estavam lá, fazendo as compras da semana, quando a minha mãe caiu na horizontal. Checaram logo o pulso dela e descobriram que não estava morta. Daí chamaram uma ambulância e mandaram ela rapidinho para o hospital St. Vincent, que é o pronto-socorro mais próximo.

Que pena que a minha mãe estava inconsciente. Ela teria adorado ter visto todos aqueles bombeiros gostosos se debruçando em cima dela. Além disso, sabe como é, o fato de eles terem força suficiente para erguê-la... e com o peso que ela está atualmente, isso é um grande feito. É bem legal.

Dá para imaginar que eu só estava sentada lá, morrendo de tédio na aula de francês, e o meu celular tocou... bom, eu entrei em pânico. Não porque aquela tinha sido a primeira vez que alguém ligava para mim, nem porque a Mademoiselle Klein sempre confisca os celulares que tocam na aula dela, mas porque as únicas pessoas que têm direito de me ligar no celular são a minha mãe e o Sr. G, e só para me falar para ir para casa porque meu irmão ou irmã está prestes a nascer.

Só que quando eu finalmente atendi o telefone — demorou um minuto até eu perceber que era o MEU telefone que estava tocando (eu fiquei olhando com cara de acusação para todo mundo na classe, e eles só olhavam para mim sem entender nada) —, não era nem a minha mãe nem o Sr. G para dizer que o bebê estava chegando. Era o capitão Pete Logan, para perguntar se eu conhecia uma tal de Helen Thermopolis, e se eu conhecia, se eu podia ir me encontrar com ela no hospital St. Vincent imediatamente. O bombeiro tinha achado o celular da minha mãe na bolsa dela, e discou o único número que ela tinha armazenado...

O meu.

Eu quase tive um infarto, lógico. Dei um grito e peguei minha mochila, e depois Lars. Daí ele e eu saímos de lá correndo sem explicar nada para ninguém... como se de repente eu tivesse desenvolvido síndrome de Asperger ou algo assim. No caminho para fora do prédio, passei correndo pela classe do Sr. Gianini, daí voltei, enfiei a cabeça na porta e gritei que a mulher dele estava no hospital e que era melhor ele largar aquele giz e nos acompanhar.

Nunca vi o Sr. G tão assustado. Nem quando ele foi apresentado a Grandmère.

Daí nós três saímos correndo até a estação de metrô da rua 77 — porque de jeito nenhum que um táxi ia conseguir levar a gente até lá bem rápido, no trânsito do meio do dia, e o Hans e a limusine ficam de folga até a hora que eu saio da escola às 15h.

Acho que os funcionários do St. Vincent (que são totalmente ótimos, aliás) nunca tinham visto nada parecido com a princesa histérica de Genovia, o guarda-costas e o padrasto dela. Nós três entramos de supetão na sala de espera do pronto-socorro e ficamos lá gritando o nome da minha mãe até que finalmente apareceu uma enfermeira e falou uma coisa do tipo: "A Helen Thermopolis está passando bem. Está acordada e descansando neste momento. Ela só ficou um pouco desidratada e desmaiou."

"Desidratada?", eu quase tive outro infarto, mas dessa vez por um motivo diferente. "Ela não está bebendo os oito copos de água diários dela?"

A enfermeira sorriu e disse: "Bom, ela mencionou que o bebê está fazendo muita pressão sobre a bexiga dela..."

"Ela vai ficar bem?", o Sr. G perguntou.

"O BEBÊ vai ficar bem?", perguntei.

"Os dois vão ficar ótimos", a enfermeira respondeu. "Venham comigo e eu levo vocês até ela."

Daí a enfermeira nos conduziu para dentro do pronto-socorro — o pronto-socorro de verdade do hospital St. Vincent, aonde todo mundo de Greenwich Village vai para tomar vacina ou para tirar a pedra do rim!!!!!!!!!! Vi toneladas de gente doente lá. Tinha um cara com tudo que é tipo de tubo enfiado nele. E um outro cara vomitando em uma bacia. Tinha um aluno da Universidade de Nova York "descansando um pouco" e uma senhora com palpitações e uma supermodelo que tinha caído do salto agulha e um pedreiro com um talho na mão e um ciclista de entregas que tinha sido atingido por um táxi.

Mas, bom, antes que eu tivesse a oportunidade de olhar bem para todos os pacientes — pacientes como aqueles que eu posso vir a atender algum dia, se eu conseguir aumentar minha nota de álgebra e entrar na faculdade de medicina —, a enfermeira puxou uma cortina e lá estava a minha mãe, acordada e com cara de susto.

Quando reparei na agulha no braço dela, vi por que ela estava tão assustada. Tinham colocado uma intravenosa nela!!!!!!!!!!!!

"ai, meu deus!!!", gritei para a enfermeira. Só que a gente nunca deve gritar no pronto-socorro, porque tem um monte de gente doente lá. "Se ela está tão bem assim, para que isso???"

"É só para que ela fique hidratada", a enfermeira respondeu. "Sua mãe vai ficar bem. Diga a eles que você vai ficar bem, Sra. Thermopolis."

"Não me venha com essa de *senhora*", minha mãe rosnou.

E daí eu vi que ela ia ficar bem mesmo.

Eu me joguei em cima dela e dei o maior abraço que consegui, levando em conta a intravenosa e o fato de o Sr. G também a estar abraçando.

"Está tudo bem, está tudo bem", minha mãe disse, dando tapinhas carinhosos na cabeça de nós dois. "Não vamos transformar isto em uma confusão maior do que já é."

"Mas isto É uma confusão", falei, sentindo lágrimas escorrerem pelo meu rosto. "Porque é muito desconcertante receber uma ligação do capitão Pete Logan no meio da aula de francês, falando que a sua mãe está sendo levada para o hospital."

"Não, não é não", minha mãe disse. "Está tudo bem comigo. Está tudo bem com o bebê. E assim que este frasco aqui acabar de pingar para dentro de mim, eu vou poder ir para casa." Ela olhou feio para a enfermeira: "certo?"

"É sim, moça", a enfermeira respondeu e fechou a cortina para que nós quatro — minha mãe, o Sr. G, eu e meu guarda-costas — pudéssemos ter uma certa privacidade.

"Você precisa tomar mais cuidado, mãe", aconselhei. "Você não pode se acabar deste jeito."

"Eu não estou acabada", mamãe respondeu. "Foi aquela porcaria de sopa de macarrão e porco assado que comi no almoço..."

"Do Number One Noodle Son?", gritei, horrorizada. "Mãe, você não fez isso! Tem, tipo, um milhão de gramas de sódio naquilo! Não é para menos que você tenha desmaiado! Só o Ajinomoto..."

"Tenho uma ideia, Vossa Majestade", Lars tentou sugerir, com uma voz bem baixinha no meu ouvido. "Por que eu e você não vamos ali do outro lado da rua ver se a gente compra uma vitamina para a sua mãe?"

Lars sempre mantém a cabeça fria no meio de uma crise. Isso sem dúvida tem a ver com o treinamento intensivo que ele recebeu do exército israelense.

Ele é atirador de elite de alta classe com a Glock dele, e também é bom com o lança-chamas. Ou pelo menos foi o que ele me contou um dia.

"É uma boa ideia", respondi. "Mãe, Lars e eu já voltamos. Vamos buscar uma vitamina gostosa e saudável para você."

"Obrigada", mamãe disse com uma voz fraquinha, mas por algum motivo ela estava olhando mais para Lars do que para mim. Não há dúvida de que é porque os olhos dela ainda estavam fora de foco por causa da coisa toda de desmaiar e tal.

Só que, quando voltamos com a vitamina, a enfermeira não nos deixou entrar de novo para falar com a minha mãe. Ela disse que só um visitante por hora tinha direito a entrar no pronto-socorro, e que antes ela só tinha feito uma exceção porque nós estávamos parecendo tão preocupados, e ela queria que a gente visse por nós mesmos que a minha mãe estava bem, e eu sou a princesa de Genovia e tal.

Ela levou a vitamina que eu e Lars tínhamos comprado e prometeu dar à minha mãe.

Então agora eu e Lars estamos sentados nas cadeiras de plástico duro cor de laranja da sala de espera. Vamos ficar aqui até darem alta para a minha mãe. Eu já liguei para Grandmère e cancelei minha aula de princesa de hoje. E vou dizer, Grandmère não ficou muito preocupada depois que eu disse que a minha mãe ia ficar bem. Pelo tom de voz dela, dava para achar que tinha parentes que desmaiavam no supermercado Grand Union todos os dias. A reação do meu pai frente à notícia foi bem mais gratificante. Ele ficou TODO preocupadíssimo e quis mandar vir o médico real de Genovia, de avião, para assegurar-se de que o batimento cardíaco do bebê estava regular e que a gravidez não estava forçando demais o organismo reconhecidamente extenuado de 36 anos da minha mãe...

AI, MEU DEUS!!!!!!!!!! Você nunca vai adivinhar quem acabou de entrar no pronto-socorro. MEU consorte real, futuro VM Michael Moscovitz Renaldo.

Depois escrevo mais.

Terça, 6 de maio, em casa

Michael é TÃO fofo!!!!!!!!! Assim que terminou o horário de aula, ele foi correndo para o hospital para se assegurar de que a minha mãe estava bem. Ele descobriu o que tinha acontecido pelo meu pai. Dá para IMAGINAR???? Ficou tão preocupado quando Tina disse que eu tinha saído correndo da aula de francês, ele ligou para o *meu pai*, já que ninguém em casa atendia ao telefone.

Quantos garotos ligam para o pai da namorada por iniciativa própria? Hein? Nenhum que eu conheço. Especialmente quando o pai da namorada por acaso é um PRÍNCIPE coroado, tipo o meu. A maior parte dos garotos teria medo demais de ligar para o pai da namorada em uma situação dessas.

Mas não o *meu* namorado.

Pena que ele continue achando o baile de formatura uma bobeira. Mas tanto faz. Quando a mãe da gente, grávida, desmaia na seção refrigerada do supermercado Grand Union, a gente meio que coloca as coisas em perspectiva.

E agora eu sei disto, e por mais que eu adorasse poder ir, o baile de formatura não é assim tão importante. O que é importante é a família ficar junta, e estar com as pessoas que a gente ama de verdade, e ser abençoada com boa saúde, e...

Ai, meu Deus, do que eu estou falando? É ÓBVIO que eu continuo querendo ir ao baile de formatura. É ÓBVIO que ainda estou morrendo por dentro porque Michael se recusa até a considerar a IDEIA de ir.

Eu abordei o assunto bem ali na sala de espera do pronto-socorro do St. Vincent. Fui ajudada, por sorte, pelo fato de haver uma TV na sala de espera, e de a TV estar ligada na CNN, e de a CNN estar passando uma reportagem sobre festas de formatura e a tendência de fazer festas independentes em muitas escolas de ensino médio urbanas — sabe como é, uma festa para os garotos brancos, que dançam ao som de Eminem, e uma para os alunos afro-americanos, que gostam de ouvir Ashanti.

Só que na Albert Einstein só tem um baile de formatura, porque a minha escola apoia a diversidade cultural e toca *tanto* Eminem *quanto* Ashanti nos eventos que promove.

Então, como a gente ainda estava esperando minha mãe acabar de tomar o soro dela, e nós três só estávamos lá esperando — eu, Michael e Lars — assistindo à TV e à ambulância que de vez em quando chegava, trazendo mais um paciente para o pronto-socorro, eu virei para Michael e disse assim: "Fala sério. Isso aí não parece legal?"

Michael, que estava olhando a ambulância, e não a TV, disse: "Ver alguém abrindo seu peito com um afastador de costelas no meio da Sétima Avenida? Acho que não."

"Não", respondi. "Na TV. Você sabe. O baile de formatura."

Michael olhou para a TV, para todos aqueles alunos dançando com roupas formais, e disse: "Não."

"Tá, mas, é sério. Pense sobre o assunto. Pode ser legal. Sabe como é. Ir lá para tirar um sarro deles." Essa não era exatamente a minha ideia de uma noite perfeita no baile de formatura, mas era melhor do que nada. "E você nem precisa usar smoking, sabe como é. Tipo, não tem nenhuma regra que obrigue a isso. Você pode simplesmente colocar um terno. Ou nem isso. Você pode colocar uma calça jeans e uma daquelas camisetas que se *parecem* com um smoking."

Michael olhou para mim como se achasse que eu tinha jogado um globo em cima da minha cabeça.

"Sabe o que seria ainda mais divertido?", perguntou ele. "*Jogar boliche.*"

Eu soltei um suspiro enorme. Era meio difícil ter aquela conversa intensamente pessoal ali na sala de espera do pronto-socorro do St. Vincent, porque não só o meu guarda-costas estava sentado BEM ALI, como também toda aquela gente doente, sendo que algumas estavam tossindo EXTREMAMENTE alto no meu ouvido.

Mas eu tentei me lembrar do fato de que sou uma curandeira talentosa e deveria ser tolerante em relação a germes nojentos.

"Mas, Michael", insisti. "Fala sério. A gente pode ir jogar boliche qualquer noite. E a gente sempre joga. Não seria mais legal, só uma vez, se vestir bem e sair para dançar?"

"Você quer sair para dançar?", Michael se aprumou na cadeira. "A gente pode sair para dançar. A gente pode ir ao Rainbow Room se você quiser. Meus pais sempre vão lá no aniversário de casamento deles e tal. Parece que é bem legal. Tem música ao vivo, jazz de antigamente bom de verdade, e..."

"É", cortei. "Eu sei. Tenho certeza de que o Rainbow Room é bem legal. Mas estou falando que seria legal sair para dançar com GENTE DA NOSSA IDADE, você não acha?"

"Tipo, da escola?" Michael estava com expressão cética. "Acho que sim. Quer dizer, se, tipo, o Trevor e o Felix e o Paul fossem também..." Esses são os caras da banda dele. "Mas você sabe, eles não iriam nem mortos a uma bobeira como o baile de formatura."

AI, MEU DEUS. É EXTREMAMENTE difícil ter um parceiro que é músico. Michael só faz o que a banda inteira dele faz.

Eu sei que Michael e Trevor e Felix e Paul são legais e tal, mas eu ainda não consegui ver qual é essa bobeira tão grande que o baile de formatura representa. Quer dizer, a gente até elege a rainha e o rei da festa. Em que outra função social é possível eleger monarcas para comandar os acontecimentos? Acorda, o que você acha de nenhum?

Mas, tudo bem. Não vou permitir que a recusa de Michael de agir como um menino típico de 17 anos atrapalhe o meu prazer desta noite. Sabe como é, a união familiar que minha mãe, o Sr. G e eu estamos vivendo hoje. Estamos todos nos divertindo, assistindo a *Bichos de estimação milagrosos*. Uma senhora teve um ataque cardíaco e o porquinho de estimação dela andou 30 quilômetros para buscar ajuda.

Fat Louie não iria nem até a esquina para buscar ajuda para mim. Ou talvez até fosse, mas logo ia se distrair com um pombo e sair correndo para nunca mais ser visto, enquanto meu corpo apodrecia no chão.

SÍNDROME DE ASPERGER
Redação de Mia Thermopolis

A condição conhecida como síndrome de Asperger (uma condição do espectro autista) é marcada por dificuldades nas interações sociais com os outros. (*Espera um pouco... isso aí parece...* EU!)

O portador desta síndrome exibe baixa capacidade de comunicação não verbal (*ai, meu Deus — sou* EU!!!!!!!!!), não consegue estabelecer relacionamentos com outras crianças da mesma idade (*também sou eu*) e não reage de maneira apropriada em situações sociais (EU EU EU!!!!!!!), e é incapaz de expressar prazer com a felicidade dos outros (*espera aí — essa é a Lilly*).

Há maior incidência da síndrome em meninos (*Tudo bem, não sou eu. Nem a Lilly*).

Com frequência, portadores da síndrome de Asperger mostram-se deslocados socialmente (EU). Quando sua inteligência é testada, no entanto, geralmente ficam acima da média (*tudo bem, não sou eu — mas é a Lilly, com certeza*) e geralmente são excelentes em campos como ciência, programação de computador e música (*Ai, meu Deus! Michael! Não! Michael não! Qualquer um menos Michael!*).

Os sintomas podem incluir:
- Comunicação não verbal comprometida — problemas com conexão do olhar, expressões faciais, posturas corporais ou gestos descontrolados. (EU*! E Boris também!*)
- Dificuldade em desenvolver relacionamentos com outras crianças da mesma idade. (*Eu, totalmente. Lilly também.*)
- Ser rotulado pelas outras crianças de "esquisito" ou "aberração". (*Isto está me deixando arrepiada!!! Lana me chama de aberração quase todo dia!!!*)
- Ausência de resposta a sentimentos sociais ou emocionais. (LILLY!!!!!!!!)
- Expressão de prazer em relação à felicidade dos outros geralmente atípica ou notadamente prejudicial. (LILLY!!!! *Ela* NUNCA *fica feliz por* NINGUÉM!!!!!!)
- Incapacidade de ser flexível em relação a trivialidades como alteração de rotinas específicas ou de rituais. (GRANDMÈRE!!!!!! MEU PAI TAMBÉM!!!!!!! *Lars também. E o Sr. G.*)
- Ficar contínua ou repetitivamente tamborilando os dedos, retorcendo as mãos, balançando os joelhos ou movimentando todo o corpo. (*Bom, isso aí é totalmente Boris, como qualquer pessoa que já o viu tocando Bartók no violino pode atestar.*)
- Interesse ou preocupação obsessiva por assuntos como história do mundo, coleção de pedras ou horários de aviões. (*Ou talvez o* BAILE

DE FORMATURA????????? *Será que estar obcecada com o baile de formatura conta? Ai, meu Deus, eu tenho síndrome de Asperger! Eu tenho sim, total!!!! Mas espera aí. Se tenho mesmo, Lilly também tem. Porque ela está obcecada pelo Jangbu Panasa. E Boris tem obsessão pelo violino dele. E Tina, por livros românticos. E Michael, pela banda dele. Ai, meu* DEUS!!!!!!!! TODOS *nós temos síndrome de Asperger!!!!!!!! Isto é terrível. Fico imaginando se a diretora Gupta sabe???????? Espera aí... e se a* EAE *for uma escola especial para quem tem síndrome de Asperger? E nenhum de nós sabe disso? Não sabia até agora, quer dizer. Porque eu vou explanar! Vou virar militante! Mia Thermopolis, dando voz aos portadores de Asperger em todo lugar!*)

- Preocupação ou atenção obsessiva a partes de objetos. (*Não sei o que isso quer dizer, mas parece* EU!!!!!!!!) e não ao todo.
- Comportamentos repetitivos, geralmente de natureza autodestrutivo. (BORIS!!!!!!! *Que joga globos na cabeça!!!!!!!!! Mas espera aí, ele só fez isso uma vez...*)

Sintomas que não se enquadram na síndrome de Asperger:
- Nenhuma indicação de comprometimento intelectual ou de comunicação (*dã, todos nós somos excelentes em conversa*) nem de atraso cognitivo ou na curiosidade típica de cada idade. (*Fala sério. Quer dizer, já pegaram nos peitos da Lilly e ela só está no primeiro ano.*)
- Identificada pela primeira vez em 1944 como "patologia autista", por Hans Asperger, a causa deste distúrbio é até hoje desconhecida. A síndrome de Asperger é uma condição do espectro autista. Ainda não há uma cura e, na verdade, alguns portadores não consideram o fato de ter a síndrome como prejudicial a sua vida.

Para eliminar outras causas, são feitas avaliações físicas, emocionais e psicológicas com pessoas com suspeita de síndrome de Asperger. (*Lilly, Michael, Boris, Tina e eu,* TODOS *precisamos fazer esses testes!!!!! Ai meu Deus, a gente teve síndrome de Asperger este tempo todo e nunca soube!!!! Fico imaginando se o Sr. Wheeton já sabia disso e por isso ele me deu esta doença!!!!! Que coisa mais esquisita...*)

Terça, 6 de maio, em casa

Acabei de entrar no quarto da minha mãe (o Sr. G saiu para fazer uma compra de emergência e garantir que haverá mais sorvete Häagen-Dazs para ela) e pedi a ela que me contasse a verdade a respeito da minha situação mental.

"Mãe", comecei. "Tenho ou não tenho síndrome de Asperger?"

Minha mãe estava tentando maratonar *Charmed*. Ela diz que *Charmed* é, na verdade, um seriado muito feminista, porque retrata mulheres jovens que lutam contra o mal sem a ajuda de homens, mas eu reparei que a) elas geralmente lutam contra eles usando frente-única; e b) minha mãe se interessa mais pelos episódios em que os homens aparecem sem camisa.

Mas tanto faz. De qualquer modo, a resposta que ela me deu foi muito mal-humorada.

"Pelo amor de Deus, Mia", exclamou. "Você está fazendo outra redação para Saúde e Segurança?"

"Estou", respondi. "E ficou bem evidente para mim que você esconde de todo mundo o fato de eu ter síndrome de Asperger e que, na verdade, você me matriculou em uma escola especial para portadores da síndrome. E você precisa parar de mentir para mim agora mesmo!"

Ela só ficou me encarando e mandou: "Você está tentando me dizer, de verdade, que não se lembra do mês passado, quando tinha certeza de que tinha síndrome de Tourette?"

Reclamei que desta vez era totalmente diferente. A síndrome de Tourette é um distúrbio caracterizado por múltiplos tiques motores e vocais que começam antes dos 18 anos, e quando estávamos estudando isso na aula, meu uso constante de palavras como *tipo* e *totalmente* parecia totalmente característico da síndrome.

E por acaso é minha culpa que cada vez que a palavra é articulada, isso é acompanhado por movimentos involuntários do corpo, e daí vêm me dizer que eu aparentemente não tenho a tal síndrome?

"Você está tentando dizer", perguntei, "que eu não tenho síndrome de Asperger?"

"Mia", assegurou minha mãe. "Você é 100% livre de síndrome de Asperger, eu garanto."

Só que não dava para acreditar, depois de tudo que eu tinha lido.

"Tem CERTEZA?", perguntei. "E Lilly?"

Minha mãe soltou uma gargalhada. "Bom, não posso afirmar, mas duvido muito que ela tenha síndrome de Asperger."

Droga! Bem que eu gostaria que ela tivesse. Porque, daí, quem sabe eu pudesse perdoá-la. Por ter me chamado de fraca, quer dizer.

Mas, nesse caso, não tem desculpa para o jeito como me tratou.

Preciso reconhecer, estou um pouco triste por não ter síndrome de Asperger. Porque agora a minha obsessão pelo baile de formatura não passa disso: uma obsessão pelo baile de formatura. E não um sintoma de um distúrbio sobre o qual eu não tenho controle.

Que azar!

Quarta, 7 de maio, 3h30

Agora eu me liguei no que vou ter que fazer. Quer dizer, acho que sempre soube e apenas estava bloqueando a ideia. O que não é surpresa nenhuma, já que todas as fibras do meu corpo gritam para que eu não faça isso.

Mas, fala sério, que outra escolha eu tenho? Foi o próprio Michael que disse: ele iria ao baile de formatura se os caras da banda dele também fossem.

Ai, meu Deus, não dá para acreditar que cheguei a este ponto. Minha vida está MESMO desmoronando já que eu tenho que me rebaixar tanto.

Agora é que eu nunca mais vou conseguir dormir. Eu simplesmente sei disso. Estou aterrorizada.

O ÁTOMO

O jornal oficial dos alunos da Escola Albert Einstein
Torça pelos Leões da EAE

Semana de 12 de maio   Volume 45/Edição 18

Aviso a todos os alunos:

Como nas próximas semanas começam as provas finais, a diretoria da escola gostaria de repassar o estatuto da missão e das crenças da EAE:

Estatuto da missão

A missão da Escola Albert Einstein é fornecer aos alunos experiências de aprendizado que sejam tecnologicamente relevantes, globalmente orientadas e pessoalmente desafiadoras.

Crenças

1. A escola deve fornecer currículo variado, que inclua forte programa acadêmico, complementado por diversas matérias optativas.

2. O programa extracurricular com forte embasamento e diversidade é complemento essencial ao programa acadêmico, na medida em que ajuda os alunos a explorar uma ampla gama de interesses e habilidades.

3. Os alunos devem ser incentivados a desenvolver comportamento sensato e a ser responsáveis por suas ações.

4. Tolerância e compreensão de culturas e de pontos de vista diferentes devem ser incentivadas o tempo todo.

5. Cola ou plágio não serão admitidos de maneira alguma e podem levar a suspensão ou expulsão.

A diretoria gostaria de informar aos alunos que, durante o próximo período de provas, o item nº 5 será observado com muita atenção. O aviso está dado.

Acidente no Les Hautes Manger
Por Mia Thermopolis

Por ter recebido o pedido deste jornal para fornecer um relato a respeito do que aconteceu na semana passada no restaurante Les Hautes Manger, quando esta repórter estava presente, é preciso observar que a coisa toda foi culpa da avó desta repórter, que levou o cachorro dela para dentro do restaurante sem ninguém saber, e que foi quando ele escapou em momento nada propício que o auxiliar de garçom Jangbu Panasa derrubou uma bandeja cheia de sopa sobre a pessoa da princesa viúva de Genovia.

A subsequente demissão de Jangbu Panasa foi tanto injusta quanto possivelmente inconstitucional — embora esta repórter não tenha certeza, devido a sua falta de conhecimento a respeito da Constituição. Esta repórter acredita que o Sr. Panasa deveria ter seu emprego de volta.

Fim.

Editorial:

Apesar de não ser a política deste jornal publicar textos anônimos, o poema a seguir resume tão bem o que muitos de nós sentem nesta época do ano que decidimos incluí-lo nesta edição mesmo assim — a editora.

Febre de Primavera
Autor anônimo

Escapando na hora do almoço...
Salada de taco, do tipo que tem carne, e a Deusa Verde vestindo Deus, por que fazem isso com a gente?

Descobrimos que o Central Park acena...
Grama verde e os narcisos rompendo a barreira de uma camada de pontas de cigarro e latas de refrigerante amassadas.

Então nós nos arriscamos
Será que nos viram? Acho que não. Será que receberemos suspensão escolar por um crime grave? Acho que tudo é possível. Vamos nos sentar no banco e pegar um bronzeado...

E daí descobrimos, para nosso desgosto, que esquecemos os óculos escuros no armário da escola...

Favor observar: Esta diretoria tem como política suspender qualquer e todo aluno que abandone a área da escola durante o período letivo, por QUALQUER RAZÃO. A febre da primavera não é desculpa para transgredir esta determinação da escola.

Aluno ferido por globo
Por Melanie Greenbaum

Um aluno da EAE sofreu um ferimento em sala de aula ontem, causado por um grande globo que caiu e/ou foi largado em cima da cabeça dele. Se o caso foi o segundo, a repórter sente que é necessário fazer a seguinte pergunta: Onde estava o supervisor adulto no momento em que o citado globo foi largado? E se o caso foi o primeiro, como é que a diretoria permite que objetos perigosos como globos sejam colocados em altura da qual possam cair e ferir os alunos? Esta repórter exige uma investigação aprofundada sobre o caso.

Cartas ao editor:

A quem possa interessar:

O mal-estar evidenciado pelo corpo estudantil deste estabelecimento é uma vergonha pessoal para mim e uma desgraça para nossa geração. Enquanto os alunos da Escola Albert Einstein não fazem nada, planejando o baile de formatura do último ano e choramingando por causa das provas finais, tem gente no Nepal que está MORRENDO. Isso mesmo, MORRENDO. Levantes maoístas no Nepal se intensificaram nos últimos anos, e choques entre os rebeldes e os militares são constantes, fazendo com que seja impossível para muitos nepaleses ganharem o seu sustento.

Mas o que o nosso governo faz para ajudar os famintos do Nepal? Nada além de aconselhar os turistas a não visitar o país. Gente, os nepaleses ganham seu *sustento* com os turistas que vão até lá para escalar o monte Everest. Por favor, não ouça os avisos do governo que orientam a evitar o Nepal. Incentive os seus pais a deixar que você passe as férias lá no próximo verão — você ficará feliz por fazer isto.

— Lilly Moscovitz

CLASSIFICADOS
Publique o seu anúncio!
Alunos da EAE pagam 50 centavos a linha

É só alegria

De CF para GD: SIM!!!!!!!!!!!!

JR, estou TÃO animada com o baile de formatura que nem consigo AGUENTAR, a gente vai se DIVERTIR DEMAIS. Sinto TANTA PENA das rejeitadas que não vão ao baile de formatura... Coitadinhas delas, não é mesmo? Vão ficar em casa vendo TV enquanto você e eu DANÇAMOS A NOITE INTEIRA! Te amo DEMAAAAAAAAIS. — LW

LW, eu sinto a mesma coisa, amor. — JR

Vá à Ho's Deli para comprar tudo de que precisa! Novidades da semana: CLIPES PARA PAPEL, FITA ADESIVA. Tem também cards Yu-Gi-Oh! E shake emagrecedor.

De BP para LM:
Desculpe pelo que eu fiz, mas quero que você saiba que eu ainda te amo. POR FAVOR, me encontre perto do meu armário depois da aula hoje e deixe que eu exprima toda minha devoção por você. Lilly, você é a minha musa. Sem você, a música deixa de existir. Por favor, não deixe que nosso amor morra desta maneira.

À venda: baixo Fender Precision, azul bebê, nunca usado. Com amplificador e vídeos de instrução. Armário nº 345

À procura de amor: menina do primeiro ano, adora romance/livros, procura garoto mais velho c/ mesmo interesse. Tem que ter + de 1,75m, nada de caras maldosos, só não fumantes.
EU DETESTO ROCK PAULEIRA.
E-mail: iluvromance@EAE.edu

Cardápio da cantina da EAE
Apurado por Mia Thermopolis

Segunda
Frango Temperado, Sanduíche de Almôndega, Pizza de Pão, Batata, Nugget de Peixe

Terça
Nachos, Pizza Individual, Massa com Frango, Sopa e Sanduíche, Atum no Pão

Quarta
Bife à Italiana, Salgadinhos, Burrito, Salada com Taco, Cachorro-Quente com Broa e Picles

Quinta
Peixe Frito, Bufê de Massas, Frango à Parmeggiana, Bufê Asiático, Milho

Sexta
Pretzel Macio, Asinha de Frango Frita, Queijo-Quente, Feijão, Batata Frita

Quarta, 7 de maio, Álgebra

Bom, eu fiz. Não dá para dizer que as coisas correram bem. Na verdade, não correram NADA bem. Mas eu fiz o que tinha que fazer. Ninguém vai poder dizer que eu não fiz TODO O POSSÍVEL para tentar fazer o meu namorado me levar ao baile de formatura dele.

Ai, meu Deus, mas por que tinha de ser LANA WEINBERGER???? POR QUÊ???? Quer dizer, podia ser QUALQUER OUTRA PESSOA — até a Melanie Greenbaum. Mas não, tinha que ser Lana. Eu tive que ir lá implorar para LANA WEINBERGER.

Ai, meu Deus, minha pele ainda está toda arrepiada.

E ela também não foi lá muito receptiva a minha oferta. Dava para pensar que eu tinha ido lá pedir a ela para tirar a roupa e cantar o hino da escola no meio do almoço (não, espera aí... Lana provavelmente não ia se importar de fazer isso).

Cheguei à aula cedo, porque sei que Lana normalmente gosta de chegar antes do segundo sinal para fazer algumas ligações pelo celular. E lá estava ela, direitinho, a única pessoa na sala, tagarelando com alguém chamada

Sandy a respeito do vestido dela para o baile de formatura — ela comprou mesmo o pretinho de um ombro só com a barra assimétrica da Nicole Miller (e, portanto, eu a odeio).

Bom, mas eu cheguei perto dela — o que foi MUITO corajoso da minha parte, considerando que, cada vez que eu apareço no radar da Lana, ela faz algum comentário pessoal maldoso a respeito da minha aparência. Mas tanto faz. Só fiquei lá parada, do lado da carteira dela, enquanto ela papeava no telefone, até ela perceber que eu não sairia dali. Daí ela falou assim: "Espera um pouco, Sandy. Tem uma... *pessoa* que quer falar comigo." Daí ela afastou o telefone do rosto, olhou para mim com aqueles olhões azuis de bebê dela, e mandou: "O QUE FOI?"

"Lana", comecei. Estou falando sério, eu já sentei do lado do imperador do Japão, certo? Também apertei a mão do príncipe William. Até fiquei do lado da Imelda Marcos na fila do banheiro na peça *Os produtores*. Mas nada disso me deixou tão nervosa quanto fico quando Lana simplesmente olha para mim. Porque é óbvio que Lana transformou o ato de me atormentar em um passatempo especial e pessoal para ela. Esse tipo de terror é mais forte do que o medo de conhecer imperadores, príncipes ou mulheres de ditadores.

"Lana", repeti, tentando fazer com que a minha voz parasse de tremer. "Preciso te pedir uma coisa."

"Não", Lana respondeu, e voltou para o celular.

"Eu ainda nem pedi!", exclamei.

"Bom, a resposta continua sendo não", Lana disse, jogando o cabelo louro brilhante para o lado. "Então, onde é mesmo que a gente estava? Ah, sim, então, eu vou mesmo colocar glitter no corpo inteiro, até na minha... não, *lá não*, Sandy! Como você é *maldosa*."

"É só que..." Eu precisava falar rápido porque é lógico que existia uma grande chance de Michael dar uma passada na sala de álgebra no caminho da aula de inglês aplicado, como faz quase todo dia. Eu não queria que ele soubesse o que eu estava armando. "Eu sei que você está no comitê do baile de formatura, e acho de verdade que o último ano merece um pouco de música ao vivo na festa, e não só um DJ. É por isso que eu estava pensando que você deveria convidar a Skinner Box para tocar..."

Lana falou assim: "Espera um pouco, Sandy. A *pessoa* ainda não foi embora." Daí ela olhou para mim através dos cílios carregados de rímel e mandou:

"*Skinner Box*? Você está falando daquela banda de nerds que tocou aquela música ridícula de princesa-do-meu-coração no dia do seu aniversário?"

Eu respondi, toda ofendida: "Desculpa, Lana, mas você não devia falar dos nerds desse jeito. Se não fossem os nerds, não existiriam computadores, nem vacinas contra muitas doenças graves, nem antibióticos, nem esse celular em que você está falando..."

"Tá", Lana disse, seca. "A resposta continua sendo não."

Daí ela voltou a falar no telefone.

Fiquei lá parada durante um minuto, sentindo o sangue subir e deixar meu rosto vermelho. Eu devo mesmo estar progredindo no controle dos meus impulsos, já que eu nem estiquei a mão para arrancar o telefone dela e pisar em cima com meus coturnos, como eu teria feito no passado. Como eu era a orgulhosa proprietária de um celular, eu sei como seria completamente odioso alguém fazer isso. Além do mais, sabe como é, preciso levar em conta toda a confusão que eu causei da última vez.

Em vez disso, só fiquei lá parada com as bochechas queimando e o coração acelerado e a respiração ofegante e curta. Por mais que eu avance na vida — tipo, passar a agir com calma inabalável durante emergências médicas, sagrar pessoas como cavaleiros, quase deixar meu namorado pegar no meu peito —, ainda assim eu nunca vou saber como agir quando estou perto da Lana. Só não sei por que ela me odeia tanto. Quer dizer, o que foi que eu FIZ para ela? Nada.

Bom, sem contar aquela coisa de pisotear o celular. Ah, e aquela vez que eu enfiei um sorvete nela. E aquela outra vez que eu fechei o cabelo dela dentro do meu livro de álgebra.

Mas, além disso, nada.

De todo modo, não tive a oportunidade de me ajoelhar e implorar para ela, porque o segundo sinal tocou, e as pessoas começaram a entrar na sala, inclusive Michael, que veio até mim e me entregou um monte de páginas que tinha imprimido da internet a respeito dos perigos da desidratação nas grávidas — "Para dar para a sua mãe", ele disse e me deu um beijo na bochecha (isso mesmo, na frente de todo mundo: HA!).

Mesmo assim, há sombras sobre a minha alegria exuberante. Uma delas é que eu não obtive sucesso em conseguir que a banda do meu namorado fosse chamada para tocar no baile de formatura, assim fazendo com que fosse mais improvável do que nunca eu viver meu momento de *A garota de rosa-shocking* com Michael. Outra sombra é que a minha melhor amiga continua sem falar comigo, e eu sem falar com ela, por causa do comportamento psicótico dela e do jeito como trata mal o ex-namorado. E tem ainda mais uma sombra: a minha primeira reportagem de verdade publicada no *Átomo* é incrivelmente babaca (apesar de eles terem publicado o meu poema hahaha! É legal, apesar de ninguém saber que fui eu quem escreveu). Mas não é bem minha culpa que a reportagem seja tão ruim. Quer dizer, Leslie mal me deu tempo para inventar alguma coisa que de fato merecesse um prêmio Pulitzer de jornalismo. Eu não sou nenhum gênio da escrita, sabe. E também tinha mais um monte de dever de casa para fazer.

Finalmente, a maior sombra de todas é o meu medo de que a minha mãe venha a desmaiar de novo, da próxima vez longe do alcance do capitão Logan e do resto da Companhia de Bombeiros 9, e, é óbvio, o medo absoluto de que, durante dois meses inteiros no próximo verão, eu deixe para trás esta linda cidade e todo mundo que mora nela para viver nos domínios distantes de Genovia.

Fala sério, se você pensar bem, isso tudo é um pouco demais para uma garota de 15 anos aguentar. É mesmo uma surpresa eu ter conseguido manter o resto de compostura que me sobra sob essas circunstâncias.

* Quando se adiciona ou se subtrai termos que têm as mesmas variáveis, deve-se combinar os coeficientes.

Quarta, 7 de maio, S&T

G REVE!!!!!!!!!!
Acabaram de anunciar na TV. A Sra. Hill nos deixou assistir à que está instalada na sala dos professores.

Eu nunca tinha entrado na sala dos professores. Na verdade, não é lá muito legal. Tem umas manchas esquisitas no carpete.

Mas deixa pra lá. O negócio é que o sindicato dos hotéis acabou de se unir aos auxiliares de garçom na greve. Espera-se que o sindicato dos restaurantes faça o mesmo em breve. O que significa que não vai ter funcionário nenhum trabalhando nos restaurantes nem nos hotéis de Nova York. Toda a área metropolitana pode ser fechada. Os prejuízos financeiros no setor de turismo e de convenções podem ficar na casa dos bilhões de dólares.

E tudo por causa do Rommel.

Fala sério. Quem diria que um cachorrinho sem pelo poderia causar tanta confusão?

Para ser justa, a culpa na verdade não é do Rommel. É de Grandmère. Quer dizer, ela nunca devia ter levado um cachorro a um restaurante, em primeiro lugar, mesmo que isso SEJA normal na França.

Foi esquisito ver Lilly na TV. Quer dizer, eu vejo Lilly na TV o tempo todo, mas dessa vez foi em um canal de TV importante — bom, quer dizer, foi no *New York One*, que não é exatamente nacional nem nada, mas tem mais audiência do que *Manhattan Public Access*, pelo menos.

Não que Lilly estivesse comandando a coletiva de imprensa. Não, a entrevista estava sendo conduzida pelos chefes do sindicato de hotéis e do de restaurantes. Mas se a gente olhasse para a esquerda do palco, dava para ver Jangbu em pé ali, com Lilly do lado, segurando um cartaz enorme em que se lia SALÁRIO DIGNO PARA GENTE DIGNA.

Ela se ferrou. Tem uma falta não justificada. A diretora Gupta vai ligar para os Drs. Moscovitz hoje à noite.

Michael acabou de sacudir a cabeça de desgosto ao ver a irmã em um canal que não é o 56. Quer dizer, ele está totalmente do lado dos auxiliares de garçom — eles deviam MESMO receber um salário digno, óbvio. Mas Michael está completamente decepcionado com Lilly. Ele diz que é porque o interesse que ela tem pelo bem-estar dos auxiliares de garçom tem mais a ver com o interesse que ela tem pelo Jangbu do que com as dificuldades que os imigrantes passam neste país.

Mas eu meio que preferia que Michael não tivesse dito nada, porque, sabe, Boris estava sentado bem ali do lado da TV. E ele já parece um tonto com a cabeça enfaixada e tal. Quando ele achava que ninguém estava olhando, ele levantava a mão e percorria com o dedo o contorno da Lilly na tela da TV. Foi muito comovente, para dizer a verdade. Meus olhos se encheram de lágrimas por um minuto, sem brincadeira.

Mas elas desapareceram quando eu reparei que a TV da sala dos professores tem 40 polegadas, enquanto todas as TVs da sala de mídia dos alunos têm só 27 polegadas.

Quarta, 7 de maio, no Plaza

É inacreditável. Estou falando supersério. Quando entrei no lobby do hotel hoje, prontinha para a minha aula de princesa com Grandmère, estava totalmente despreparada para o caos com que me deparei na porta. O lugar virou um zoológico.

O porteiro com ombreiras douradas que geralmente abre a porta da limusine para mim? Não estava lá.

Os carregadores tão eficientes que empilham as malas de todo mundo naqueles carrinhos de latão? Não estavam lá.

O *concierge* educado do balcão da recepção? Não estava lá.

E nem me fale da fila para o chá da tarde no Palm Court. Estava fora de controle. Porque é óbvio que não tinha nenhuma recepcionista para dizer às pessoas onde sentar, nem garçons para anotar os pedidos de ninguém.

Foi surpreendente. Lars e eu praticamente tivemos que lutar para passar por uma família de 12 pessoas que vinha, sei lá, de Iowa ou de algum estado desses que tinha se empilhado no elevador com um gorila gigante que tinham comprado na FAO Schwartz do outro lado da rua. O pai ficava gritando: "Tem lugar! Tem lugar! Vamos lá, crianças, se apertem."

Por fim, Lars foi obrigado a mostrar o coldre para o pai e dizer: "Não há lugar. Pegue o próximo elevador, por favor", e daí o cara recuou, pálido.

Isso nunca teria acontecido se o ascensorista estivesse ali. Mas, naquela tarde, o sindicato dos carregadores declarou uma greve de solidariedade, e se uniu aos funcionários de hotéis e restaurantes no abandono do trabalho.

Era de imaginar que, depois de tudo pelo que tínhamos passado só para chegar à aula de princesa na hora, Grandmère seria um pouco simpática conosco quando entramos pela porta. Mas em vez disso, ela estava parada no meio do quarto, se esgoelando no telefone.

"Como assim, a cozinha está fechada?", ela estava perguntando. "Como é que a cozinha pode estar fechada? Pedi o almoço há horas e a comida ainda não veio. Não vou desligar até falar com a pessoa responsável pelo serviço de quarto. Ele sabe quem eu sou."

Meu pai estava sentado no sofá, na frente da TV de Grandmère, assistindo a — o que mais? — *New York One*, com uma expressão tensa no rosto. Sentei do lado dele, e ele me encarou como se estivesse surpreso de me ver ali.

"Ah, Mia", disse. "Oi. Como vai a sua mãe?"

"Está bem", respondi porque, apesar de eu não a ter visto desde o café da manhã, eu sabia que ela devia estar bem, porque ninguém tinha me ligado. "Ela está tomando bastante isotônico. Ela gosta do de uva. O que está acontecendo com a greve?"

Meu pai só sacudiu a cabeça, derrotado. "Os representantes dos sindicatos estão reunidos no gabinete do prefeito. Estão achando que logo deve sair um acordo."

Eu suspirei. "É óbvio que nada disso teria acontecido se eu nunca tivesse nascido, sabe? Porque daí eu não iria comemorar meu aniversário com um jantar."

Meu pai olhou para mim de um jeito meio brusco: "Espero que você não esteja se culpando por isto, Mia."

Eu quase falei: "Você está brincando? Eu culpo Grandmère." Mas pela expressão compadecida no rosto do meu pai, percebi que ele estava abalado por minha causa, então aproveitei e falei com uma voz bem cheia de remorso: "É uma pena que eu vou ter que ficar em Genovia durante a maior parte do verão. Seria legal, sabe como é, se eu pudesse ficar por aqui fazendo trabalho voluntário para uma organização que dê uma força aos coitados dos ajudantes de garçom..."

Só que o meu pai não caiu no truque. Ele simplesmente piscou para mim e disse: "Boa tentativa."

Caramba! Entre ele querer me levar para Genovia para passar julho e agosto e a minha mãe se oferecer para me levar ao ginecologista dela, estou mesmo recebendo umas mensagens bem dúbias dos meus pais. É uma incógnita como eu não desenvolvi personalidades múltiplas. Ou síndrome de Asperger. Se é que eu já não tenho.

Enquanto eu estava sentada lá, me remoendo por causa da minha falha em não conseguir evitar passar meus preciosos meses de verão na Côte d'Azur, Grandmère começou a fazer sinais para mim do telefone. Ficava estalando os dedos e apontando para a porta do quarto. Eu só fiquei lá sentada, olhando para ela sem entender nada, até que ela finalmente cobriu o bocal com a mão e sibilou por entre os dentes: "Amelia! No meu quarto! Tem uma coisa para você!"

Um presente? Para mim? Eu não conseguia imaginar o que Grandmère poderia ter comprado para mim... quer dizer, amadrinhar Johanna já era presente suficiente para um aniversário. Mas eu é que não ia recusar um presente... pelo menos, desde que isso não significasse pele de algum mamífero sacrificado.

Então eu me levantei e fui até a porta do quarto de Grandmère bem quando alguém deve ter atendido o telefonema dela, porque quando girei a maçaneta ela estava berrando: "Mas eu pedi essa salada primavera HÁ QUATRO HORAS. Será que eu preciso descer aí e prepará-la pessoalmente? Como assim, isso seria uma infração à saúde pública? Que público é esse? Quero fazer uma salada para *mim mesma*, não para o público!"

Abri a porta do quarto de Grandmère, quer dizer, o quarto da suíte da cobertura do hotel Plaza, um quarto muito chique, com coisas folheadas a ouro por todos os lados, e flores fresquinhas espalhadas por todos os cantos... apesar de que, com a greve, duvido muito que os arranjos florais vão ser renovados em breve.

Mas, de qualquer jeito, fiquei parada lá, examinando o quarto com os olhos em busca do meu presente e totalmente fazendo uma oração para mim mesma (*Por favor, tomara que não seja um casaco de pele. Por favor, tomara que não seja casaco de pele*). Meu olhar caiu sobre um vestido estendido em cima da cama. Era da cor da aliança de noivado que a Jennifer Lopez ganhou do Ben Affleck — o rosinha mais suave possível —, todo coberto de cristais cor-de-rosa incrustados. Deixava os ombros à mostra, tinha um decote em forma de coração e uma enorme saia de tule.

Eu logo entendi o que era. E apesar de não ser preto nem ter fenda do lado, mesmo assim era o vestido de baile mais bonito que eu já vi. Era mais bonito do que o que a Rachel Leigh Cook usava em *Ela é demais*. Era mais bonito do que o que a Drew Barrymore usava em *Nunca fui beijada*. E era muito, muito mais bonito do que o que a Molly Ringwald usava em *A garota de rosa-shocking*.

Era até mais bonito do que o vestido que a Annie Potts deu a Molly Ringwald para usar em *A garota de rosa-shocking*, antes de Molly perder a cabeça com a máquina de costura e estragar o negócio inteiro.

Era o vestido de baile mais bonito que eu já tinha visto na vida.

E enquanto eu fiquei ali parada, olhando para ele, um enorme caroço subiu a minha garganta.

Porque, é óbvio, eu não ia ao baile de formatura.

Então eu fechei a porta, dei meia-volta e fui de novo pro sofá, onde meu pai ainda encarava a TV, vidrado.

Um segundo depois, Grandmère desligou o telefone, virou para mim e perguntou: "E então?"

"É mesmo muito lindo, Grandmère", respondi, com toda sinceridade.

"Eu sei, é lindo", confirmou ela. "Você não vai experimentar?"

Tive que me esforçar para conseguir articular qualquer coisa que soasse como a minha voz normal.

"Não dá", respondi. "Eu já disse, não vou ao baile de formatura, Grandmère."

"Não diga bobagens", exclamou Grandmère, "O sultão ligou para cancelar nosso jantar hoje à noite — o Le Cirque está fechado —, mas esta greve tola terá terminado até sábado. E daí você pode ir a essa coisa de baile de formatura."

"Não", expliquei, "Não é por causa da greve. É por causa do que falei antes. Você sabe. Do Michael."

"O que tem Michael?", meu pai perguntou. Só que eu não gosto de dizer nada negativo sobre Michael na frente do meu pai, porque ele só quer uma desculpa para odiá-lo, já que ele é pai e é tarefa do pai odiar o namorado da filha. Até agora, meu pai e Michael conseguiram se entender, e eu quero que as coisas continuem assim.

"Ah", eu disse, despreocupada. "Sabe como é. Os meninos não ligam tanto para o baile de formatura quanto as meninas."

Meu pai só grunhiu e voltou para a TV. "Com certeza", comentou.

Olha quem fala! Ele estudou em uma escola só para meninos! Ele nem TEVE baile de formatura!

"Apenas experimente", Grandmère insistiu. "Para que eu possa mandar de volta à loja se precisar de ajustes."

"Grandmère", tentei. "Não adianta..."

Mas minha voz foi baixando porque Grandmère fez Aquela Cara. Você sabe qual. Aquela que, se Grandmère fosse uma assassina treinada, e não uma princesa viúva, significaria que alguém seria apagado.

Então eu me levantei do sofá e voltei para o quarto de Grandmère e experimentei o vestido. Lógico que serviu perfeitamente, porque a Chanel tem todas as minhas medidas do último vestido que Grandmère comprou lá para mim, e Deus me livre se eu crescer ou qualquer coisa assim, principalmente no busto.

Enquanto fiquei lá admirando meu reflexo no espelho de corpo inteiro, não conseguia parar de pensar em como aquela coisa de decote que deixa o ombro de fora era conveniente. Sabe como é, para o caso de Michael ter vontade de pegar nos meus peitos.

Mas daí eu me lembrei que na verdade a gente não ia a nenhum lugar onde eu poderia usar aquele vestido, já que Michael tinha descartado o baile de formatura daquele jeito, então aquilo meio que não servia para nada. Tirei o vestido toda triste, e coloquei de novo em cima da cama de Grandmère. Provavelmente vai ter algum programa em Genovia em que eu vou acabar usando o vestido no verão. E Michael nem vai estar presente para ir comigo. O que é mesmo típico dele.

Saí do quarto bem a tempo de ver Lilly na TV. Ela estava falando para uma sala cheia de repórteres no que parecia ser, mais uma vez, o Holiday Inn de Chinatown. Ela falava assim: "Gostaria de dizer que nada disso teria acontecido se a princesa viúva de Genovia admitisse em público sua culpa em não conseguir controlar seu cachorro, e em ter levado o tal cachorro para um estabelecimento de alimentação."

O queixo de Grandmère caiu. Meu pai só ficou encarando a TV, imóvel.

"Como prova desta afirmação", Lilly continuou, agora erguendo um exemplar da edição de hoje do *Átomo*, "apresento este editorial escrito pela própria neta da princesa viúva."

E daí fiquei ouvindo, horrorizada, enquanto Lilly, com uma voz toda cantada, leu meu artigo em voz alta. E devo dizer, ouvir minhas próprias palavras jogadas na minha cara daquele jeito me fez perceber o quão ridículas elas eram... muito mais do que, digamos, ouvi-las dentro da minha cabeça, na minha própria voz.

Ops. Meu pai e Grandmère estão olhando para mim. Eles não parecem nada contentes. Na verdade, parecem meio...

Quarta, 7 de maio, 22h, em casa

Não sei por que ficaram tão aborrecidos. É obrigação do jornalista retratar a verdade, e foi o que eu fiz. Se eles não aguentam o tranco, precisam os dois se segurar melhor. Quer dizer, Grandmère levou MESMO o cachorro dela ao restaurante, e Jangbu realmente só tropeçou porque Rommel saiu correndo na frente dele. Ninguém pode negar. Eles podem desejar que isso nunca tivesse acontecido e que Leslie Cho não tivesse me pedido para escrever um editorial sobre aquilo.

Mas não podem negar e não podem me culpar por exercer meus direitos jornalísticos. Isso sem falar na minha integridade jornalística.

Agora eu sei o que os grandes repórteres que vieram antes de mim devem ter sentido. Ernie Pyle, pelas reportagens nuas e cruas durante a Segunda Guerra Mundial. Ethel Payne, a Primeira-Dama da Imprensa Negra durante o movimento dos direitos civis. Margaret Higgins, a primeira mulher a ganhar um prêmio Pulitzer por reportagem individual. Lois Lane, por seus esforços incansáveis em nome do *Planeta Diário*. Aqueles caras, Woodward e Bernstein, por toda a coisa do Watergate, seja lá o que aquilo tenha sido.

Agora eu sei exatamente como eles devem ter se sentido. A pressão. As ameaças de castigo. As ligações telefônicas para a mãe deles.

E essa foi a parte que mais me magoou, de verdade. O fato de eles irem incomodar a coitada da minha mãe desidratada, que estava ocupada tentando colocar uma NOVA VIDA no mundo. Só Deus sabe que os rins dela agora provavelmente estão chacoalhando dentro do corpo como pacotes desumidificadores. E eles têm a coragem de ficar enchendo o saco dela com uma trivialidade destas?

Além disso, minha mãe está totalmente do meu lado. Não sei o que o meu pai estava pensando. Será que ele achou mesmo que minha mãe ficaria do lado de GRANDMÈRE nesta situação?

Mas eu preciso lembrar que minha mãe disse que eu deveria garantir a paz na família, então eu deveria pelo menos pedir desculpas.

Mas eu não vejo por quê. Esta coisa toda não resultou em nada além de mágoa para mim. Não só causou o fim do namoro de um dos casais mais duradouros da EAE, como também fez com que eu brigasse, aparentemente para sempre, com a minha melhor amiga. Eu perdi a MINHA MELHOR AMIGA por causa disso.

Informei tanto meu pai quanto Grandmère a respeito de tudo isso logo antes de ela mandar Lars me tirar da frente dela. Por sorte, tive a presença de espírito de pegar o vestido de formatura do quarto de Grandmère e enfiá-lo na minha mochila antes de tudo isso acontecer. Só ficou um pouco amassado. É só deixar ele pegar um pouco de vapor no banheiro e vai ficar novinho em folha.

Só que eu fico pensando que eles poderiam ter tratado a coisa toda de um jeito mais adequado. Eles PODERIAM ter convocado uma coletiva de imprensa para eles mesmos, explicado aquela história do cachorro-no-restaurante e colocado um ponto final em tudo.

Mas não. E agora é tarde demais. Até mesmo se Grandmère resolver explicar tudo, é altamente improvável que os sindicatos dos hotéis, restaurantes e carregadores resolvam recuar AGORA.

Bom, acho que é só mais um caso de gente que se recusa a escutar a voz da juventude. E agora eles simplesmente vão ter que sofrer.

Que pena.

Quinta, 8 de maio, Sala de Estudos

AI, MEU DEUS!!!!!!!!!!!!!!!!!!!!!!!!!!!!!!!!!!!!!! CANCELARAM O BAILE DE FORMATURA!!!

O ÁTOMO

O jornal oficial dos alunos da Escola Albert Einstein
Torça pelos Leões da EAE

Edição Suplementar Especial

BAILE DE FORMATURA CANCELADO
Por Leslie Cho

Devido à greve dos sindicatos dos hotéis, restaurantes e carregadores que atingiu toda a cidade, o baile de formatura do último ano, que seria este sábado, foi cancelado. O restaurante Maxim notificou representantes da escola que, devido à greve, eles fechariam as portas a partir daquele momento. O depósito de US$ 4 mil feito pelo comitê do baile de formatura foi devolvido. Ao atual último ano não sobrou alternativa além de realizar o baile de formatura no ginásio da escola, o que foi considerado pelos membros do comitê, mas logo descartado.

"O baile de formatura é especial", disse a presidente do comitê, Lana Weinberger. "Não é só mais um baile da escola. Não dá para fazer no ginásio, como se fosse apenas mais um Baile Inominável de Inverno ou da Diversidade Cultural. Preferimos não fazer baile de formatura a realizar um em que vamos ficar pisando em cima de batatas fritas ou qualquer outra coisa assim."

Mas nem todo mundo na escola concorda com a decisão controversa do comitê do baile de formatura. Ao ouvir os comentários de Lana Weinberger, a veterana Judith Gershner afirmou: "Esperamos nosso baile de formatura desde o primeiro ano. Vê-lo sendo tirado de nós agora, por causa de uma coisa tão trivial quanto batata frita no chão, me parece um pouco mesquinho. Prefiro andar pelo baile de formatura com um monte de batatas fritas presas ao salto a não ter baile."

O comitê do baile de formatura continua inabalável: ou o baile de formatura é feito fora da escola, ou não é feito.

"Não há nada de especial em se arrumar toda e vir para a escola", comentou Lana Weinberger, aluna do primeiro ano. "Se vamos vestir a melhor roupa que temos, então vamos querer ir a algum lugar diferente do que aquele para o qual nos dirigimos todas as manhãs", declarou ela.

A causa da greve, como foi resumida na versão desta semana do *Átomo*, ainda parece ser um incidente que ocorreu no restaurante Les Hautes Manger, onde a aluna do primeiro ano da EAE e princesa de Genovia, Mia Thermopolis, jantou na semana passada com a avó. Segundo Lilly Moscovitz, amiga da princesa e presidente da Associação de Alunos Contra a Demissão Injusta de Jangbu Panasa, "é tudo culpa da Mia. Ou, pelo menos, da avó dela. Só queremos que Jangbu tenha seu emprego de volta e uma desculpa formal de Clarisse Renaldo. Ah, e férias e folgas remuneradas, além de seguro-saúde para os auxiliares de garçom de toda a cidade".

Quando esta edição foi para a gráfica, a princesa Mia estava indisponível para fazer comentários, por estar, de acordo com a mãe dela, Helen Thermopolis, tomando banho.

Nós do *Átomo* faremos o possível para mantê-los informados a respeito dos avanços das negociações da greve.

Ai, meu Deus. OBRIGADA, MÃE. OBRIGADA POR ME DIZER QUE O JORNAL DA ESCOLA TINHA LIGADO ENQUANTO EU ESTAVA NO BANHO.

Você tinha que VER os olhares tortos que eu recebi hoje de manhã quando segui para o meu armário. Graças a Deus que eu tenho um guarda-costas armado, senão poderia estar metida em sérios problemas. Algumas daquelas meninas do time principal de lacrosse — aquelas que fumam e fazem flexões no chão do banheiro feminino do terceiro andar — fizeram gestos EXTREMAMENTE ameaçadores para mim quando saí da limusine. Alguém até chegou a escrever no Joe, o leão de pedra (com giz, mas mesmo assim...): GENOVIA É UM SACO.

GENOVIA É UM SACO!!!!!!!!! A reputação do meu principado está sendo manchada, e tudo por causa da porcaria de um baile cancelado.

Ah, tá, tudo bem. Eu sei que o baile de formatura não é uma porcaria. É uma parte vital, importantíssima da experiência do ensino médio, como Molly Ringwald pode confirmar sem pestanejar.

E, ainda assim, por causa de mim, vai ser arrancado do coração e do anuário dos alunos que estão se formando na EAE neste ano.

Eu PRECISO fazer alguma coisa. Mas o quê???? O QUÊ????

Quinta, 8 de maio, Álgebra

Não dá para acreditar no que Lana acabou de me dizer.

Lana: (virando-se na cadeira dela e me encarando)
Você fez isto de propósito, não fez? Você causou esta greve e fez com que o baile de formatura fosse cancelado.

Eu: O quê? Não. Do que você está falando?

Lana: Pode confessar. Você fez isto só porque eu não deixei a porcaria da banda do seu namorado ir lá e fazer o maior papelão. Pode confessar.

Eu: Não! Não tem nada a ver. E nem fui eu. Foi a minha avó.

Lana: Tanto faz. Vocês genovianos são todos iguais.

Daí ela virou para a frente de novo antes que eu pudesse dizer mais alguma coisa.
Vocês genovianos? Hmm, dá licença, mas eu sou a única genoviana que Lana conhece. Ela tem mesmo muita coragem...

Quinta, 8 de maio, Biologia

Mia, está tudo bem com você? — S

Ah, tudo bem. Foi só um resto de maçã.

Mesmo assim. Foi superlegal o jeito como Lars bateu naquele cara. Seu guarda-costas tem mesmo bons reflexos.

Ah, tá, tudo bem. Foi por isso que ele conseguiu o emprego. Então, como é que você está falando comigo? Você também não me odeia? Quer dizer, afinal de contas, você e o Jeff também iam ao baile de formatura.

Bom, não é SUA culpa que o baile tenha sido cancelado. Além disso, eu não ia ter me divertido tanto assim, de qualquer jeito. Quer dizer, a única outra menina da turma que ia estar lá ia ser LANA!!!!!!!!! Aliás, você soube da Tina?

Não. O que foi?

Ontem, quando Boris estava esperando pela Lilly na frente do armário dele — você sabe, ele colocou aquele anúncio no jornal e tal, pedindo a ela para encontrá-lo lá depois da aula para eles conversarem —, bom, Tina resolveu ir lá falar com ele, sabe como é, convidá-lo para tomar um sorvete de chocolate no Serendipity, porque estava morrendo de pena dele e tal. Bom, acho que ele finalmente desistiu de ficar esperando a Lilly, porque disse que sim e os dois foram lá e, hoje de manhã, juro que vi os dois de mãos dadas na frente da escultura de isopor do Paternon na frente do laboratório de línguas.

ESPERA AÍ. O QUÊ? VOCÊ VIU TINA E BORIS DE MÃOS DADAS. A TINA E O BORIS. A TINA e o *BORIS PELKOWSKI????*

Vi.

A Tina. A Tina Hakim Baba. E o Boris Pelkowski. A TINA E *O BORIS?????????*

ISSO MESMO!!!!!!!!!!

Ai, meu Deus. O que está acontecendo com o mundo em que vivemos?

Quinta, 8 de maio, na escada do terceiro andar

Assim que saímos da aula de biologia, Shameeka e eu pegamos Tina e a forçamos a confirmar aquela história de andar de mãos dadas com Boris. Estou matando a aula de Saúde e Segurança, mas e daí? Eu só ia ficar lá sentada, com todo mundo olhando para mim cheio de hostilidade, sendo que uma das pessoas presentes seria a minha ex-melhor amiga Lilly Moscovitz, com quem não tenho absolutamente desejo nenhum de conversar.

Além disso, eu precisava entregar a minha redação sobre a síndrome de Asperger e não tive exatamente oportunidade de terminá-la, devido aos severos problemas emocionais pelos quais estou passando agora e pela recusa do meu namorado de me levar ao baile de formatura e todo aquele negócio de greve e tal.

Não dá para acreditar nas coisas que estão saindo da boca da Tina. Ela está dizendo que passou a vida toda procurando um homem que a amasse como os heróis dos romances que ela tanto gosta de ler amam as heroínas. Que nunca achou que algum dia fosse conhecer um homem que pudesse amar uma mulher com a intensidade dos heróis que ela mais admira, como o Sr. Rochester e o Heathcliff e o coronel Brandon e o Sr. Darcy e o Homem-Aranha e todos os outros.

Daí ela disse que, quando viu Boris desmoronar depois que Lilly o trocou por Jangbu Panasa, ela percebeu que, entre todos os meninos que ela conhece, ele é o único que parece estar próximo de se encaixar na descrição que ela faz do namorado perfeito. Tirando, é óbvio, a coisa toda do visual. Mas, fora isso, ele é tudo que Tina sempre procurou em um namorado:

1. Fiel
   (Bom, isso nem precisa dizer. Boris nunca mais OLHOU para outra menina desde que começou a sair com Lilly.)
2. Passional
   (Hmm, acho que aquela história toda do globo provou que Boris é mesmo profundamente passional. Ou que tem síndrome de Asperger.)

3. Inteligente
   (A média dele é 10.)
4. Musical
   (Como eu mesma posso testemunhar, prontamente.)
5. Ligado em cultura pop
   (Ele assiste a *Smallville*.)
6. Amante de comida chinesa
   (Também é verdade.)
7. Absolutamente desinteressado por esportes competitivos
   (Tirando patinação artística. Bom, ele *é* russo.)

Além disso, Tina disse que ele beija muito bem depois que tira o aparelho. BEIJA MUITO BEM DEPOIS QUE TIRA O APARELHO.

Você sabe o que isso quer dizer, não sabe? QUER DIZER QUE TINA E BORIS SE BEIJARAM! Como é que ela poderia saber se não tivesse beijado????????

Ai, meu Deus. Estou completamente engasgada. Eu gosto do Boris, gosto mesmo. Quer dizer, tirando o fato de que ele é COMPLETAMENTE MALUCO, acho que ele é um cara legal de verdade. Ele é sensível e engraçado e, se você conseguir esquecer o inalador de asma e a respiração pela boca e o violino que ele não para de tocar e aquele negócio do suéter, tá, tudo bem, ele é PASSÁVEL.

Quer dizer, pelo menos ele é mais alto do que Tina.

MAS, AI, MEU DEUS!!!!!!!!!!!!! BORIS PELKOWSKI É O SR. ROCHESTER DA TINA???? NÃO, NÃO, NÃO E NÃO, MIL VEZES NÃO!!!!!!!!!!!!!!!!!!!!!

Mas Shameeka acabou de comentar comigo (enquanto Tina estava checando suas mensagens) que Boris não precisa ser o Sr. Rochester por toda a eternidade. Ele pode ser simplesmente o Sr. Rochester dela agora, sabe. Até que o verdadeiro Sr. Rochester apareça.

Ai, meu Deus. Sei lá. Quer dizer, é BORIS PELKOWSKI.

Bom, pelo menos Tina está certa em relação a uma coisa: ele de fato sente as coisas com intensidade. Tenho meu suéter manchado de sangue para comprovar.

Bom, na verdade, não, porque a Sra. Pelkowski me devolveu e o tintureiro conseguiu mesmo tirar todas as manchas.

Mas mesmo assim.

Tina e BORIS PELKOWSKI?????????????
AAAAAAAAAAAAAAAHHHHHHHH!!!!!!!!!!!!!!!!!!!!!!!!!!!!!!!!!!!!!!

Quinta, 8 de maio, 15h, em casa

Depois de Lars ter que servir de escudo para um outro projétil — que dessa vez tinha sido jogado com precisão impressionante por uma aluna do último ano que tinha recebido o prêmio da feira de ciências —, ele ligou para o meu pai e disse que achava que, por razões de segurança, eu deveria ser retirada das instalações escolares.

Então meu pai disse que tudo bem. E eu tive o resto do dia livre.

Mas não de verdade, porque agora o Sr. G está repassando toda a matéria das aulas dele às quais eu não andei prestando muita atenção na última semana e meia, usando a porta da geladeira como lousa e o alfabeto de ímã para formar os coeficientes dos problemas que eu deveria estar resolvendo.

Tanto faz, Sr. G. Será que você não vê que no momento tenho problemas muito mais sérios do que uma porcaria de uma nota na sua aula? Quer dizer, acorda, não consigo nem colocar o pé na escola sem ser bombardeada por frutas.

Estou super pra baixo. Quer dizer, depois de todo aquele lance da greve, e depois com Tina, e agora que todo mundo me odeia, não sei mesmo como é que eu vou conseguir sobreviver até o final da semana. Eu já liguei para o meu pai e falei assim: "Diga a Grandmère que eu agradeço muito. Agora eu não estou a salvo nem na escola, e é tudo culpa dela."

Mas eu não sei se ele repassou a informação. Não sei muito bem se ele e Grandmère estão se falando.

Eu sei que EU e ela não estamos nos falando. Na verdade, parece que tem um monte de gente com quem eu não estou falando... Grandmère, Lilly, Lana Weinberger...

Bom, mas eu nunca falei com Lana mesmo. Mas você sabe o que eu quero dizer.

Uau, e se eu nunca mais puder voltar para a escola? Tipo, e se eu precisar ter aulas em casa? Seria a maior chatice do mundo. Como eu iria acompanhar as fofocas? Tipo quem está saindo com quem? E quando eu veria Michael? Só no fim de semana, e pronto. Isto seria muito ERRADO!!!! O ponto alto do meu dia é vê-lo esperando na frente do prédio dele, quando a minha limusine passa para pegá-lo, a caminho da escola. Eu sei que serei privada disso para sempre, já que ele vai estudar na Universidade Columbia. Mas achei que poderia pelo menos aproveitar o fim deste ano letivo.

Ai, meu Deus, eu estou mesmo muito chateada com tudo isto. Quer dizer, eu nunca GOSTEI de verdade da Escola Albert Einstein, mas considerando as alternativas... sabe, receber aulas em casa, ou pior, ir estudar em GENOVIA... meu Deus, comparando assim, a EAE é Xangri-lá.

Mas eu nem sei o que é Xangri-lá.

Como eles têm coragem de me afastar? Da EAE, quer dizer. COMO ELES TÊM CORAGEM??????????

Ah, tem alguém na porta. Por favor, que seja Michael com o resto do meu dever de casa. Não que eu esteja desesperada para fazer o resto do meu dever de casa, mas porque, se algum dia na vida eu já precisei ser reconfortada pelo cheiro do pescoço do Michael, este dia é hoje...

POR FAVOR POR FAVOR POR FAVOR POR FAVOR POR FAVOR POR FAVOR POR FAVOR

Quinta, 8 de maio, mais tarde, em casa

Bom, não era Michael. Mas quase. Era um integrante da família Moscovitz. Mas não o que eu queria.

Acho que Lilly tem mesmo muita coragem de vir até aqui depois de tudo que ela me fez passar. Quer dizer, tenha ela síndrome de Asperger ou não. Ela transformou a minha vida em um perfeito inferno nesses últimos dias, e daí ela aparece na porta da minha casa chorando e implorando para ser perdoada?

Mas o que eu podia fazer? Não dava exatamente para bater a porta na cara dela. Bom, eu podia ter feito isso, sim, mas teria sido uma coisa terrivelmente indigna de uma princesa.

Em vez disso, convidei-a para entrar — mas com frieza. Com *muita* frieza. Quem é que é a fraca AGORA, é o que eu gostaria de saber.

Fomos para o meu quarto. Fechei a porta (tenho permissão para fechar a porta se Michael não estiver lá dentro comigo).

E Lilly despejou tudo.

Não como eu estava esperando, com a desculpa sincera que eu merecia pela maneira pavorosa com que ela me tratou, manchando o meu prestígio e a minha linhagem real na TV do jeito que ela fez.

Ah, não. Nada disso. Lilly estava chorando porque tinha ouvido falar da Tina e do Boris.

É isso aí. Lilly está chorando porque quer o namorado de volta.

Fala sério! E ainda mais depois do jeito que ela o tratou.

Só estou aqui sentada em um silêncio estupefato, olhando para Lilly enquanto ela não para de falar. Está andando de um lado para o outro no meu quarto com sua jaqueta do Mao e sandálias Birken, sacudindo os cachos brilhantes e os olhos por trás das lentes dos óculos (acho que os revolucionários que trabalham para garantir poder a seu povo não usam lentes de contato), cheios de lágrimas amargas.

"Como ele pôde fazer isto?", ela não para de choramingar. "Eu viro as costas por cinco minutos — cinco minutos! — e ele sai correndo para os braços de outra? O que ele está pensando?"

Não posso fazer nada além de ressaltar que talvez Boris estivesse pensando em ver Lilly, a namorada dele, com a língua de um outro garoto enfiada na garganta dela. No MEU armário do corredor, nada menos do que isso.

"Boris e eu nunca prometemos exclusividade", ela insiste. "Eu disse a ele que sou como um passarinho irrequieto... Ninguém pode me amarrar."

"Bom", eu dei de ombros. "Talvez ele seja mais do tipo que gosta de se empoleirar."

"Tipo com Tina, é isso que você quer dizer?", Lilly esfrega os olhos. "Não acredito que ela pôde fazer isso comigo. Quer dizer, será que ela não percebe que nunca vai fazer Boris feliz? Afinal de contas, ele é um gênio. E só outro gênio para lidar com um gênio."

Eu lembro a Lilly, de um jeito meio seco, que *eu* não sou gênio nenhum, mas pareço estar lidando com o irmão dela, que tem QI de 179, bastante bem.

Tirando o fato de que ele continua se recusando a ir ao baile de formatura e ainda não pegou no meu peito.

"Ah, faça-me o favor", Lilly diz com desprezo. "Michael é caidinho por você. Além disso, pelo menos você está na turma de superdotados & talentosos. Você tem a oportunidade de observar gênios em ação todos os dias. O que Tina sabe sobre eles? Aliás, acho que ela nunca nem assistiu a *Uma mente brilhante*! Porque Russel não aparece muito sem camisa no filme, sem dúvida."

"Ei", eu digo, de maneira áspera. Eu também notei isso em *Uma mente brilhante*, e acho que é uma crítica bem válida. "Tina é minha amiga. E uma amiga muito melhor do que *você* tem sido ultimamente."

Lilly pelo menos faz a concessão de ficar com cara de culpada.

"Desculpa por tudo, Mia", pede. "Juro que não sei o que deu em mim. Eu só vi o Jangbu e eu... bom, acho que virei refém do meu próprio desejo."

Devo dizer que fiquei bem surpresa ao ouvir isso. Porque ao passo que Jangbu é bem gostosinho, nunca achei que atração física fosse importante para Lilly. Quer dizer, afinal, ela está saindo com Boris já faz um tempo.

Mas, aparentemente, entre ela e Jangbu, a coisa era completamente física.

Meu Deus. Fico aqui imaginando até onde eles foram. Será que seria falta de educação perguntar? Quer dizer, eu sei que, levando em conta que não somos mais melhores amigas, provavelmente não é da minha conta.

Mas se ela transou com aquele cara, eu mato.

"Mas tudo terminou entre mim e Jangbu", Lilly acabou de anunciar, de um jeito muito dramático... tão dramático que Fat Louie, que para começo de conversa nem gosta muito da Lilly e geralmente se esconde no armário no meio dos sapatos quando ela vem aqui em casa, acabou de tentar se enfiar nas minhas botas de neve. "Achei que ele tinha coração de proletário. Achei que, afinal, eu tinha encontrado um homem que compartilhava da minha paixão pelas causas sociais e pelo avanço dos trabalhadores. Mas pobre de mim...

estava errada. Tão, tão errada... Simplesmente não posso ser a alma gêmea de um homem que está disposto a se vender para a imprensa."

Parece que Jangbu foi abordado por uma série de revistas, inclusive a *People* e a *US Weekly*, que estão lutando entre si para obter os direitos exclusivos dos detalhes sobre o ocorrido entre ele e a princesa viúva de Genovia e o cachorro dela.

"É mesmo?" Fiquei surpresa de verdade ao saber daquilo. "Quanto é que estão oferecendo?"

"Da última vez que falei com ele, estava na casa das centenas de milhares de dólares." Lilly enxuga os olhos em um pedaço de renda que eu recebi do príncipe coroado da Áustria. "Ele não vai mais precisar do emprego dele no Les Hautes Manger, com toda a certeza. Está planejando abrir um restaurante próprio. Está pensando em chamar de Lanche no Nepal."

"Uau." Fiquei com pena da Lilly. Fiquei mesmo. Quer dizer, eu sei como é chato quando alguém que você achava que era seu parceiro espiritual se revela um vendido. Especialmente quando ele beija de língua tão bem quanto Josh — no caso, o Jangbu.

Mesmo assim, só porque eu estou com pena dela, isto não quer dizer que vou perdoá-la pelo que ela fez. Posso até não ser autorrealizada, mas tenho orgulho próprio.

"Mas eu quero que você saiba", Lilly está dizendo, "que percebi que não estava apaixonada pelo Jangbu antes desse negócio todo de greve. Eu soube que nunca tinha deixado de amar Boris quando ele pegou aquele globo e largou em cima da cabeça por minha causa. Estou dizendo, Mia, que ele estava disposto a levar *pontos* por causa de mim. É esse o tanto que ele me ama. Nenhum garoto jamais me amou o suficiente para se arriscar a passar por dor e desconforto físico por minha causa... e certamente não o Jangbu. Quer dizer, ele se deixou levar pela fama e o status de celebridade dele. Não é igual ao Boris. Quer dizer, Boris é mil vezes mais superdotado e talentoso do que o Jangbu, e ELE não se deixou levar pelo jogo da fama."

Eu realmente não sei muito bem como responder a tudo isso. Acho que Lilly deve estar percebendo pelo jeito como aperta os olhos na minha direção e diz: "Você pode fazer o favor de parar de escrever nesse diário por UM MINUTO e me dizer o que eu faço para conseguir Boris de volta?"

Apesar de me custar muito, sou obrigada a informar Lilly que eu acho que as chances de reconquistar Boris são, tipo, zero. Até menos do que zero. Tipo na zona dos polinômios negativos.

"Tina está apaixonada por ele de verdade", digo a ela. "E acho que ele sente o mesmo por ela. Quer dizer, ele deu para ela o retrato autografado em papel brilhante do Joshua Bell..."

Essa informação faz com que Lilly levasse a mão ao peito, cheia de dor existencial. Ou talvez não seja tão existencial assim, já que eu nem tenho muita certeza a respeito do que existencial quer dizer. De qualquer modo, ela levou a mão ao peito e caiu de costas em cima da minha cama, toda dramática.

"Aquela bruxa!", ela não para de gritar — tão alto que estou com medo de que o Sr. G apareça aqui e entre no quarto para ver se não estamos assistindo a *Charmed* alto demais. "Aquela bruxa traiçoeira de coração sombrio! Ela vai ver só uma coisa por roubar o meu homem! Vou dar uma lição nela!"

Então eu precisei ser muito firme com Lilly. Disse a ela que sob nenhuma circunstância ela vai "dar uma lição" em ninguém. Digo a ela que a Tina adora o Boris, verdadeira e sinceramente, e isso é tudo que ele sempre quis — amar e ser amado em retribuição, igual ao Ewan McGregor em *Moulin Rouge — Amor em vermelho*. Disse a ela que se ela ama mesmo o Boris do jeito que diz que ama, vai deixar Tina e ele em paz, vai deixar que aproveitem as últimas semanas de aula juntos. Daí, no outono, se Lilly ainda achar que quer Boris de volta, pode fazer alguma coisa. Antes, não.

Lilly ficou, acho, um pouco estupefata com o meu conselho sábio — e muito direto. Na verdade, parece que ela ainda está digerindo o que ouviu. Está sentada na ponta da minha cama, piscando para o meu protetor de tela da princesa Leia. Tenho certeza de que deve ser um belo golpe para uma menina com o ego do tamanho do da Lilly... sabe, que um garoto que a amou uma vez possa aprender a amar de novo. Mas ela simplesmente vai ter que se acostumar. Porque, depois do que ela fez com Boris na última semana, eu vou me encarregar pessoalmente de que ele nunca, nunca mais volte a sair com ela. Nem que eu tenha que ficar na frente dele com uma espadona velha, igual o Aragorn fez com aquele tal de Frodo. Esse é o tamanho da minha determinação para que Lilly nunca mais brinque com a cabeça genial e cheia de ataduras do Boris Pelkowski.

Não sei se ela está percebendo isso por causa da determinação com que eu estou escrevendo ou se tem alguma coisa na minha expressão, mas Lilly só suspirou e disse: "Tudo *bem*."

Agora está colocando o casaco e indo embora. Porque apesar de ela e Jangbu terem se separado, ela continua sendo a presidente do JPAACDIJP, e tem muito a fazer.

Mas parece que me pedir desculpas não está na lista de tarefas dela.

Pelo menos foi o que pensei.

Quando já estava na porta, ela se virou e disse: "Olha, Mia. Desculpa por ter te chamado de fraca naquele dia. Você não é fraca. Na verdade... você é uma das pessoas mais fortes que eu conheço."

Acorda! É verdade mesmo! Eu lutei contra tantos demônios hoje que faço aquelas meninas do *Charmed* parecerem as menininhas de *Três é demais*. Realmente, eu deveria ganhar uma medalha, ou pelo menos a chave da cidade, ou qualquer coisa assim.

Infelizmente, no entanto, bem quando eu achei que a minha bravura já não ia mais se fazer necessária — Lilly e eu nos abraçamos, e ela foi embora, depois de dizer algumas palavras de desculpa para a minha mãe e o Sr. G a respeito daquela coisa toda de agarrar-Jangbu-o-ajudante-de-garçom-desempregado-no-armário-do-corredor, que eles aceitaram com muita gentileza. Assim que ela saiu, o interfone tocou DE NOVO. Achei que dessa vez COM CERTEZA era Michael. Ele tinha prometido pegar todo o resto do meu dever de casa e levar para mim.

Então você pode imaginar o meu pavor — minha repulsa absoluta — quando fui até o interfone, tirei do gancho, coloquei na orelha e falei: "Ooooooooi?", e a voz que veio chiando em resposta não era aquela voz profunda, aconchegante e bem conhecida do meu amor verdadeiro...

... e sim o cacarejo odioso de GRANDMÈRE!!!!!!!!!!!!!!

Sexta, 9 de maio, 1h, no sofá-cama da sala de casa

Isto aqui é um pesadelo. Tem que ser. Alguém vai me beliscar e eu vou acordar e tudo vai terminar e eu vou voltar para a minha caminha aconchegante, e não vou mais ficar aqui neste sofá-cama — como é que eu nunca tinha reparado em como este negócio é DURO? — na sala no meio da noite.

Só que NÃO é pesadelo nenhum. Eu sei que não é pesadelo porque quando a gente tem um pesadelo, a gente precisa DORMIR, que é uma coisa que eu não consigo fazer, porque Grandmère RONCA ALTO DEMAIS.

É isso aí. A minha avó ronca. Seria uma notícia e tanto para o jornal *Post*, hein? Eu devia ligar para lá e segurar o telefone na porta do meu quarto (dá para ouvir até com a porta FECHADA). Já estou até vendo a manchete:

A PRINCESA VIÚVA: RONCOS REAIS

Não dá para acreditar que isto está acontecendo. Como se a minha vida já não estivesse ruim o bastante. Como se eu já não tivesse problemas suficientes. E agora a minha avó psicopata veio *morar* na minha casa?

Mal pude acreditar quando abri a porta do apartamento e a vi parada ali, com o motorista dela logo atrás, carregando umas 50 milhões de malas da Louis Vuitton. Só fiquei lá olhando para ela, durante um minuto inteiro, até que finalmente Grandmère disse: "Bom, Amelia? Você não vai me convidar para entrar?"

E daí, antes que eu tivesse a oportunidade de convidar, ela passou por mim como se eu nem estivesse na frente, reclamando sem parar que não tínhamos elevador e que não fazíamos a mínima ideia de como era prejudicial para uma mulher da idade dela ter que subir três lances de escada. (Reparei que ela não mencionou o que aquilo poderia causar em um chofer que tinha sido obrigado a carregar toda a bagagem dela por aquelas mesmas escadas.)

Daí ela começou a andar de um lado para o outro, como sempre faz quando vem aqui em casa, pegando coisas e olhando com cara de desaprovação antes de colocar de novo no lugar, como a coleção de esqueletos de Cinco de Mayo da mamãe ou o porta-copos da Associação Estudantil Atlética do Sr. G.

Nesse intervalo, como a minha mãe e o Sr. G tinham ouvido toda a confusão, saíram do quarto e ficaram paralisados — os dois — de pavor quando viram a cena que se desenrolava diante deles. Preciso reconhecer, parecia mesmo um pouco assustador... especialmente porque Rommel tinha conseguido escapar dos braços de Grandmère e estava mancando pelo chão com aquelas perninhas de Bambi dele, cheirando as coisas com tanto cuidado que dava para achar que elas podiam explodir na cara dele a qualquer instante (o que podia muito bem acontecer quando ele fosse cheirar o Fat Louie).

"Hmm, Clarisse", fez minha mãe (que mulher mais corajosa!). "Será que você se importaria de nos dizer o que está fazendo aqui? Carregando, hmm, o que parece ser o seu guarda-roupa inteiro?"

"Não posso ficar naquele hotel nem mais um instante", Grandmère rosnou, colocando de volta no lugar a luminária de lava do Sr. G, sem nem olhar para a minha mãe, cuja gravidez — "na idade avançada dela", como Grandmère gosta de dizer, apesar de a minha mãe ser na verdade mais jovem do que muitas atrizes atualmente grávidas — ela considera uma vergonha de enormes proporções. "Ninguém mais trabalha por lá. O lugar virou um caos completo. É impossível conseguir uma alma que execute o serviço de quarto, e nem pense em chamar alguém para preparar o seu banho. Por isso vim para cá." Ela piscou para nós sem nem um pingo de carinho. "Para o seio da minha família. Em momentos de necessidade, acredito que é tradição dos parentes acolher um membro da família."

A minha mãe não estava caindo nem um pouco na lenga-lenga de coitadinha-de-mim de Grandmère.

"Clarisse", começou ela, cruzando os braços sobre o peito (o que é um grande feito, levando em conta o tamanho dos peitos dela — espero que, se algum dia eu ficar grávida, meus peitos também fiquem assim tão enormes). "Há uma greve dos funcionários de hotel. Não é como se o Plaza tivesse virado alvo de mísseis. Acho que você está exagerando um pouquinho..."

E foi bem aí que o telefone tocou. Eu, é lógico, pensando que era Michael, mergulhei para atender correndo. Mas que pena, não era Michael. Era meu pai.

"Mia", balbuciou ele, parecendo um tantinho em pânico. "A sua avó está aí?"

"Mas que coisa, está sim, pai", respondi. "Você quer falar com ela?"

"Ai, meu Deus", meu pai resmungou. "Não. Deixe-me falar com a sua mãe."

Meu pai ia escutar poucas e boas, e ele não fazia a menor ideia. Entreguei o telefone para minha mãe, que pegou com aquela cara de sofrimento eterno que ela sempre faz quando Grandmère está presente. Bem quando ela estava colocando o telefone no ouvido, Grandmère disse para o chofer: "Isto é tudo, Gaston. Você pode deixar as malas no quarto da Amelia e ir embora."

"Fique onde está, Gaston", minha mãe pediu, bem quando eu gritei: "No MEU quarto? Por que no MEU quarto?"

Grandmère olhou para mim toda azeda: "Porque, em momentos de dificuldade, mocinha, é tradição que o membro mais jovem da família sacrifique seu conforto em nome do mais velho."

Nunca tinha ouvido falar dessa tradição ridícula antes. O que era aquilo afinal? Alguma coisa tipo a refeição com dez pratos de Genovia ou algo assim?

"Phillipe", minha mãe resmungava ao telefone. "O que está acontecendo aqui?"

Enquanto isso, o Sr. G tentava fazer o melhor possível naquela situação péssima. Perguntou a Grandmère se podia oferecer-lhe alguma coisa para beber.

"Um Sidecar, por favor", Grandmère pediu, sem nem olhar para ele, mas examinando os problemas de álgebra com o alfabeto magnético na porta da geladeira. "E não coloque muito gelo."

"Phillipe!", minha mãe ia dizendo, em tom cada vez mais histérico, no telefone.

Mas não adiantou nada. Meu pai não podia fazer nada. Ele e os empregados — Lars, Hans, Gaston e todos os outros — não ligavam de ficar no Plaza sob as durezas impostas pela ausência de funcionários. Mas Grandmère simplesmente não suportava aquela situação. Aparentemente, tinha tentado ligar para o serviço de quarto para pedir seu chá de camomila com *biscotti* da noite e, quando descobriu que não tinha ninguém para levar para ela, perdeu completamente a cabeça e enfiou o pé na abertura de cartas de vidro (colocando em perigo os dedos do coitado do carteiro quando ele for coletar a correspondência amanhã).

"Mas Phillipe", minha mãe continuava a choramingar. "Por que *aqui*?"

Mas não havia nenhum outro lugar para Grandmère ir. As coisas estavam tão ruins, se não piores, em todos os outros hotéis da cidade. Grandmère afinal tinha resolvido fazer as malas e abandonar o barco... achando, sem dúvida, que, como tinha uma neta à distância de cinquenta quarteirões, por que não aproveitar a mão de obra grátis?

Então, pelo menos por enquanto, vamos ter que ficar com ela. Até *eu* tive que abrir mão da minha cama, porque ela se recusou categoricamente a dormir no sofá-cama. Ela e Rommel estão no *meu* quarto — meu porto seguro, meu santuário, minha fortaleza de solidão, minha câmara de meditação, meu palácio zen —, e ela já desligou o meu computador porque não gostava do meu protetor de tela da princesa Leia "olhando" para ela. O coitado do Fat Louie está tão confuso que se eriçou todo para a privada, porque precisava achar um jeito de demonstrar sua desaprovação em relação àquela situação toda. Agora ele se escondeu no armário do corredor — o mesmo corredor onde, se você pensar bem, tudo isto começou — entre os pedaços do aspirador e todos os guarda-chuvas de três dólares que fomos acumulando lá com o tempo.

Foi uma visão extremamente aterradora ver Grandmère vindo do meu banheiro com bobs no cabelo e o creme noturno dela no rosto. Ela parecia alguma criatura saída do Conselho Jedi em *Ataque dos clones*. Eu quase perguntei a ela onde tinha estacionado seu veículo espacial. Só que minha mãe tinha me dito para ser legal com ela. "Pelo menos até eu achar um jeito de me livrar dela, Mia."

Graças a Deus Michael *finalmente* apareceu com meu dever de casa. Não pudemos nos cumprimentar calorosamente, no entanto, porque Grandmère estava sentada na mesa da cozinha, olhando para nós igual a um falcão o tempo todo. Eu nem pude cheirar o pescoço dele!

E agora estou aqui, deitada neste sofá-cama cheio de calombos, ouvindo os roncos profundos e ritmados da minha avó no outro quarto, e a única coisa em que consigo pensar é que esta greve precisa acabar logo.

Como se já não fosse ruim o bastante morar com um gato neurótico, um professor de álgebra que toca bateria e uma mulher no último trimestre da gravidez. Acrescente a princesa viúva de Genovia e pronto: pode reservar um quarto para mim na ala psiquiátrica do hospital Bellevue, porque isto aqui está mais parecendo um hospício.

Sexta, 9 de maio, Sala de Estudos

Resolvi ir à escola hoje porque:

1. É o dia de matar aula do último ano, então a maior parte das pessoas que gostariam que eu morresse não vão estar aqui para jogar coisas em mim e
2. É melhor do que ficar em casa.

É sério. As coisas não estão nada bem na Rua Thompson, nº 1005, apartamento 4A. Hoje de manhã, quando Grandmère acordou, a primeira coisa que fez foi exigir que eu levasse para ela um copo de água quente com limão e mel. Eu fiquei tipo: "Hã, de jeito nenhum", o que não caiu nada bem, vou te dizer. Achei que Grandmère ia me bater.

Em vez disso, ela jogou meu boneco de Fiesta Giles — aquele em que o guardião da Buffy, a Caça-Vampiros, aparece de sombreiro — na parede! Eu tentei explicar a ela que aquele é um item de colecionador que vale quase duas vezes o que eu paguei por ele, mas ela não gostou nadinha do meu sermão. Só falou assim: "Vá buscar um copo de água quente com limão e mel para mim!"

Então eu levei a porcaria da água quente com limão e mel para ela, e ela bebeu tudo e daí, não estou de brincadeira, passou meia hora no meu banheiro. Não faço a menor ideia do que ela estava fazendo lá, mas estava tirando Fat Louie e eu do sério... Eu porque precisava entrar lá para pegar a minha escova de dente, e Fat Louie porque é lá que a caixa de areia dele fica.

Mas tanto faz, eu finalmente consegui entrar e escovar os dentes, e daí falei algo do tipo "até mais" e eu e o Sr. G saímos correndo até a porta.

Mas não foi rápido o suficiente, porque a minha mãe nos pegou antes que conseguíssemos sair a salvo do apartamento, e sibilou para nós por entre os dentes, com uma voz bem assustadora: *Eu mato vocês dois por me deixarem sozinha com ela hoje o dia inteiro. Não sei como, não sei quando. Mas quando vocês menos esperarem... vão ver só.*

Uau, mãe. Vai tomar mais um pouco de isotônico.

Bom, mas de qualquer jeito, as coisas aqui na escola se acalmaram bastante desde ontem. Talvez seja porque os alunos do último ano não estão aqui. Bom, todos menos Michael. Ele está aqui. Porque, segundo ele, acha que não deve matar aula só porque Josh Richter disse que era para matar. E também porque a diretora Gupta vai dar dez deméritos para cada aluno que não tiver desculpa para faltar, e se você tiver deméritos, a bibliotecária não dá desconto na liquidação de livros usados do fim do ano, e Michael está de olho na coleção de obras de Isaac Asimov da escola já faz algum tempo.

Mas eu acho mesmo que ele está aqui pela mesma razão que eu: para fugir da atual situação na casa dele. Isso porque, como ele me explicou na limusine a caminho da escola, os pais dele finalmente descobriram que Lilly andava matando aula para organizar coletivas de imprensa sem o consentimento deles. Os Drs. Moscovitz ficaram furiosos de verdade e obrigaram Lilly a ficar em casa com eles para conversar longamente a respeito da óbvia desobediência civil dela e da maneira como ela tratou Boris. Michael disse que caiu fora rapidinho, e quem pode culpá-lo?

Mas as coisas parecem mesmo que vão melhorar, porque quando nós paramos na Ho's hoje de manhã antes da aula para tomar o café da manhã (sanduíche de ovo para Michael; rosquinhas para mim), ele me agarrou enquanto Lars estava na seção refrigerada comprando o Red Bull matinal dele e começou a me beijar, e eu pude cheirar o pescoço dele, o que imediatamente acalmou meus nervos em frangalhos por causa de Grandmère e me convenceu de que, de algum jeito, tudo vai ficar bem.

Talvez.

Sexta, 9 de maio, Álgebra

Ai, meu Deus, mal consigo escrever de tanto que as minhas mãos estão tremendo. Não dá para acreditar no que acabou de acontecer... Não dá para acreditar porque é BOM demais. Como é possível? Coisas boas NUNCA acontecem comigo. Bom, tirando Michael.

Mas isto...

É quase bom demais para ser verdade.

Aconteceu o seguinte: eu entrei na sala de álgebra toda inocente, sem esperar nada. Sentei na minha carteira e comecei a olhar o dever de casa — que o Sr. G tinha me ajudado a terminar — quando de repente meu celular tocou.

Achando que era a minha mãe entrando em trabalho de parto — ou que ela havia desmaiado na seção de sorvete do supermercado Grand Union de novo —, corri para atender.

Mas não era a minha mãe. Era Grandmère.

"Mia", começou ela. "Você não precisa se preocupar com nada. Eu já resolvi o problema."

Juro que não fazia a mínima ideia do que ela estava falando. Não no começo, pelo menos. Fiquei tipo: "Que problema?" Achei que talvez ela estivesse falando do nosso vizinho Verl e das reclamações dele de que a gente faz muito barulho. Achei que talvez ela tivesse mandado executá-lo ou qualquer coisa assim.

Bom, isso é bem possível, conhecendo Grandmère...

E foi exatamente por isso que as palavras que vieram a seguir foram um choque completo.

"O seu baile de formatura", explicou ela. "Eu falei com uma pessoa. E achei um lugar para vocês fazerem o baile, com ou sem greve. Está tudo arranjado."

Fiquei lá sentada um minuto, segurando o telefone na orelha, mal conseguindo registrar o que eu tinha acabado de ouvir.

"Espera aí", balbuciei. "O quê?"

"Pelo amor de Deus", Grandmère exclamou, toda impaciente. "Será que eu preciso repetir? Achei um lugar para vocês fazerem o tal baile de vocês."

E daí ela me disse onde era.

Desliguei o telefone toda zonza. Não dava para acreditar. Juro que não conseguia acreditar.

Grandmère tinha conseguido.

Não que ela tivesse reconhecido sua culpa em uma das greves que mais causaram prejuízo na história de Nova York. Nada assim.

Não. Era algo mais importante ainda.

Ela havia conseguido salvar o baile de formatura. Grandmère tinha salvado o baile de formatura do último ano da Escola Albert Einstein.

Olhei para Lana sentada na minha frente, que não estava olhando na minha direção de propósito, devido ao fato de eu ser a responsável pelo cancelamento do baile de formatura.

E foi aí que eu percebi. Grandmère tinha salvado o baile de formatura para a EAE. Mas eu ainda podia salvar o baile de formatura para mim.

Cutuquei Lana no ombro e falei: "Você já está sabendo?"

Lana se virou para olhar para mim de um jeito bem maldoso: "Estou sabendo o quê, sua esquisita?"

"A minha avó achou um lugar alternativo para o baile de formatura", respondi.

E contei que lugar era aquele.

Lana só ficou olhando para mim, completamente chocada. Mesmo. Ela estava tão abalada que nem conseguia falar. Eu consegui abalar Lana a ponto de fazê-la calar a boca. Mas não foi igual àquela vez que eu enfiei um sorvete nela. Daquela vez, ela teve MUITA coisa a dizer.

Desta vez? Nada.

"Mas tem uma condição", prossegui.

E daí eu disse a ela qual era a condição.

O que, obviamente, Grandmère não tinha mencionado. A condição, quero dizer. Não, a condição foi uma pequena manobra da princesa-de-Genovia.

Mas eu aprendi com a mestra.

"E então?", perguntei para concluir, quase simpática, como se eu e Lana fôssemos amigas, e não inimigas mortais, igual a Alyssa Milano e A Fonte de Todo o Mal. "É pegar ou largar."

Lana não hesitou. Nem por um segundo. Só falou: "Tudo bem."

Bem assim. "Tudo bem."

E, de repente, eu me senti como se fosse a Molly Ringwald. É sério.

Não dá para explicar, nem para mim mesma, por que eu fiz o que fiz na sequência. Eu simplesmente fiz. Foi como se, por um instante, eu estivesse possuída pelo espírito de alguma outra menina, uma menina que de fato se dá bem com gente igual a Lana. Estiquei a mão, peguei a cabeça da Lana, puxei na minha direção e dei um beijo estalado, bem no meio das sobrancelhas dela.

"Eca, que nojo", falou Lana, recuando rapidinho. "Qual é o seu problema, sua esquisita?"

Mas eu nem liguei de Lana me chamar de esquisita, duas vezes. Porque meu coração estava cantando igual àqueles passarinhos que voam em volta da cabeça da Branca de Neve quando ela está do lado do poço. Falei assim: "Não se mexa", e pulei da carteira...

Para grande surpresa do Sr. G, que tinha acabado de entrar na sala, com um copão de café da Starbucks na mão.

"Mia", chamou ele, de olhos arregalados, quando eu passei correndo. "Aonde é que você vai? O segundo sinal acabou de tocar."

"Volto em um minutinho, Sr. G", gritei por cima do ombro, enquanto corria em direção à sala onde Michael estava tendo Inglês Aplicado.

E eu nem precisava me preocupar de me fazer de boba na frente dos colegas do Michael nem nada, porque nenhum dos colegas do Michael estava lá, já que era o dia de matar aula do último ano e tal. Entrei direto na sala dele — foi a primeira vez que eu fiz uma coisa dessas: normalmente Michael é que vem me visitar na MINHA aula — e falei assim para a professora de inglês dele: "Desculpa, Sra. Weinstein, mas será que eu posso dar uma palavrinha com Michael?"

A Sra. Weinstein — que, dava para ver, estava esperando um dia de pouco trabalho, já que tinha vindo para a aula com a última edição da *Vogue* embaixo do braço — levantou os olhos da página de horóscopo e disse: "Pode ser, Mia."

Então eu fui na direção do Michael, que estava extremamente surpreso, sentei na carteira na frente dele e comecei: "Michael, lembra que você disse que só iria ao baile de formatura se os caras da banda fossem também?"

Michael parecia não conseguir se recuperar do fato de que eu estava na sala *dele*, para variar.

"O que você está fazendo aqui?", perguntou. "O Sr. G sabe que você está aqui? Você vai se meter em encrenca de novo..."

"Deixa isso pra lá", respondi. "Só me diz uma coisa. Você falou sério quando disse que iria ao baile de formatura se os caras da banda também fossem?"

"Acho que sim", Michael respondeu. "Mas, Mia, o baile de formatura foi cancelado, lembra?"

"E se eu dissesse", falei bem despreocupada, como se estivesse comentando sobre o tempo, "que o baile de formatura vai acontecer, e que eles precisam de uma banda, e que o comitê da banda do baile de formatura escolheu a SUA banda?"

Michael só ficou olhando para mim: "Eu diria... fala sério!"

"Estou falando totalmente sério", informei. "Ah, Michael, *por favor*, diz que você aceita. Eu quero *tanto* ir ao baile de formatura..."

Michael pareceu surpreso: "Você quer? Mas o baile de formatura é tão... bobo."

"Eu sei que é bobo", repeti, não sem um pouco de emoção. "Eu *sei* que é, Michael. Mas isso não altera o fato de que eu sonho praticamente a vida inteira em ir ao baile de formatura. E acho que posso mesmo atingir a total autorrealização se você e eu formos ao baile de formatura juntos amanhã à noite..."

Michael ainda estava com aquela cara de quem não estava acreditando em nada daquilo: que a banda dele estava mesmo sendo contratada para um show de verdade; que o show seria no baile de formatura da escola; e que a namorada dele tinha acabado de confessar que só conseguiria progredir rapidamente na árvore junguiana da autorrealização se ele concordasse em levá-la ao baile de formatura dele.

"Hmm", Michael disse. "Bom, tudo bem. Acho que sim. Já que é assim tão importante para você..."

Fiquei tão tomada pela emoção que simplesmente estiquei a mão e peguei a cabeça do Michael, igual eu tinha feito com Lana. E, igual eu tinha feito com Lana, puxei a cabeça do Michael na minha direção e dei um beijo estalado nele... só que não foi no meio das sobrancelhas, igual eu fiz com Lana, mas bem na boca dele.

Michael pareceu ficar muito, muito surpreso com aquilo — especialmente, sabe como é, porque eu fiz aquilo bem na frente da Sra. Weinstein. Que foi provavelmente o motivo por que ele ficou todo vermelho até o couro cabeludo depois que eu acabei de beijá-lo e falou "*Mia*", com uma voz meio estrangulada.

Mas eu nem me importei se o deixei envergonhado. Porque estava feliz demais. Eu disse: "A gente se fala, Sra. Weinstein", para a professora de inglês do Michael com cara de surpresa e saí correndo dali, me sentindo a própria Molly quando Andrew McCarthy foi até ela no baile de formatura e confessou seu amor, apesar de ela estar usando aquele vestido pavoroso.

E agora estou sentada aqui — depois de dizer a Lana que a Skinner Box vai com certeza tocar no baile de formatura — tremendo de tanta emoção por toda a sorte que eu tenho.

Eu vou ao baile de formatura. Eu, Mia Thermopolis, vou ao baile de formatura. Com o meu namorado e o meu único amor, Michael Moscovitz. Michael e eu vamos ao baile de formatura.

MICHAEL E EU VAMOS AO BAILE DE FORMATURA!!!!!!!!!!

AO BAILE DE FORMATURA!!!!!!!!!!!!!

BAILE DE FORMATURA

*DEVER DE CASA

Álgebra: Quem se importa? Michael e eu vamos ao baile de formatura!!!!!

Inglês: Baile de formatura!!!!

Biologia: Eu vou ao baile de formatura!!!!!!!!

Saúde e Segurança: BAILE DE FORMATURA!!!!!!!!!!!!!!!!!!!!!!

Superdotados & Talentosos: Até parece

Francês: Vous allez au promme!!!!!!

Civilizações Mundiais: BAILE DE FORMATURA MUNDIAL!!!

Baile de Formatura!

Sexta, 9 de maio, 19h, em casa

Eu realmente não tenho tempo para todas as discussões entre minha mãe e Grandmère. Será que essas mulheres não sabem que eu tenho coisas mais importantes com que me preocupar? EU VOU AO BAILE DE FORMATURA AMANHÃ COM O MEU NAMORADO. Neste momento eu deveria estar descansando bastante e aplicando diversos unguentos preciosos sobre o meu corpo, e não servindo de intermediadora de discussões entre uma mulher na pós-menopausa e outra com alterações hormonais.

POR QUE VOCÊS DUAS NÃO PODEM CALAR A BOCA??????????? É o que eu tenho vontade de gritar para elas.

Mas isto, obviamente, não seria nada digno de uma princesa.

Vou colocar meus fones de ouvido e tentar bloquear o barulho com a playlist que Michael fez para minha festa de aniversário. Talvez os tons suaves dos Flaming Lips sirvam para acalmar meus nervos em frangalhos.

Sexta, 9 de maio, 19h02

Nem mesmo os Flaming Lips conseguem abafar o tom estridente de Grandmère. Vou ouvir Kelly Osbourne.

Sexta, 9 de maio, 19h04

Sucesso! Finalmente estou conseguindo escutar os meus próprios pensamentos.

Michael acabou de me mandar uma mensagem dizendo que ele e a banda provavelmente vão ficar a noite inteira ensaiando para o primeiro grande show deles. Mas tudo bem, porque o CARA pode muito bem aparecer no baile de formatura com olheiras (é só olhar aquele cara que terminou no baile Time Zone com a Melissa Joan Hart em *Fica comigo*). Só que a GAROTA tem que estar com a pele macia como uma pétala e fresquinha igual a uma margarida.

Os caras da banda não ficaram exatamente emocionados com a coisa toda de tocar no baile de formatura. Na verdade, há boatos de que Trevor até disse: "Ah, cara, será que em vez disso a gente não podia enfiar uns garfos nos olhos?"

Mas Michael me disse que explicou para ele que um show é um show, e que não dá para ficar escolhendo muito.

Michael terminou a mensagem assim:

A gente se vê amanhã à noite. Com amor, M

Amanhã à noite. Isso mesmo. Amanhã à noite, meu amor, quando eu entrar no baile de formatura de braços dados com você, e vir os olhares invejosos de todas as minhas colegas. Bom, só da Lana, porque ela é a única aluna do primeiro ano além de mim que vai. E Shameeka. Só que ela nunca vai olhar para mim com inveja, porque é minha amiga.

Ah, e Tina. Porque acontece que Tina também vai ao baile de formatura. Porque, óbvio, Boris está na banda do Michael, e como ele vai estar lá, tem o direito de levar uma acompanhante, e escolheu Tina, porque ela, como ele explicou durante o almoço hoje, "é minha nova musa, e minha única razão para viver".

Ah, e como Tina ficou emocionada de ouvir essas palavras articuladas pelos lábios do novo amor dela! Juro, ela quase engasgou com o suco. Ficou olhando toda apaixonada para Boris, do outro lado da mesa, e apesar de eu achar que nunca escreveria estas palavras, juro que são verdade:

Boris quase parecia bonito enquanto flutuava no brilho reluzente da afeição dela.

Fala sério. Tipo, até o queixo dele não parecia estar tão para a frente. E o peito dele meio que se destacou.

Ou isso ou ele anda fazendo musculação ou algo assim.

AHHHHH! O telefone. Ai, por favor, Deus, permita que seja o meu pai para dizer que a greve terminou e que ele vai mandar a limusine para pegar Grandmère...

Sexta, 9 de maio, 19h10

Não era o meu pai. Era Michael para perguntar se eu estava de acordo com a lista de músicas que a Skinner Box está pensando em tocar amanhã. Ela inclui várias músicas clássicas de festas de formatura, como "Who's Got the Crack" (quem está com o crack), dos Moldy Peaches; e "All Cheerleaders Die" (todas as animadoras de torcida têm que morrer), dos Switchblade Kittens; além de algumas coisas mais ousadas, como "Mary Kay", de Jill Sobule; e "Call the Doctor" (chame o médico), de Sleater-Kinney. Isso sem falar de músicas originais da Skinner Box, como "Rock-Throwing Youths" (jovens que atiram pedras) e "Princess of My Heart" (princesa do meu coração).

Senti vontade de sugerir ao Michael que trocasse "Rock-Throwing Youths" por alguma coisa menos controversa, como "When It's Over" (quando terminar), do Sugar Ray, ou "She Bangs" (ela arrasa), do Ricky Martin, mas ele disse que preferia aparecer no meio da Times Square só com um chapéu de caubói na cabeça (ah, como eu queria que ele fizesse isso!). Então sugeri algumas faixas antigas do Spoon ou do White Stripes.

Daí Michael perguntou: "O que é toda essa gritaria no fundo?"

"Ah", fiz eu, como quem não quer nada. "É só Grandmère e a minha mãe discutindo. Grandmère fica insistindo para fumar no apartamento, mas minha mãe diz que não faz bem para mim nem para o bebê. Grandmère acabou de acusar a minha mãe de ser fascista. Ela disse que quando recebia Hitler e Mussolini para tomar chá, no auge da Segunda Guerra Mundial, os dois deixavam ela fumar, e se estava bom para aqueles sujeitos, devia ser bom o bastante para a minha mãe."

"Hmm, Mia", Michael disse. "Você sabe quantos anos a sua avó tem, não sabe?"

"Sei", lembrando o aniversário de Grandmère com nitidez até demais: ela havia insistido para que eu fosse a Genovia com ela para comemorar, só que eu tinha provas do meio do ano (GRAÇAS A DEUS) e não pude ir. Mas não fique achando que ela não ficou enchendo o meu saco por causa DAQUILO durante semanas.

"Bom, Mia", começou Michael. "Eu sei que matemática não é o seu forte, mas você sabe que a sua avó era criancinha na época do auge da Segunda Guerra Mundial, certo? Quer dizer, ela não pode ter recebido Hitler e Mussolini para tomar chá no palácio de Genovia porque ela ainda nem morava lá, a menos que tenha se casado com o seu avô quando tinha, tipo, uns 5 anos."

Fiquei estupefata, em silêncio total, com aquilo. Quer dizer, dá para acreditar? A minha própria avó tem mentido para mim A VIDA INTEIRA. Tudo que ela me conta é como salvou o palácio de ser saqueado pelas hordas nazistas porque Hitler estava lá tomando uma sopa ou alguma coisa assim. Durante todo esse tempo eu fiquei pensando que ela era muito corajosa, e que tinha agido com muita diplomacia, ao impedir que houvesse uma incursão militar em Genovia com um prato de SOPA e o sorriso charmoso dela (bom, talvez naquele tempo fosse mesmo).

E AGORA EU DESCUBRO QUE ISSO NEM É VERDADE???????????????????????

Ai, meu Deus. Ela é boa. Ela é boa *mesmo*.

Mas é preciso reconhecer — e nunca achei que eu diria isso algum dia — que não dá para ficar brava com ela. Porque... bom...

Ela de fato salvou o baile de formatura.

Sexta, 9 de maio, 19h30

Tina acabou de ligar. Ela está feliz da vida porque vai ao baile de formatura. Como ela diz, é um sonho se transformando em realidade. Eu respondi que só posso concordar. Ela me perguntou como é que a gente teve tanta sorte.

Eu expliquei a ela: porque nós duas somos gentis e puras de coração.

Sexta, 9 de maio, 20h

Ai, meu Deus, nunca achei que ia dizer isto, mas coitada da Lilly. Coitada, coitadinha da Lilly.

Ela acabou de descobrir que Boris vai levar Tina ao baile de formatura. Ouviu quando Michael e eu estávamos conversando agora há pouco. Lilly está comigo no telefone, mal consegue falar, está fazendo muita força para segurar as lágrimas.

"M-Mia", ela não para de engasgar. "O-Oque foi q-que eu fiz?"

Bom, está muito evidente o que foi que Lilly fez: estragou a própria vida, nada além disso.

Mas é lógico que não posso dizer isso a ela.

Então, em vez disso, fico dizendo que as mulheres precisam dos homens tanto quanto os peixes precisam de bicicletas e que ela vai aprender a amar outra vez, blablablá. Basicamente, as mesmas coisas que eu e Lilly dissemos para Tina quando ela levou o pé na bunda do Dave Farouq El-Abar.

Só que, obviamente, não foi Boris que deu o pé na bunda da Lilly: foi ELA quem deu o pé na bunda dele.

Mas não posso fazer essa observação para Lilly porque seria a mesma coisa que chutar um cachorro morto.

É meio difícil lidar com a crise pessoal da Lilly porque

a) Eu estou muito feliz e

b) minha mãe e Grandmère continuam discutindo aos berros.

Precisei pedir licença por um instante e parei de falar no telefone. Fui até a sala e berrei: "Grandmère, pelo amor de Deus, será que você faria o favor de ligar para o Les Hautes Manger e pedir para eles recontratarem o Jangbu, para você poder voltar para a sua suíte no Plaza e nos deixar em PAZ?"

Mas o Sr. Gianini, que estava sentado à mesa da cozinha, fingindo ler o jornal, observou: "Acho que não vai ser suficiente o Sr. Panasa receber o emprego de volta para que esta greve termine, Mia."

O que, devo dizer, é extremamente decepcionante de ouvir. Porque eu mal consigo encontrar as minhas coisas no meu quarto, já que Grandmère espalhou as coisas dela por todos os lados. É um tanto desmoralizante abrir a gaveta de lingerie para pegar uma calcinha da rainha Amidala e encontrar lá a CALCINHA FIO-DENTAL DE RENDA PRETA que Grandmère usa.

Minha *avó* tem lingerie mais sexy do que eu. Isso é mesmo muito perturbador. Além do mais, provavelmente vou ter que fazer anos de terapia por causa disso.

Mas ninguém parece estar preocupado com a saúde mental das crianças, não é mesmo?

Então, quando eu voltei para o meu quarto e peguei o telefone de novo, Lilly ainda não tinha parado de falar sobre Boris. Fala sério. Como se ela nem tivesse percebido que eu tinha saído.

"... mas eu nunca dei valor ao que existia entre nós até que ele foi embora", continua ela.

"Ahan", falo.

"E agora eu vou ficar encalhada e morar com um monte de gatos ou algo assim. Não que tenha alguma coisa de errado nisso, porque é óbvio que eu não preciso de um homem para me sentir completa enquanto ser humano, mas, mesmo assim, sempre achei que pelo menos eu iria morar com um amante..."

"Ahan", falo. Acabei de reparar como fiquei incomodada pelo fato de Rommel ter resolvido usar minha mochila como cama particular. Além disso, Grandmère teve todo o cuidado de colocar a máscara que ela usa para dormir em volta de um dos meus globos das Princesas Disney.

"E eu sei que não dei a ele atenção necessária e nunca o deixei pegar no meu peito, mas fala sério, ele não está pensando que *Tina* vai deixar, não é? Quer dizer, ela é totalmente o tipo de garota que vai exigir um pedido de casamento, no mínimo, antes de deixar que ele *olhe* embaixo da camiseta dela..."

Aaaah. De repente, esta conversa ficou bem interessante. "É mesmo? Boris nunca pegou no seu peito?"

"Bom, na verdade, nunca aconteceu", confidenciou Lilly, cheia de tristeza.

"E Jangbu?"

Silêncio do outro lado da linha. Mas era um silêncio carregado de *culpa*, dava para sentir.

Mesmo assim, é bom saber que ela e Boris nunca partiram para a ação peitoral frontal completa. Quer dizer, isso vai deixar Tina feliz... assim que eu conseguir terminar de falar com Lilly e ligar para ela, quero dizer.

Fico pensando se Michael vai pegar nos meus peitos amanhã à noite... afinal, vai ser a primeira vez que eu vou usar um vestido sem alças.

E TRATA-SE do baile de formatura...

Sábado, 10 de maio, 7h

É de pensar que uma PRINCESA conseguiria dormir na noite anterior ao seu primeiro BAILE DE FORMATURA.

AH, MAS É ÓBVIO QUE NÃO.

Em vez de acordar ao som dos passarinhos que cantam, igual às princesas dos livros, fui acordada pelo barulho de Rommel guinchando enquanto Fat Louie dava a maior surra nele por ele ter chegado perto da tigela de ração Fancy Feast dele.

Está sendo difícil sentir um mínimo que seja de pena do Rommel. Afinal, se não fosse pelo comportamento dele no meu aniversário, ele não estaria nesta situação.

Mas também é uma injustiça ficar achando que Rommel poderia ter agido de maneira diferente. Ele não PEDIU exatamente a Grandmère que o levasse ao meu jantar de aniversário. E agora está bem evidente para mim, depois de morar com ele durante vários dias, que Rommel, mais do que ninguém que eu conheço, sofre de síndrome de Asperger.

Ai, meu Deus. A confusão até agora não terminou...

Talvez se eu pegar meu vestido do baile de formatura e sair correndo de casa agora, eu ainda consiga chegar à casa da Tina e me arrumar para a Grande Noite na relativa privacidade da casa dela...

Ai, meu Deus. É isto aí. É exatamente o que eu vou fazer! Por que eu não pensei nisso antes? Acho péssimo deixar a minha mãe e o Sr. G sozinhos o dia inteiro com Grandmère, mas, fala sério, que outra escolha eu tenho? É o BAILE DE FORMATURA!!!!!!!!!!!!!!!!

Se algum dia já houve ocasião para ação de emergência, este dia é hoje.

Sábado, 10 de maio, 14h, na casa da Tina

Bom, foi exatamente o que eu fiz. Fugi da Casa dos Horrores.

Eu e Tina estamos a salvo, enfiadas no quarto dela, desobstruindo os poros com a ação do calor e máscaras de lama. Acabamos de fazer as unhas na Miz Nail, bem na esquina da rua dela (bom, só deram uma aparada nas minhas cutículas, porque na verdade eu não tenho unhas) e daqui a pouco o cabeleireiro da Sra. Hakim Baba vem arrumar nosso cabelo.

É *exatamente* assim que a gente deve passar o dia do baile de formatura: se embelezando, em vez de ficar ouvindo a mãe e a avó da gente discutindo sobre quem foi que tomou o último isotônico (parece que foi Grandmère, que gosta da bebida com um pouco de vodca).

Eu obviamente me sinto mal com o fato de a minha mãe não poder compartilhar comigo este dia tão importante na formação do meu desenvolvimento como mulher. No entanto, ela tem coisas mais importantes com que se preocupar. Tipo, a gestação. E os exercícios de respiração dela para não acabar matando Grandmère.

As informações a respeito das negociações da greve não são promissoras. Da última vez que ligamos a TV no New York One, o prefeito estava pedindo aos moradores de Nova York que começassem a fazer estoque de produtos como pão e leite, já que não ia mais ser possível pedir uma entrega de comida chinesa quando desse fome.

Fala sério, não sei o que o Sr. G, a minha mãe e Grandmère vão comer se o Number One Noodle Soon parar de entregar comida. É melhor eles terem sorte de conseguir comprar alguma comida pronta no mercado Jefferson...

Mas nada disso me preocupa. Não hoje. Porque hoje eu só vou me preocupar em ficar bonita para o baile de formatura.

Porque hoje sou igual a qualquer outra menina no dia do baile de formatura. Hoje, eu sou uma

PRINCESA DO BAILE DE FORMATURA!!!!!!!!

Sábado, 10 de maio, 20h, na limusine a caminho do baile de formatura

Ai, meu Deus. Estou tão animada que mal consigo me conter. Tina e eu estamos FABULOSAS, apesar de ser eu mesma quem está dizendo. Quando os garotos nos virem — nós vamos nos encontrar no baile de formatura, porque tiveram que chegar mais cedo para montar tudo —, eles vão ficar DE BOCA ABERTA.

Lógico que é uma chatice o fato de eu e Tina, em vez de termos ao nosso lado apenas bolsinhas bordadas adoráveis, termos que levar um par de guarda-costas. Fala sério. Ninguém nunca falou isso na edição do baile de formatura da revista *Seventeen*. Você sabe do que eu estou falando: "Como enfeitar o seu guarda-costas."

Você tinha que ter ouvido Lars e Wahim reclamando por ter que colocar smoking.

Mas daí eu lembrei que a Mademoiselle Klein vai estar lá e, até onde eu sei, ela ia usar um vestido com uma fenda do lado. Isso pareceu deixar os dois bem interessados, e eles nem reclamaram quando eu e Tina colocamos flores iguais na lapela dos dois. Eles estão tão fofos juntos... tipo a Paris e a Nicky Hilton. Menos o jeans de cintura baixa e o nariz operado e tal.

Mas eu não mencionei que o Sr. Wheeton também ia estar lá... e que, de fato, ele vai estar acompanhando a Mademoiselle Klein. De algum modo, achei que esta informação não seria muito bem recebida.

Ai, meu Deus, estou tão nervosa que estou SUANDO. Vou dizer uma coisa, ter 15 anos está se revelando a melhor idade DE TODAS. Quer dizer, eu já participei da minha primeira brincadeira de Sete Minutos no Paraíso. E vou ao primeiro baile de formatura da minha vida...

Sou mesmo a garota mais sortuda do mundo.

Ai, meu Deus. CHEGAMOS!!!!!!!!!!!

Sábado, 10 de maio, 21h, no mirante do Empire State Building

Nunca achei que ia dizer isso, mas Grandmère é tudo.

Fala sério. Estou TÃO feliz por ela ter levado Rommel ao meu jantar de aniversário, e por ele ter escapado, e por Jangbu Panasa ter tropeçado nele, e pelo Les Hautes Manger ter mandado ele embora, e por Lilly ter adotado a causa dele e ter causado uma greve generalizada do sindicato dos hotéis, dos restaurantes e dos carregadores.

Porque se nada disso tivesse acontecido, o baile de formatura não teria sido cancelada, e Lana e o resto do comitê do baile de formatura teriam feito a festa no Maxim's e não no terraço de observação do Empire State Building — o que foi totalmente providenciado por Grandmère, que é amiga do dono — e Michael teria continuado a se recusar a ir ao baile de formatura e tudo, então, em vez de estar aqui, sob as estrelas, com o meu vestido cor-de-rosa-da-cor-

-do-anel-de-noivado-da-Jennifer-Lopez que é maravilhoso, ouvindo a BANDA DO MEU NAMORADO, eu estaria presa em casa, mandando mensagens para os meus amigos.

Então, enquanto estou aqui olhando para as luzinhas brilhantes de Manhattan, só posso dizer uma coisa:

Obrigada, Grandmère. Obrigada por ser uma pessoa tão completamente esquisita. Porque, sem você, meu sonho de entrar no baile de formatura de braços dados com o meu verdadeiro amor nunca teria acontecido.

E tudo bem, é uma chatice a gente não poder dançar porque só tem música quando a Skinner Box está tocando.

Mas a banda fez um intervalo agora há pouco, e Michael veio trazer um copo de ponche para mim (limonada rosa com Sprite... Josh tentou colocar um pouco de bebida, mas Wahim o pegou no flagra e o ameaçou com o punho fechado) e fomos até os telescópios e ficamos lá abraçados, olhando para o rio Hudson, que serpenteava prateado sob o luar e...

Bom, não tenho muita certeza, mas acho que ele pegou no meu peito.

Não tenho certeza porque não sei se conta se o cara apalpa a gente POR CIMA do sutiã. Vou precisar perguntar para Tina, mas acho que a mão precisa mesmo ficar EMBAIXO do sutiã para contar.

Mas não tinha jeito de o Michael colocar a mão embaixo do MEU sutiã, porque eu estava usando um daqueles sem alça que são tão justos que parece que a gente colocou uma atadura em volta dos peitos.

Mas ele tentou. Acho que sim, de qualquer jeito.

Agora não há mais dúvidas. Sou uma mulher. Uma mulher em todos os sentidos da palavra.

Bom, quase. Eu provavelmente devia ir até o banheiro feminino e tirar esta porcaria de sutiã para que, se ele fizer de novo, eu possa de fato sentir alguma coisa...

Ai, meu Deus, o celular de alguém está tocando. Quanta falta de educação. E, ainda por cima, no meio de "Rock-Throwing Youths". É de pensar que as pessoas iam demonstrar algum respeito pela banda e desligar o...

Ai, meu Deus. É o MEU celular!!!!!!!!!!!!!!!!!!!!!!!

Domingo, 11 de maio, 1h, maternidade do hospital St. Vincent

Ai... meu... Deus.

Não dá para acreditar. Não dá mesmo. Hoje à noite, não só eu virei mulher (talvez), como também virei irmã mais velha.

É isso mesmo. À 0h01, horário da costa leste dos EUA, tornei-me a orgulhosa irmã mais velha de Rocky Thermopolis-Gianini.

Ele nasceu cinco semanas adiantado, então só pesava um quilo e 882 gramas. Mas Rocky, como bem diz seu nome (acho que a minha mãe estava cansada demais para continuar brigando por Sartre. Que bom. Sartre seria um nome horroroso. O garoto com certeza ia apanhar o tempo todo com um nome como Sartre), é um lutador, e vai ter que ficar mais tempo em uma "incubadora" para "ganhar peso e crescer". Tanto a mãe quanto o opressor com cromossomo Y, no entanto, vão ficar bem...

Mas acho que não se pode dizer a mesma coisa a respeito da avó postiça. Grandmère está jogada ao meu lado, exausta. Na verdade, parece que ela está meio dormindo, e está roncando um pouquinho. Graças a Deus não tem ninguém por aqui para ouvir. Bom, tirando o Sr. G, Lars, Hans, meu pai, nossa vizinha de porta Ronnie, nosso vizinho de baixo Verl, Michael, Lilly e eu, quer dizer.

Mas acho que Grandmère tem direito de ficar cansada. De acordo com o relato extremamente ressentido da minha mãe, se não tivesse sido por Grandmère, o pequeno Rocky poderia ter nascido bem ali no apartamento... e também sem nenhuma parteira prestativa para ajudar. E, tendo visto como ele saiu tão rápido, e tão adiantado, e precisou de oxigênio para os pulmões começarem a funcionar, poderia ter sido um desastre!

Mas como eu estava no baile de formatura e o Sr. G tinha descido para "comprar uns bilhetes de loteria na lojinha da esquina" (tradução: precisava sair dali por alguns minutos, porque não aguentava mais aquela discussão incessante), só Grandmère estava por perto quando a bolsa de mamãe se rompeu (graças a Deus que foi no banheiro, e não no sofá-cama. Ou então, onde é que eu ia dormir hoje à noite????).

"Agora, não", aparentemente, foi o que Grandmère ouviu minha mãe choramingando no banheiro. "Ai, meu Deus, agora, não! É cedo demais!"

Grandmère, achando que a minha mãe estava falando da greve, e que não queria que acabasse tão cedo porque isso significava que ela ficaria privada da agradável companhia da princesa viúva de Genovia, é óbvio que entrou de supetão no quarto dela para ver a que canal ela estava assistindo...

E daí descobriu que a minha mãe não estava, de jeito nenhum, falando de alguma coisa que tinha visto na TV.

Grandmère disse que nem pensou a respeito do que fez em seguida. Ela simplesmente saiu correndo do apartamento e gritando: "Um táxi! Um táxi! Alguém me arrume um táxi!"

Nem ouviu os gritos lamuriosos da minha mãe de: "Minha parteira! Não! Ligue para a minha parteira!"

Por sorte, nossa vizinha de porta, Ronnie, estava em casa — o que é muito raro em um sábado à noite, já que Ronnie é do tipo *femme fatale*. Mas ela estava se recuperando de um resfriado e tinha resolvido ficar em casa. Ela abriu a porta, colocou a cabeça para fora e falou assim: "Posso ajudá-la, senhora?"

Ao que minha avó aparentemente respondeu: "Helen está em trabalho de parto, e eu preciso de um táxi! E para você é Vossa Majestade Real, senhora!"

Enquanto Ronnie corria para a rua para chamar um táxi, Grandmère voltou para dentro do apartamento, pegou a minha mãe e anunciou: "Helen, estamos de saída."

Ao que minha mãe supostamente respondeu: "Mas o bebê não pode nascer agora! É cedo demais! Não deixa, Clarisse. Não deixa!"

"Eu posso comandar a Força Aérea Real de Genovia", parece que foi o que Grandmère respondeu. "E a Marinha Real de Genovia. Mas a única coisa no mundo sobre a qual eu não tenho controle, Helen, é o seu útero. Agora, vamos."

Toda essa atividade foi o bastante para acordar nosso vizinho de baixo, o Verl, lógico. Ele subiu correndo do apartamento dele, achando que a nave-mãe finalmente estava pousando... só para deparar com uma mãe de um tipo bem diferente tropeçando escada abaixo, na direção dele.

"Vou correndo ali na esquina chamar o Frank", Verl disse quando ficou sabendo o que estava acontecendo.

Então, quando Grandmère conseguiu fazer com que a minha mãe descesse *todas* as escadas de *todos* os três andares do prédio, Ronnie já tinha garantido um táxi e o Sr. G e Verl estavam correndo pela rua na direção delas...

Todos se apinharam dentro do táxi (apesar de haver uma regulamentação municipal que permite apenas cinco pessoas, incluindo o motorista, dentro de um táxi de cada vez — algo que o taxista aparentemente mencionou, mas ao que Grandmère respondeu: "Você sabe quem eu sou, meu jovem? Sou a princesa viúva de Genovia, a mulher responsável pela atual greve, e se você não fizer exatamente o que eu estou mandando, vou fazer com que VOCÊ também seja demitido!") e foram correndo para o hospital St. Vincent, que foi onde eu, Michael e Lars nos encontramos com eles (na sala de espera da maternidade — menos a minha mãe e o Sr. G, óbvio, que estavam na sala de parto) meia hora depois de me ligarem, esperando toda tensa para saber se a minha mãe e o bebê estavam bem.

Meu pai e Hans se juntaram a nós um pouco depois (eu liguei para ele) e Lilly apareceu um pouco depois dele (Tina aparentemente tinha ligado para ela do baile de formatura, se sentindo mal por causa dela, acho, que estava sozinha em casa) e nós nove (dez, contando o motorista de táxi, que ficou por lá pedindo que alguém pagasse pelo estrago que os saltos agulha da Ronnie tinham causado nos tapetinhos do carro dele, até que o meu pai jogou uma nota de cem dólares na direção dele e ele pegou e foi embora) ficamos lá olhando para o relógio — eu com meu vestido do baile de formatura cor-de-rosa, e Lars e Michael de smoking. Com certeza somos as pessoas mais bem-vestidas no hospital St. Vincent. Se eu tinha alguma unha antes, com certeza não sei. Foram duas horas MUITO tensas até que o médico finalmente apareceu e disse, com uma cara alegre: "É menino!"

Um menino! Um irmão! Vou reconhecer que fiquei, por um milésimo de segundo, um tantinho decepcionada. Eu queria tanto ter uma irmã! Uma irmã com quem eu pudesse compartilhar as coisas — tipo hoje à noite na festa de formatura, quando Michael provavelmente pegou no meu peito. Uma irmã para quem eu pudesse comprar aquelas plaquinhas bregas — você sabe, aquelas que dizem coisas do tipo: *Deus nos fez irmãs, mas a vida nos fez amigas.*

Uma irmã com quem eu pudesse brincar de casinha sem que ninguém me acusasse de ser infantil, porque, sabe como é, seriam as Barbies DELA, e eu estaria brincando com ELA.

Mas daí pensei em todas as coisas que eu podia fazer com um irmãozinho... Sabe como é, ter alguém pra ficar na fila para comprar ingressos para *Guerra nas estrelas*, uma coisa que nenhuma menina jamais seria idiota o bastante para fazer. Jogar pedras nos cisnes maldosos que ficam no gramado do palácio de Genovia. Roubar os gibis do *Homem-Aranha* dele. Moldá-lo para ser um namorado perfeito para alguma menina sortuda no futuro, igual naquela música da Liz Phair, "Whip-Smart".

E, de repente, a ideia de ter um irmão não pareceu tão horrível.

E daí o Sr. G saiu tropeçando da sala de parto, com lágrimas escorrendo pelas laterais do cavanhaque, balbuciando igual àqueles macacos do Discovery Channel sobre o "filho" dele e eu entendi... eu simplesmente entendi... que estava tudo certo e que estava tudo bem e que a minha mãe tinha tido um menino... um menino chamado Rocky — em homenagem a um homem que, se você pensar bem, amava e respeitava muito as mulheres ("ADRIAN!"). Eu, de algum modo, entendi que a minha mãe tinha sido escolhida para aquilo de uma maneira divina. Que, juntas, a minha mãe e eu criaríamos o menino que mais ia detonar, o mais não machista, adorador de Barbie e de Homem-Aranha, educado, divertido, atlético (sem ser burro), sensível (mas não choramingão), que pega no peito das meninas e que não deixa a tampa da privada levantada que já existiu sobre a face da Terra.

Em resumo, criaríamos o Rocky para ser...

Michael.

Então aqui eu juro, por todas as coisas que julgo sagradas — o Fat Louie, a Buffy e o bom povo de Genovia, nesta ordem —, que farei de tudo para que, quando Rocky tiver idade de ir à formatura do último ano dele, ele não vai achar que é uma bobeira.

Domingo, 11 de maio, 15h, em casa

Bom, é isso aí. A greve acabou oficialmente. Grandmère fez as malas e voltou para o Plaza.

Ela se ofereceu para ficar até Rocky voltar do hospital, para "ajudar" a minha mãe e o Sr. G até que eles se adaptem aos horários do bebê. O Sr. G tratou de se apressar e dizer bem rapidinho: "Hmm, muito obrigado pela oferta, Clarisse, mas não precisa."

Preciso dizer que acho muito bom. Grandmère só ia me atrapalhar na transformação de Rocky no garoto perfeito. Tipo dá super para ver que ela ia ficar falando para ele o tempo todo: "Quem é o meu meninão? Quem é o gostosinho da vovó?"

Fala sério. Olhando para ela, não dá para achar que ela ia dizer uma coisa dessas, mas quando ela viu o Rocky naquela pequena incubadora ontem à noite, foi exatamente esse tipo de coisa que ela começou a falar. Só que foi em francês. Revoltante.

Agora eu meio que sei por que o meu pai tem dificuldade em estabelecer relações duradouras com mulheres.

Mas, de qualquer jeito, os donos de restaurante finalmente aceitaram as exigências dos auxiliares de garçom. A partir de agora eles vão ter seguro-saúde, folgas remuneradas e férias. Bom, menos Jangbu, óbvio. Ele pegou o dinheiro que recebeu por contar a história de vida dele e voltou para o Nepal. Acho que a vida urbana não era muito a dele. Além disso, no Nepal, todo aquele dinheiro vai garantir estabilidade financeira para ele e toda a família durante a vida toda — isso sem falar em uma mansão palaciana. Aqui em Nova York, ele mal teria conseguido comprar uma quitinete em um bairro meio ruim.

Lilly parece estar superando sua decepção por não ter ido ao baile de formatura. Tina fez um relatório completo para ela: depois que Michael, sem cerimônia nenhuma, abandonou todo o resto da Skinner Box para ir comigo ao hospital, Boris assumiu a guitarra principal, apesar de nunca ter tocado guitarra na vida.

Mas é óbvio que, por ser um gênio musical, Boris consegue tocar qualquer instrumento que pegar nas mãos... menos, talvez, uma sanfona ou uma outra coisa assim. Tina diz que, depois que saímos, as coisas ficaram meio fora de controle quando Josh e alguns dos amigos dele começaram a se debruçar do lado do terraço de observação para ver o que conseguiam acertar lá embaixo com cuspe. Mas o Sr. Wheeton os pegou, e todos receberam suspensão. Parece que Lana começou a chorar e disse para Josh que ele tinha estragado a noite mais especial da vida dela, e que era assim que ela seria obrigada a se lembrar dele quando ele fosse para a faculdade no ano seguinte... cuspindo do alto do Empire State Building.

Que romântico.

Bom, quanto a mim, não tenho com que me preocupar: quando Michael for para a faculdade no outono...

↳ vai ser bem pertinho, na cidade mesmo, então a gente vai continuar a se ver o tempo todo. Ou pelo menos, vamos nos ver muito, e

↳ a lembrança que eu vou ter dele não vai ser cuspindo do alto do Empire State Building, mas sim dele virando para o meu pai na sala de espera da maternidade e dizer (depois de eu pedir ao meu pai, pela trilionésima vez, se agora que eu tinha um irmãozinho, será que eu não podia ficar em Nova York o verão todo, para conhecê-lo melhor, e o meu pai, pela trilionésima vez, respondeu que eu tinha assinado um contrato e precisava cumpri-lo): "Na verdade, senhor, legalmente, menores não podem assinar contratos, portanto, de acordo com as leis do estado de Nova York, o senhor não pode fazer com que a Mia cumpra as determinações de qualquer documento que tenha assinado, porque na ocasião ela tinha menos de 16 anos, e isso o invalida."

HURRA!!!!!!!!!!!!!!!!!! É ISSO AÍ!!!!!!!!!!!!!!!!!!!!

Você tinha que ter visto a cara do meu pai! Achei que ele ia ter um infarto ali mesmo. Ainda bem que já estávamos no hospital, caso ele tivesse um ataque. George Clooney poderia ter vindo correndo com um desfibrilador.

Mas ele não teve ataque nenhum. Em vez disso, meu pai só ficou olhando para Michael com a maior cara de bravo. Fico feliz de informar que Michael simplesmente devolveu o olhar. E daí meu pai disse, todo sombrio: "Bom... é o que veremos."

Mas dava para ver que ele sabia que tinha sido derrotado. Ai, meu Deus, é mesmo uma MARAVILHA ter um gênio como namorado. Realmente é.

Apesar de ele, sabe como é, não dominar a arte da remoção de sutiã sem alça. Ainda.

Então eu finalmente ocupei o meu quarto... e parece que vou ficar por aqui pelo menos boa parte do verão... e tenho um irmãozinho... e escrevi minha primeira reportagem de verdade para o jornal da escola E publicaram um poema meu... e *acho* que o meu namorado pegou no meu peito...

E eu consegui ir ao baile de formatura.

AO BAILE DE FORMATURA!!!!!!!!!!!!

Ai, meu Deus, estou autorrealizada.

De novo.

A Princesa em treinamento

*Para minha sobrinha,
Madison B. Cabot,
princesa em treinamento*

Agradecimentos

Muito obrigada a Beth Ader, Jennifer Brown, Barb Cabot, Laura Langlie, Abigail McAden e, especialmente, a Benjamin Egnatz.

"Ela será mais princesa do que jamais foi... 150 vezes mais."

A Princesinha
Frances Hodgson Burnett

EAE
Escola Albert Einstein

HORÁRIO DAS AULAS DO SEMESTRE

Aluno: Thermopolis, Sua Alteza Real Princesa Amelia Mignonette Grimaldi Renaldo

Sexo: F

Ano: Segundo do Ensino Médio

Período:	Disciplina:	Professor:	Sala nº:
Sala de estudos		Gianini	110
1º tempo	Educação Física	Potts	Ginásio
2º tempo	Geometria	Harding	202
3º tempo	Inglês	Martinez	112
4º tempo	Francês	Klein	118
Almoço			
5º tempo	Superdotados & Talentosos	Hill	105
6º tempo	Governo dos EUA	Holland	204
7º tempo	Ciências da Terra	Chu	217

EAE

Caros pais e alunos,

Bem-vindos à escola depois do que, espero, tenham sido férias de verão relaxantes, porém intelectualmente estimulantes. O corpo docente e os funcionários da EAE estão felizes por dar início a mais um ano emocionante e produtivo. Tendo isso em mente, gostaríamos de compartilhar os seguintes lembretes de conduta:

Barulho

Favor observar que a Escola Albert Einstein se localiza em um bairro residencial — ainda que vertical. É importante lembrar-se de que o ruído sobe, e que qualquer barulho excessivo — principalmente nos degraus da frente da escola — pode incomodar nossos vizinhos e não será tolerado. Isso inclui gritos, berros, gargalhadas esganiçadas ou explosivas, música e cantos/batuques ritualísticos. Favor respeitar nossos vizinhos e manter o nível de ruído ao mínimo.

Desfiguração

Apesar de isto com frequência ser mencionado como "tradição" do primeiro dia de aulas da Escola Albert Einstein, os alunos estão expressamente proibidos de desfigurar, decorar ou lançar mão de qualquer forma de alteração da estátua de leão, também chamada de "Joe", que fica na entrada da Escola Albert Einstein, na East 75th Street. Câmeras de vigilância 24 horas foram instaladas e todo aluno que for pego dilapidando de qualquer modo a propriedade da escola estará sujeito a expulsão e/ou multas.

Fumo

Foi trazido à atenção desta diretoria que, no ano passado, um grande número de guimbas de cigarro era varrido diariamente dos degraus da entrada na 75th Street. Além de o fumo ser estritamente proibido na área da escola, as guimbas de cigarro são desagradáveis ao olhar, além de representarem perigo como possíveis causadoras de incêndio. Favor observar que todo estudante que for pego fumando, seja por um funcionário ou pelo novo sistema de vigilância por câmera, estará sujeito a suspensão e/ou multas.

Uniformes

Favor observar que os uniformes deste ano da EAE incluem:

Alunas:	Alunos:
Blusa branca de manga curta ou comprida	Camisa branca de manga curta ou comprida
Suéter ou colete cinza	Suéter ou colete cinza
Saia de pregas xadrez azul e dourada ou calça social cinza de flanela	Calça social cinza de flanela
Meias azuis ou brancas até o joelho ou meias-calças azuis, pretas ou nude	Meias azuis ou pretas
Gravata xadrez azul e dourada	Gravata xadrez azul e dourada
Blazer azul-marinho	Blazer azul-marinho

Favor observar que o uso de calções — inclusive os shorts regulamentares de educação física ou os calções das equipes esportivas — por baixo da saia está proibido.

Lembrem-se de que as aulas começam no dia seguinte ao Labor Day, terça-feira, dia 8 de setembro, às 7h55. Como sempre, atrasos não serão tolerados.

    Bem-vindos mais uma vez!

DIRETORA GUPTA

Segunda, 7 de setembro, Labor Day

WomynRule: Você VIU??? Você recebeu aquele lixo hipócrita que ela mandou na semana passada? Quem ela acha que engana com aquilo? Está na cara que aquela parte dos cantos ritualísticos foi direcionada a MIM. Só porque eu organizei algumas manifestações estudantis no ano passado. Já que é assim, a gente vai mostrar para ela. Ela pode até achar que pode calar a voz do povo, mas o corpo estudantil da Escola Albert Einstein NÃO vai se intimidar.

FtLouie: Lilly, eu...

WomynRule: Você leu aquela parte das câmeras de vigilância???? Você já OUVIU alguma coisa mais fascista? Bom, ela pode instalar todas as câmeras de vigilância que quiser, mas isso não vai ME fazer parar. Esse é só mais um exemplo de como ela está transformando a escola, aos poucos, em sua própria ditadura acadêmica. Você sabe que usavam câmeras de vigilância na Rússia comunista para manter o proletariado na linha, não é? Fico aqui pensando o que ela vai aprontar depois disso. Quem sabe vai contratar uns ex-militares da KGB como inspetores? Eu não duvido mesmo. Isso é uma invasão total da nossa privacidade. É por isso que, neste ano, PDG, nós vamos resolver tudo por conta própria. Tenho um plano...

FtLouie: Lilly...

WomynRule: ... que vai acabar completamente com as tentativas dela de fazer com que deixemos de ter vontade própria e façamos tudo o que ela quiser. E o melhor de tudo é que esse plano respeita todos os regulamentos da escola. Quando terminarmos, Mia, ela nem vai saber o que a atingiu.

FtLouie: LILLY!!! Eu achei que o objetivo das mensagens era poder CONVERSAR.

WomynRule: Mas não é isso que a gente está fazendo?

FtLouie: VOCÊ está. Eu estou TENTANDO. Mas você fica me interrompendo.

WomynRule: Tudo bem. Pode falar. Sobre o que você quer conversar?

FtLouie: Agora eu não lembro mais. Você me fez esquecer. Ah, tem uma coisa: para de me chamar de PDG.

WomynRule: DESCULPA. Caramba. Sabe, desde que aquele seu irmãozinho nasceu, você ficou tão... sensível.

FtLouie: Dá licença? Eu SEMPRE fui sensível.

WomynRule: Pode falar de novo, BDB. Você não quer saber qual é o meu plano?

FtLouie: Acho que sim. Espera aí. O que é BDB?

WomynRule: Você sabe.

FtLouie: Não, não sei.

WomynRule: Sabe, sabe sim... babona de bebê.

FtLouie: PARA COM ISSO!!! EU NÃO SOU UMA BABONA DE BEBÊ!!!

WomynRule: É sim. Igualzinho àquela panda vermelha.

FtLouie: Só porque eu não achei apropriado minha mãe levar um recém-nascido de seis semanas a uma passeata pela paz na ponte do Brooklyn, isso não quer dizer que eu sou uma babona de bebê!!!! Podia ter acontecido QUALQUER COISA durante aquela passeata. QUALQUER COISA. Ela podia ter tropeçado sem querer e derrubado o bebê, e ele podia ter quicado na grade de segurança e caído dezenas de metros até o rio East e morrido afogado... Isso se a queda não tivesse esmigalhado todos os ossinhos dele antes disso. E mesmo que eu mergulhasse atrás dele, nós dois poderíamos ter sido arrastados pela correnteza até o mar... AH, MUITO OBRIGADA, LILLY!!! Por que você tinha que me lembrar disso?

WomynRule: Lembra do que o cuidador do zoológico teve de fazer com a panda vermelha?

FtLouie: CALA A BOCA!!!! NINGUÉM VAI LEVAR MEU IRMÃOZINHO EMBORA PORQUE EU SOU UMA BABONA!!! EU NUNCA BABEI EM CIMA DO ROCKY!!!!

WomynRule: É, mas precisa reconhecer que você é um pouco obsessivo-compulsiva em relação a ele.

FtLouie: Bom, ALGUÉM precisa se preocupar com ele! Quer dizer, entre a minha mãe, que quer arrastar o coitado para todos os tipos de locais inapropriados como passeatas contra a guerra — às vezes ela até o leva ao metrô, que, como você bem sabe, está infestado de germes —, e o Sr. G, que fica jogando o bebê para cima e fazendo a cabeça dele bater no ventilador de teto, sinceramente, acho que Rocky tem SORTE de ter uma irmã mais velha como eu, que cuida do bem-estar dele, já que só Deus sabe que ninguém mais na família faz isto.

WomynRule: Tanto faz... sua babona de bebê.

FtLouie: CALA A BOCA, LILLY. Conta logo o seu plano idiota.

WomynRule: Não, não quero mais contar. Acho que é melhor você não saber. Provavelmente é melhor que babonas de bebês como você, que se preocupam demais, não fiquem sabendo das coisas com muita antecedência, já que isto pode fazer com que você fique ainda mais babona.

FtLouie: Tudo bem. Eu não tenho tempo para ouvir o seu plano idiota mesmo. O seu irmão está no telefone. Preciso ir.

WomynRule: O QUÊ? Fala pra ele esperar. É IMPORTANTE, MIA!

FtLouie: Pode parecer uma surpresa para você, Lilly, mas falar com o seu irmão também é importante. Pelo menos para mim.

	Você sabe que só nos vimos duas vezes desde que eu voltei na sexta...
WomynRule:	Desculpe por ter chamado você de babona de bebê. Só espera um minuto para eu falar...
FtLouie:	E como no sábado foi o dia de mudança para o alojamento, nem conta, porque ele estava todo suado por carregar o frigobar escada acima depois que o elevador quebrou...
WomynRule:	MIA, VOCÊ ESTA PELO MENOS OUVINDO O QUE EU ESTOU DIZENDO?
FtLouie:	E os seus pais estavam lá, além do conselheiro residente dele. E então, no domingo, a gente saiu, mas eu ainda estava desacostumada com o fuso horário e, sem querer...
WomynRule:	EU...
FtLouie:	... eu caí no sono enquanto ele me mostrava o...
WomynRule:	VOU...
FtLouie:	... o baralho Magic novo dele, já que Maya jogou o outro que ele tinha fora...
WomynRule:	TE...
FtLouie:	... e ficou tudo misturado com as cartas que ele não usa mais...
WomynRule:	MATAR!
FtLouie:	log-off

Segunda, 7 de setembro, Labor Day, 22h, em casa

Mais um ano letivo. Eu sei que deveria estar animada. Eu sei que deveria estar vibrando com a perspectiva de ver meus amigos de novo depois de passar dois meses em solo estrangeiro.

E estou. *Estou* animada. Estou animada para ver Tina e Shameeka e Ling Su e até — não acredito que vou dizer isto — Boris.

É só que, bom, vai ser tudo tão DIFERENTE este ano, sem Michael para pegar a caminho da escola, para sentar comigo na hora do almoço e para dar uma passada na sala antes da aula de álgebra… Oba! Também não vai ter álgebra este ano! Geometria! Ai, meu Deus. Bom, vou deixar para pensar sobre este assunto mais tarde. Mas o Sr. Gianini (FRANK, PRECISO ME LEMBRAR DE QUE DEVO CHAMÁ-LO DE FRANK) diz que quem se dá mal em álgebra sempre se dá superbem em geometria. Por favor, por favor, que seja verdade.

E, tudo bem, até parece que Michael e eu ficávamos nos agarrando na frente do meu armário ou qualquer coisa assim, tanto pela falta de entusiasmo dele por demonstrações públicas de afeto quanto pela existência do meu guarda-costas e tal.

Mas, pelo menos, como sempre havia a chance de esbarrar com Michael no corredor a qualquer momento, eu tinha alguma coisa *boa* me esperando na escola.

E agora, como Michael se formou, não tem *nada* de bom na escola. *Nada*.

Só posso esperar que chegue o fim de semana.

Mas quanto tempo será que Michael vai ter para passar comigo no fim de semana? Porque agora que ele está na faculdade, tem tanta coisa pra fazer que não vai ter como a gente se ver à noite durante a semana — não que, com obrigações de princesa e dever de casa eu fosse ter tempo para isso. Mas mesmo assim. Parece que…

Caramba, qual é o PROBLEMA da minha mãe? Rocky está lá chorando faz o quê? QUINZE MINUTOS? E ela não faz NADA. Fui até a sala e lá estava ela com o Sr. G, sentada no sofá assistindo a *Law & Order*, e eu fiquei, tipo: "Acorda, o seu filho está chamando", e minha mãe, sem nem tirar os olhos da TV, respondeu: "Ele só quer chamar a atenção. Daqui a um minuto ele se acalma e dorme."

Mas que tipo de compaixão maternal é ESSA? Lilly pode me chamar de babona de bebê o quanto quiser, mas será que é mesmo surpreendente eu ser desajustada do jeito que sou se este é um exemplo de como a minha mãe me tratava quando *eu* era bebê?

Então eu entrei no quarto todo amarelão do Rocky e cantei uma das músicas preferidas dele — "Behind Every Good Woman", da Tracy Bonham — e ele logo se acalmou.

Mas por acaso alguém me agradeceu? Não! Eu saí do quarto dele e minha mãe até olhou para mim (só porque estava no intervalo) e falou, toda sarcástica: "Obrigada, Mia. A gente está tentando fazer com que ele entenda que quando o deitamos no berço, ele tem que dormir. Agora ele vai ficar achando que é só chorar que alguém vai lá cantar uma música para ele. Eu tinha conseguido acabar com isso enquanto você estava em Genovia no verão, e agora vamos ter de começar tudo de novo."

Bom, PARA TUDO! Posso ser uma babona de bebê, mas será que é mesmo um crime tão grave ter compaixão pelo meu único irmão? CARAMBA!

Vamos ver. Onde eu estava mesmo?

Ah, sim. Na escola. Sem Michael.

Fala sério: para que serve isso tudo? Quer dizer, é, eu sei que a gente tem de ir à escola para aprender coisas e tal. Mas aprender coisas era bem mais divertido quando eu tinha a oportunidade de ver Michael perto do bebedouro ou qualquer coisa assim. E agora eu não tenho absolutamente nada desse tipo me esperando até que chegue sábado e domingo. Não estou dizendo que não vale a pena viver sem Michael, nem nada disso. Mas tenho de confessar que, quando ele está por perto, ou quando existe pelo menos uma CHANCE de que esteja, TUDO fica muito mais interessante.

O único ponto positivo do que parece ser um ano letivo totalmente desprovido de coisas interessantes é a aula de inglês. Porque nossa professora, a Srta. Martinez, parece de fato ser uma entusiasta da matéria. Pelo menos este recado que ela mandou para todos nós no mês passado faz a gente pensar assim:

EAE

**Carta aos alunos da turma de inglês
da Srta. Martinez do segundo ano do ensino médio:**

Olá!

Espero que vocês não se importem de receber um recado meu antes de o novo ano letivo começar, mas como sou a mais nova professora na equipe da EAE, eu queria me apresentar, além de ter a oportunidade de conhecê-los.

Meu nome é Karen Martinez, e obtive o mestrado em Literatura Inglesa pela Universidade de Yale no primeiro semestre deste ano. Entre meus hobbies estão andar de patins, praticar *tae bo*, visitar todos os lugares maravilhosos de Nova York e ler (é lógico!) clássicos da literatura, como *Orgulho e preconceito*.

Espero conhecer melhor cada um de vocês este ano e, para me ajudar nessa tarefa, peço que todos os meus alunos tragam à primeira aula uma pequena biografia por escrito, além de uma pequena redação (com no máximo 500 palavras) a respeito do que vocês aprenderam durante as férias de verão. Como vocês sabem, as lições de vida não tiram férias durante os meses de verão!

Sinto muito por já estar passando dever de casa antes mesmo de as aulas começarem, mas garanto que isso vai me ajudar a transformá-los em excelentes escritores!

Muito obrigada, e aproveitem o resto do verão!

Com meus sinceros cumprimentos,

K. Martinez

Com toda a certeza a Srta. Martinez é extremamente dedicada a seu trabalho. Já estava na hora de a EAE arrumar uns professores que se importem de fato com os alunos — tirando o Sr. G, é claro.

Quer dizer, Frank.

Estou especialmente animada porque a Srta. Martinez é a nova conselheira do jornal da escola, de cuja equipe faço parte. Só de ver como eu e a Srta. Martinez temos coisas em comum — eu gostei muito de *Orgulho e preconceito*, principalmente da versão com o Colin Firth, e tentei andar de patins uma vez —, acho que vou me beneficiar muito dos ensinamentos dela. Quer dizer, pelo fato de eu ser aspirante a escritora e tal, é muito importante que meu talento seja moldado de maneira adequada, e eu tenho certeza de que a Srta. Martinez vai ser o Sr. Miyagi do meu *Karatê Kid* — no sentido da escrita. Não no sentido do caratê, é óbvio.

Mesmo assim, é difícil saber o que escrever na minha biografia, isso sem falar na redação sobre o que eu aprendi neste verão. Tipo, o que eu vou escrever? "Oi, meu nome é Sua Alteza Real Princesa Amelia Mignonette Grimaldi Thermopolis Renaldo. Você já deve ter ouvido falar de mim, pois já fizeram dois filmes baseados na minha vida."

Mas, para falar a verdade, esses dois filmes aí tomaram muitas liberdades em relação aos fatos. Já foi bem ruim no primeiro, quando disseram que meu pai tinha morrido e fizeram Grandmère superlegal e tal. Depois, no último, eu terminava com Michael! Até parece que *isto* vai acontecer. Foi uma projeção totalmente a cargo do estúdio de produção, eu acho, para deixar a história mais animada ou alguma coisa assim. Como se a minha vida não fosse animada o bastante sem a ajuda de Hollywood.

Se bem que até tenho muita coisa a ver com aquele tal de Aragorn de *O senhor dos anéis — O retorno do rei*. Quer dizer, jogaram o manto da soberania em cima de nós dois. Eu gostaria muito mais de ser uma pessoa normal do que ser a herdeira de um trono. E meio que achei que Aragorn sentia a mesma coisa.

Não que eu não ame a terra que um dia governarei. É que acho muito chato mesmo ter de passar a maior parte do verão com meu pai e minha avó quando GOSTARIA de passá-lo com o meu irmãozinho bebê, isso sem falar no meu NAMORADO, que vai para a FACULDADE no outono.

Não que, sabe, Michael vá se MUDAR para ir para a faculdade nem nada; ele vai estudar na Columbia, que fica aqui mesmo em Manhattan, apesar de ser bem ao norte, muito mais ao norte do que eu costumo ir (tirando aquela vez que fomos no restaurante Sylvia's para comer frango frito e waffles).

Bem, escrevi a biografia a seguir para a Srta. Martinez enquanto ainda estava em Genovia, na semana passada. Espero que, quando ela ler, sinta na minha prosa a alma de uma colega amante da escrita:

Do Gabinete da
Princesa Amelia Renaldo

MINHA BIOGRAFIA,
por Mia Thermopolis

Meu nome é Mia Thermopolis. Tenho 15 anos, sou taurina, herdeira do trono do principado de Genovia (população de 50 mil habitantes) e meus passatempos incluem ter aulas de princesa com a minha avó; assistir à TV; comer fora (ou pedir comida em casa); ler; trabalhar no jornal da EAE, *O Átomo*; e escrever poesia. Minha aspiração profissional futura é ser escritora e/ou treinadora de cães de salvamento (tipo, quando tem um terremoto, para ajudar a encontrar as pessoas embaixo dos destroços).

No entanto, parece que eu vou ter de me contentar em ser Princesa de Genovia (PDG).

Essa foi a parte fácil, mesmo. A parte difícil foi decidir o que escrever a respeito do que aprendi nas férias de verão. Quer dizer, o que eu aprendi DE VERDADE? Passei a maior parte do mês de junho ajudando minha mãe e o Sr. G a se adaptarem a ter um bebezinho em casa — o que foi uma transição muito difícil para eles, já que durante muitos anos todos os moradores da nossa residência foram inteiramente bípedes (sem contar o meu gato, Fat Louie). A introdução de um membro da família que — talvez durante um ano ou mais — vai se locomover na maior parte do tempo engatinhando fez eu tomar enorme consciência de que o ambiente em que vivemos é completamente perigoso para bebês, mas parece que minha mãe e o Sr. G não se incomodaram muito com isso.

E foi por isso que precisei pedir ao Michael para me ajudar a instalar tampas de segurança em todas as tomadas, e travas de segurança para bebês em todas as gavetas baixas dos armários — uma coisa de que minha mãe não gostou muito, porque agora ela tem dificuldade para pegar o secador de salada.

Mas um dia ela ainda vai me agradecer, quando perceber que é só por minha causa que Rocky não se meteu em nenhuma espécie de acidente destruidor com secadores de salada.

Quando não estávamos ocupados fazendo do apartamento um lugar seguro para bebês, Michael e eu não fazíamos muita coisa. Quer dizer, tem muita coisa para um casal profundamente apaixonado fazer em Nova York durante o verão: andar de barco no lago do Central Park, passear de carruagem pela Quinta Avenida, visitar museus e apreciar lindas obras de arte, ir à ópera a céu aberto, jantar em cafés com mesinhas do lado de fora em Little Italy etc.

No entanto, todas essas coisas podem sair bem caras (a menos que a gente aproveite as taxas de estudantes), menos aquela coisa da ópera no parque, que é de graça, mas a gente precisa chegar lá tipo às oito da manhã para pegar lugar, e tem um monte de gente que gosta de ópera que é muito ligada nessa coisa de território e começa a gritar com você se o seu cobertor encostar no delas sem querer. E, além disso, todo mundo nas óperas sempre morre, e eu detesto isso tanto quanto detesto o negócio do cobertor.

E, apesar de eu ser uma princesa de verdade, ainda assim sou muito limitada no departamento financeiro, porque meu pai me dá uma mesada absurda de tão pouca (vinte dólares por semana), na esperança de que eu não me transforme em uma baladeira (tipo umas *influenciadoras* que eu poderia mencionar) se não tiver renda suficiente para gastar em coisas como minissaias de borracha e heroína.

E, apesar de Michael ter conseguido um emprego de verão na loja da Apple, no Soho, ele está economizando todo o dinheiro que tem para comprar uma cópia do Logic Platinum, um programa de música para computador para que possa continuar a compor, apesar de a banda dele, a Skinner Box, estar vivendo um hiato devido ao fato de seus membros terem se espalhado por todo o país para frequentar faculdades e clínicas de recuperação. Ele também quer um Cinema HD, um monitor de tela plana de 23 polegadas para usar com o Power Mac G5 que ele também espera comprar, e pode conseguir tudo isso com o desconto de funcionário, mas todas essas coisas juntas vão custar o mesmo que um único patinete motorizado da Segway, que eu ando pedindo para o meu pai já faz um tempo, mas sem resultado.

Além disso, não é muito divertido passear pelo Central Park com o seu namorado e O SEU GUARDA-COSTAS.

Então, na maior parte do tempo, quando não estávamos em casa instalando proteções para bebê, passamos o mês de junho na casa do Michael, já que assim Lars podia ficar assistindo à ESPN ou conversando com os Drs. Moscovitz — quando não estavam com pacientes ou na casa de campo deles em Albany —, enquanto Michael e eu nos concentrávamos no que era realmente importante: ficar nos agarrando e jogar o máximo de Rebel Strike que fosse humanamente possível antes de sermos cruelmente separados pelo meu pai no dia 1º de julho (que pelo menos já foi um avanço em relação à PPG — partida para a Genovia — no dia 1º de junho, a que ele tentou me forçar inicialmente).

Infelizmente, aquele dia sombrio chegou rápido demais, e eu fui forçada a passar os últimos meses de verão em Genovia, onde salvei a baía (pelo menos se tudo ocorrer conforme o planejado) de ser tomada por algas assassinas que foram jogadas no mar Mediterrâneo pelo Museu & Aquário Oceanográfico do principado vizinho, Mônaco (apesar de eles negarem. Assim como negam que a Princesa Stephanie estava dirigindo o carro quando ela e a mãe caíram no penhasco. Tanto faz.).

E este foi o assunto sobre o qual eu resolvi escrever. Para a Srta. Martinez, quer dizer. Sabe como é, a respeito de como eu ordenei (e encarreguei ao gabinete do Ministério da Defesa de Genovia), bem sorrateira, que liberassem dez mil lesmas marinhas *Aplysia depilans* na baía de Genovia, depois de ler na internet que elas são o único inimigo natural da alga assassina.

Sinceramente não sei por que todo mundo ficou tão bravo por causa disso. As algas estavam acabando com a vegetação marinha que sustenta centenas de espécies naquela baía! E aquelas lesmas são tão tóxicas quanto as algas, então até parece que alguma coisa vai se alimentar delas e causar desequilíbrio na cadeia alimentar. Elas vão morrer naturalmente assim que sua fonte de nutrientes — as algas — tiverem desaparecido. E daí a baía vai voltar ao normal. Então qual é o problema?

Fala sério, parece que eles não acham que eu pensei em tudo isso antes de tomar uma atitude. Parece até que as pessoas não percebem que eu não sou uma adolescente normal, que só se preocupa com festas e *Jackass*, mas que de fato sou Superdotada & Talentosa. Bom, mais ou menos.

Mas deixei de fora da redação a parte sobre como todo mundo ficou furioso com as lesmas. Mesmo assim, estou certa de que a Srta. Martinez vai ficar impressionada. Quer dizer, usei muitas alusões literárias e tal. Quem sabe, com o apoio dela, eu até consiga escrever algo além do cardápio da cantina no jornal da escola este ano! Ou comece a escrever um romance e consiga que seja publicado, igual àquela menina sobre quem li no jornal, que escreveu aquele livro contundente dedurando tudo que os colegas dela faziam na escola, e daí ninguém mais quis falar com ela e ela precisou estudar pela internet ou alguma coisa assim.

Bom, para falar a verdade, acho que eu não ia gostar muito disso, não.

Mas eu não ia me importar nem um pouco se nunca mais tivesse de escrever sobre petiscos de frango.

Ah, não, Lilly está me mandando mensagem de novo. Será que ela não se liga que já passa das onze? Preciso dormir para ficar bem bonita para...

Dãh. Eu ia dizer para Michael. Mas a gente nem vai se encontrar na escola amanhã.

Então por que eu precisaria me preocupar com a minha aparência?

FtLouie: O que você quer?

WomynRule: Meu Deus, mas que sensibilidade! Você já terminou de falar com o meu irmão?

FtLouie: Terminei.

WomynRule: Vocês dois me deixam enjoada. Você sabe disso, né?

Coitada da Lilly. Ela e Boris ficaram juntos tanto tempo que ela ainda não se acostumou a não ter um namorado que liga para dar boa-noite. Não que Michael estivesse indo para a cama quando ligou, mas ele sabia que eu estava. Michael não precisa dormir cedo porque, apesar de estar fazendo créditos de 18 horas neste semestre — para que possa se formar em três anos em vez de quatro e poder tirar um ano de folga antes de começar a pós-graduação e eu começar a faculdade, para podermos trabalhar juntos no Greenpeace salvando as baleias —, ele escolheu de propósito só aulas que começam às dez para poder dormir até mais tarde.

É preciso admirar um homem que tem capacidade de fazer planos assim com tanta antecedência. Eu mal consigo imaginar o que vou comer no almoço todo dia, então isso me impressiona muito.

Mas Michael é um excelente planejador. Ele só teria demorado meia hora para se mudar para o alojamento da Columbia no fim de semana (se os elevadores não tivessem quebrado), porque tudo já estava totalmente organizado. Eu fui com a família dele para ajudar, e para ver como era o quarto dele, e para, sabe, encontrar com ele pela primeira vez desde que eu tinha voltado de Genovia. Não sei quanto a Columbia cobra pelo alojamento estudantil, mas não fiquei muito impressionada. O quarto de Michael fica em um prédio cinzento e dá vista para um poço de ventilação.

Não que Michael se importe. Ele só estava preocupado em ver se tinha tomadas suficientes para a internet e o telefone. Nem olhou no banheiro para ver se tinha uma daquelas cortinas fedidas de vinil, ou então uma de borracha ainda mais fedida (eu olhei para ele: borracha. Eca.).

Os meninos são mesmo muito esquisitos.

Eu não conheci o colega de quarto dele porque ele ainda não tinha se mudado, mas o aviso na porta dizia que o nome dele era Doo Pak Sun. Espero que o Doo Pak seja legal e não seja alérgico a pelo de gato nem nada. Porque eu pretendo passar MUITO TEMPO no quarto deles.

Mesmo assim, fico com pena da Lilly, por ela não ter um amor de verdade e tal, então achei que eu poderia tentar animá-la.

FtLouie: Mas deve ser legal ter o apartamento inteiro só para você agora. Quer dizer, não foi isso que você sempre quis? Que Michael não estivesse aí para beber todo o suco de laranja e comer a caixa inteira de cereal?

WomynRule: Sei lá! De repente eu preciso fazer todas as MINHAS tarefas em casa, MAIS as do Michael. E quem você acha que vai ter que cuidar do Pavlov agora?

FtLouie: Até parece que o Michael não está te pagando.

WomynRule: Só vinte dólares por semana. Acorda, eu fiz as contas, e vi que isso dá só um dólar para cada coleta de cocô.

FtLouie: ESTA É UMA INFORMAÇÃO DE QUE EU NÃO PRECISO!!!!!!!!!!!!

WomynRule: Tanto faz. Aposto que você ADORA tirar o cocô do Fat Louie com uma pazinha.

FtLouie: O cocozinho do Fat Louie é uma graça, igualzinho a ele. O do Rocky também.

WomynRule: Hmm, e agora, quem é que está dando informação demais, hein, babona de bebê?

FtLouie: Prefiro ignorar este comentário. Ei, você acha que aquela parte da carta da diretora Gupta sobre a proibição de usar short por baixo da saia é porque Lana sempre usava o calção do uniforme de lacrosse de Josh por baixo da saia no ano passado? Sabe como é, só para mostrar que Josh era propriedade dela?

WomynRule: Não sei e não me importa. Olha, sobre amanhã...

FtLouie: O quê?

WomynRule: Nada, nada. Durma bem.

FtLouie: ??????????????

WomynRule: log-off

Fala sério. Já dá para ver que este ano na escola não vai ser nada fácil, não mesmo.

Terça, 8 de setembro, Sala de Estudos

AI, MEU DEUS.
Então, eu estava achando que ia ser deprimente voltar para cá. Quer dizer, porque a escola é mesmo a maior chatice de todas, mas sem Michael, vai ser uma chatice INFINITA.

E FOI meio triste parar o carro na frente do prédio da Lilly hoje de manhã e não ver Michael lá esperando por mim, com o pescoço todo cor-de-rosa por ter acabado de fazer a barba. Em vez disso, só Lilly estava lá, sem maquiagem, com dez mil presilhas no cabelo e óculos em vez de lentes de contato. Porque agora que Lilly perdeu seu verdadeiro amor, ela nem se preocupa em se arrumar um pouco. Grandmère ficaria PASSADA.

E, se liga, eu tenho menos motivo ainda do que Lilly para me arrumar, mas pelo menos lavei o cabelo hoje de manhã. Quer dizer, eu ainda *tenho* namorado, só que agora ele estuda em outro lugar. Lilly é quem ainda precisa conhecer o homem da vida dela.

Que vai sair correndo dela do mesmo jeito que todo mundo fugiu do último disco da Britney se ela não TENTAR pelo menos se cuidar um pouquinho mais.

Mas eu não falei isso para ela, porque não é o tipo de coisa que alguém esteja a fim de escutar logo pela manhã.

Além disso, como Lilly colocou, a primeira aula que temos é educação física. Por que tomar banho ANTES da educação física se vai ter de tomar banho logo depois?

O que é um bom motivo.

Só que eu fico achando que Lilly se arrependeu de ter resolvido não tomar banho pré-educação física, porque, quando descemos da limusine na frente da escola, lá estava Tina Hakim Baba descendo da limusine DELA. E Tina ficou toda tipo: "Ai, meu Deus! Como é bom ver vocês!", toda cuidadosa para não falar nada sobre os óculos nem sobre o cabelo da Lilly, e estávamos lá nos abraçando quando um cara veio andando e no começo eu fiquei toda tipo,

Uau, que carinha gato, porque apesar de eu já estar comprometida, não estou MORTA, sabe como é, e ele era tão grande e alto e loiro e tudo...

... até que ele esticou o braço e pegou na mão da Tina e eu percebi que era BORIS PELKOWSKI!!!!!!!!!!!!!!!

BORIS PELKOWSKI FICOU GOSTOSO DEPOIS DO VERÃO!!!!!!!

Eu sei que parece totalmente impossível, mas não tem mesmo nenhum outro jeito de dizer. Tina disse que o professor de violino do Boris disse para ele que teria mais ânimo e tocaria melhor se começasse a levantar peso, e então foi o que ele fez, e ele deve ter ganhado, tipo, uns 15 quilos de músculos puros e legítimos.

Além do mais, ele fez cirurgia a laser para corrigir a miopia e não ter de ficar ajeitando os óculos enquanto toca. Fora isso, também se livrou do aparelho móvel e deve ter crescido, tipo, uns cinco centímetros ou talvez mais, porque agora ele está do tamanho do Lars e os ombros dele também estão quase tão largos quanto os do meu guarda-costas.

E mais, o cabelo dele está com uns reflexos loiros — Tina disse que é por causa do sol nos Hamptons.

Fala sério, parece que ele passou por uma "transformação" daqueles caras do *Queer Eye* ou algo assim.

Só que se esqueceram de falar para ele parar de enfiar o suéter para dentro das calças. Foi a única coisa que me fez reconhecê-lo. Bom, isso e o fato de ele continuar respirando pela boca. Fala sério, eu estava toda: "Oi, quem é... BORIS?"

Mas a MINHA surpresa não foi NADA comparada com a da LILLY! Ela ficou olhando para ele, tipo, durante um minuto inteiro até que ele falou assim: "Ah, oi para vocês" — até a VOZ dele mudou. Agora está meio que mais grossa, tipo a daquele garoto que faz o papel do Harry Potter no filme.

Quando Lilly ouviu, ela se virou e o reconheceu, e meio que ficou com a cara murcha...

... e simplesmente se dirigiu para a escola sem dizer uma única palavra.

Mas depois, quando eu a vi no banheiro logo antes de o sinal tocar, ela tinha passado um pouco de brilho e colocado as lentes e tirado algumas das fivelas.

E assim que Lilly saiu, eu agarrei Tina e fiquei tipo assim: "MEU DEUS, O QUE VOCÊ FEZ COM BORIS????", mas em um cochicho no ouvido dela, porque eu não queria que Boris escutasse.

Mas Tina jura que não teve nada a ver com isso. Além do mais, disse para não falar sobre o assunto com Boris, porque ele ainda não percebeu, não mesmo, que está gostoso. Tina está tentando impedir que ele descubra sua recém-adquirida gostosura porque tem medo de que a largue e troque por alguma menina magra.

Só que Boris nunca faria nada desse tipo, porque dá para ver o brilho do amor por Tina nos olhos dele toda vez que se vira para ela. Principalmente agora que ele não usa mais aquelas lentes grossas.

Caramba! Quem poderia adivinhar que uma pessoa pode ser capaz de se transformar tão completamente em alguns poucos meses?

Mas, pensando bem, Tina pode ter razão porque, como os formandos do ano passado não estão mais aí, tem UM MONTE de meninas totalmente lindas sem namorado agora. Tipo Lana Weinberger. Não que eu ache que Boris ALGUM DIA fosse ficar a fim da Lana, mas eu vi direitinho quando ela fez aquele sinal com o dedinho do tipo *Ei! Vem aqui* quando estava no bebedouro, antes de perceber quem ele era e, em vez de estar chamando Boris, fingiu que estava enfiando o dedo na garganta para vomitar por ter visto ele ali.

Então, acho que ALGUMAS pessoas não mudaram durante o verão.

Shameeka disse que ouviu dizer que Lana e Josh estão totalmente separados. Parece que o amor deles não conseguiu sobreviver ao teste da distância, já que Lana passou o verão na casa de praia da família dela no East Hampton e Josh ficou em Southamptom, e os seis quilômetros entre eles foi demais, principalmente porque ele ia estudar em Yale no outono e os biquínis fio-dental fizeram muito sucesso em Long Island neste verão.

Sinto muito. Seis quilômetros não é nada. Imagine SEIS MIL. Esta é a distância de Genovia a Nova York, e Michael e eu, mesmo assim, conseguimos superar o verão.

Coitada, coitada da Lana. Tenho tanta pena dela... DE JEITO NENHUM. Pela primeira vez na vida, eu tenho namorado e Lana não tem. Não é digno de uma princesa ficar toda feliz com a desgraça dos outros, mas... BEM FEITO!

Outro ponto positivo de Josh não estar mais aqui é que agora eu posso DE FATO mexer no meu armário, porque no ano passado ele e Lana ficavam o tempo todo se agarrando na frente dele com a língua enfiada na boca um do outro.

Mas preciso dizer que o cara que ficou com o armário do Josh é bem bonitinho. Deve ser estudante de intercâmbio, porque eu nunca o vi antes. Mas não deve ser calouro porque dá para ver que já faz a barba. Às oito da manhã. Além disso, quando disse: "Desculpe", depois de derrubar um pouco do seu café com leite grande na minha bota enquanto tentava enfiar uma sacola de ginástica no armário, tinha um sotaque totalmente sul-americano, tipo o daquele cara com que Audrey Hepburn ia fugir naquele filme *Bonequinha de luxo* antes de recobrar a razão (ou perder a cabeça, na opinião de Grandmère).

Mas que CHATICE ficar aqui sentada ouvindo um aviso atrás do outro. Hoje à tarde vai ter uma assembleia, então o sétimo tempo vai ser mais curto. E daí? O Sr. G (FRANK. FRANK.) parece tão cansado quanto eu. Juro, eu amo Rocky com cada fibra do meu ser — quase tanto quanto eu amo Fat Louie —, mas que pulmões tem aquela criança! Fala sério, ele NÃO vai parar de berrar a menos que alguém cante para ele.

O que é bom quando a gente está acordada, porque desde que eu assisti a *Crossroads — Amigas para sempre*, fiquei meio preocupada, sabe como é, sobre o que eu vou cantar se algum dia tiver de participar de um karaokê para pagar o hotel em uma viagem, então a obsessão que Rocky tem por música apresenta boas oportunidades de treino. Acho que estou ficando boa em "Milkshake", e agora estou trabalhando em "Man! I Feel Like a Woman", da Shania Twain.

Mas quando ele começa com a choradeira no meio da noite... nossa. Eu o amo, mas mesmo eu, a babona de bebê — e é uma TREMENDA sacanagem da Lilly me chamar assim, porque eu NÃO fiz todo o pelo do Rocky cair com tanta baba como aquela panda vermelha do *Animal Planet* fez com o filhote dela —, só tenho vontade de colocar um travesseiro em cima da cabeça e ignorar.

Só que não dá. Porque todo mundo em casa faz exatamente isso. Por causa da teoria da minha mãe de que ele está ficando mimado por eu o pegar no colo e cantar para ele toda vez que chora.

Mas minha teoria é de que ele não ficaria chorando se não tivesse alguma coisa errada. Tipo, e se o cobertor dele se enroscou em volta do pescoço e ele está se SUFOCANDO???? Se ninguém for dar uma olhada, ele pode estar MORTO pela manhã.

Então eu tenho de me arrastar para fora da cama e cantar a música mais rápida que eu conheço para ele — "Yes U Can", da Jewel — e assim que ele volta a dormir, eu volto para o meu quarto e tento cair no sono antes que ele comece de novo...

AAAAH! Meu celular acabou de tocar! É uma mensagem do Michael!

BOA SORTE HOJE. COM AMOR, M

Ele acordou cedo só para me desejar boa sorte!!! Será que EXISTE um namorado melhor do que ele?

Terça, 8 de setembro, Educação Física

Eu entendo que a obesidade é epidêmica nos Estados Unidos e tal. Sei que o norte-americano médio tem em média cinco quilos a mais do que deveria ter de acordo com seu índice de massa corporal, e que todos precisamos caminhar mais e comer menos.

Mas, fala sério, será que esta é uma desculpa boa o bastante para obrigar adolescentes a TROCAR DE ROUPA, sem falar em TOMAR BANHO, umas na frente das outras? Acho que não.

Tipo, até parece que já não basta ter de FAZER educação física. E como se não bastasse, ainda tem de ser A PRIMEIRA COISA QUE EU FAÇO DE MANHÃ. E, além disso, eu tenho de FICAR PELADA NA FRENTE DE PESSOAS PRATICAMENTE DESCONHECIDAS.

Só pra completar, eu também tenho de fazer isso na frente da *Miss* Lana Weinberger. Que por acaso também faz educação física no primeiro tempo.

E que tomou a liberdade de comentar, na frente de todo mundo, enquanto estávamos vestindo o uniforme de educação física pouco antes da aula, que "gostou muito" da minha calcinha da rainha Amidala — que eu só usei para ter sorte no primeiro dia de volta às aulas, apesar de parecer que ela não funciona mais —, em um tom sugerindo que ela não tinha gostado nadinha do figurino.

E daí ela quis saber se a Genovia estava passando por uma crise econômica, já que a realeza do país parecia comprar roupa em lojas de departamento. Como se todas nós tivéssemos dinheiro para só comprar calcinha na Agent Provocateur, como a Lana e a Britney Spears!

Eu odeio essa garota.

Lilly disse para eu não me preocupar com isso. Que Lana logo "vai receber o que merece".

Seja lá o que isso quer dizer.

Terça, 8 de setembro, Inglês

M — Nossa, mas ela não podia ser mais linda! — Tina

É verdade! Quando foi a última vez que tivemos uma professora que não usava calças de veludo cotelê?

Com certeza! E o cabelo dela! Aquela viradinha que ele faz nas pontas!

Ah, é exatamente assim que quero meu cabelo. Igual ao da Chloe de *Smallville*.

É mesmo! E os óculos dela?

De gatinho! Com pedrinhas! Será que ela podia ser mais Karen O?

Quem é Karen O?

A vocalista dos Yeah Yeah Yeahs.

> Ah, sei. Eu estava pensando na Maggie Gyllenhall.

Acho que se escreve Gylenhaal.

> Acho que talvez seja Gellynhaal.

> *AH MEU DEUS, SUAS IDIOTAS, É GYLLENHAAL! SERÁ QUE VOCÊS DUAS PODEM PARAR DE PASSAR BILHETINHOS E PRESTAR ATENÇÃO, DROGA? VOCÊS QUEREM AFASTAR A ÚNICA PROFESSORA QUE FINALMENTE PODE SE REVELAR CAPAZ DE NOS ENSINAR ALGUMA COISA ÚTIL?????* — L

> O que Lilly tem hoje?

Hmm. Não sei exatamente. TPM?

> Ah, claro. Aliás, foi o irmão da Maggie que saiu com a Kirsten Dunst, certo?

CERTO!

> Que fofo!!!!!!!!!!

Terça, 8 de setembro, Geometria

Certo.
Eu consigo fazer isso. Mole, mole.

Conversão:
    A conversão de uma afirmação condicional é formada pelo intercâmbio entre sua hipótese e sua conclusão.

Contraposição:

A contraposição de uma afirmação condicional é formada pelo intercâmbio entre sua hipótese e sua conclusão, e depois pela negação de ambas.

Inversão:

A inversão de uma afirmação condicional é formada pela negação de sua hipótese e de sua conclusão.

Portanto:
Equivalente lógico:
Uma afirmação condicional: a → b
A contraposição da afirmação: não a → não b
Equivalente lógico:
A conversão da afirmação: b → a
A inversão da afirmação: não a → não b

Desculpe. O QUÊ?

Certo, mais uma vez, eu comprovo que sou a exceção à regra. Se as pessoas que são ruins em álgebra devem ser melhores em geometria, então eu deveria ser o Stephen Hawking da Geometria. Mas adivinha só? Não entendi uma PALAVRA disso aqui.

Além do mais, o Sr. Harding? É, será que ele conseguiria ser mais maldoso? Ele já fez a Trisha Hayes chorar por causa dos triângulos isósceles dela, e isso é praticamente impossível, já que ela é uma das amiguinhas da Lana Weinberger, e também tenho bastante certeza de que ela é mulher-ciborgue tipo a de *O exterminador do futuro 3*.

Ele está sendo totalmente legal comigo, mas só porque um dos colegas dele é o meu padrasto. Ah, e por causa do negócio de princesa, óbvio. Às vezes, não faz mesmo mal nenhum ter um guarda-costas sueco de quase dois metros de altura sentado atrás de você.

* Diagrama de Euler = relacionar duas ou mais afirmações condicionais uma à outra por meio de sua representação na forma de círculos.

Terça, 8 de setembro, Francês

Ah, bom. Pelo menos tenho UMA professora legal. A Srta. Martinez é SUPER legal. É tão bom ter uma professora que ainda está próxima da idade da gente o suficiente para conhecer pulseiras de espinhos de borracha e O.C. — Um estranho no paraíso.

E quando a Srta. Martinez estava recolhendo nossas redações a respeito de como passamos o verão, ela ficou tipo assim: "E quero dizer que vocês podem fazer todos os tipos de perguntas para mim, não só de inglês. Quero realmente conhecer todos vocês como PESSOAS, não só como meus alunos. Então se tiver qualquer coisa — qualquer coisa mesmo — sobre o que vocês queiram conversar, podem se sentir livres para dar uma passada na minha sala. A minha porta está sempre aberta, e eu vou ajudá-los sempre, em tudo o que puder."

Uau! Uma professora da Escola Albert Einstein que não desaparece dentro da sala dos professores no minuto em que a aula acaba? Inacreditável!

Só fico aqui me perguntando quanto tempo a Srta. Martinez vai aguentar essa política de porta aberta porque, quando eu estava saindo, reparei que, tipo, umas dez pessoas foram correndo para a mesa dela para falar de seus problemas pessoais. Lilly foi obviamente a primeira da fila.

Espero que a Srta. Martinez aconselhe Lilly a esquecer toda a história com Boris. Eu não quis dizer nada para Tina, mas a transformação de verão do namorado dela em um gostoso é totalmente o motivo por que Lilly está tão de mau humor hoje, e não a TPM, como eu sugeri. Deve ser horrível mesmo ver o cara que você largou se transformar no Orlando Bloom bem diante dos seus olhos.

Isso se Orlando Bloom não tivesse a mínima noção sobre moda e respirasse pela boca.

Espero que Lilly não canse a Srta. Martinez a ponto de ela não ter tempo de ler nossas redações hoje à noite. Porque tenho certeza de que, quando ela terminar a minha, vai querer mandar para um agente literário ou qualquer coisa assim para me arrumar um contrato de publicação. Sei que 15 anos é um pouco cedo para assinar um contrato de publicação múltipla com uma grande editora, mas eu tenho me virado bem com o negócio de princesa até agora. Tenho certeza de que conseguiria aguentar algumas datas de entrega de livros.

> Mia, aquela pessoa nova ali, na segunda fileira depois da porta, três cadeiras para baixo, é menino ou menina? — Shameeka

Menino. Está usando calça!

> Acorda. Eu também estou. Esqueci de raspar as pernas hoje de manhã.

Ah. AH.

> É. Está vendo do que eu estou falando?

Bom, qual é o nome dele/dela?

> Perin. Pelo menos foi o que a Mademoiselle Klein disse quando fez a chamada.

Perin é nome de menino ou de menina?

> Sei lá. Por isso é que estou perguntando pra você.

Espera aí. Eu não estava prestando atenção durante a chamada. A Mademoiselle Klein disse Per-ran ou Per-riin? Porque se for menina, seria Per-riin em francês, certo?

> É, mas a Mademoiselle Klein não faz a chamada em francês. Ela só disse Perin em inglês, sem sotaque.

Então, em outras palavras, é um mistério.

Totalmente. Eu só quero descobrir para saber se acho ele bonitinho ou não.

Certo. Olha aqui o que a gente vai fazer. Vamos ficar de olho nele/nela, e ver em que banheiro entra antes do almoço. Porque todo mundo vai ao banheiro antes do almoço para passar brilho.

Os meninos não vão.

Exatamente. Se não for ao banheiro, é menino, e daí você pode gostar dele.

Mas e se simplesmente for uma menina que não usa brilho?

Droga! Os mistérios são ótimos em livros, mas na vida real são meio que um saco.

Terça, 8 de setembro, S&T

Por quê? por que por que por que por que eu achei que este ano seria melhor — apesar de Michael não estar por perto — do que o ano passado? Só por que pelo menos Lana e Josh não ficariam se agarrando na frente do meu armário?

Porque o negócio é que, quando Josh estava por perto, a Lana ficava DISTRAÍDA, e não passava o tempo todo procurando alvos para destruir.

Mas agora que não existe nenhum homem na vida dela, ela tem muito tempo livre para ficar me torturando de novo. Como hoje no almoço, por exemplo.

Para começo de conversa, a culpa foi toda minha por ser gananciosa e entrar de novo na fila rápida para pegar mais um sanduíche de sorvete. Fala sério, um sanduíche de sorvete deveria bastar para uma menina do meu tamanho.

Mas havia alguma coisa errada com a salada de três feijões. A gente fica pensando que, com todo o dinheiro que a diretoria resolveu investir nas câmeras de segurança do lado de fora, eles podiam ter separado só um pouquinho para a cantina, para a gente ter alguma coisa decente para comer em vez de apenas derivados de leite congelados. Mas não. Acho que Lilly tem razão: parece que descobrir quem apaga cigarro na cabeça do Joe é mais importante do que fornecer alimentos com alto valor nutritivo para o corpo discente.

Então eu estava lá na fila esperando para pagar meu sanduíche de sorvete quando ouvi uma voz atrás de mim dizendo meu nome, e quando eu me virei lá estavam Lana e Trisha Hayes, que parecia ter se recuperado da bronca do Sr. Harding — pelo menos o suficiente para se juntar a Lana em sua missão de me humilhar em público o máximo de vezes possível.

"Então, Mia", disse Lana quando eu cometi o erro de me virar. "Você continua saindo com aquele cara? Sabe qual é, aquele tal de Michael, que tem a banda?"

É claro que eu já deveria saber que Lana não estava tentando compensar por todos os anos que ela foi maldosa comigo. Eu simplesmente deveria ter largado o sorvete e saído da fila rápida naquele segundo.

Mas eu pensei, sei lá, vai ver ela estava arrependida por causa do comentário da calcinha no vestiário aquela manhã. Achei — não me pergunte por quê — que talvez Lana também tivesse mudado durante o verão, como Boris. Só que, em vez de mudar por fora, Lana tivesse mudado por dentro.

Eu devia saber que uma coisa dessas seria impossível, já que para que o coração da Lana mudasse, ela precisaria TER um coração em primeiro lugar, e é bem óbvio que ela NÃO tem, já que quando eu respondi, com todo o cuidado: "É, Michael e eu continuamos juntos", ela mandou: "Mas ele não está na faculdade agora?"

E eu respondi: "Está, sim. Ele foi para a Columbia", meio que cheia de orgulho, porque, se liga, pelo menos o MEU namorado escolheu ir para uma faculdade no mesmo ESTADO em que eu moro, diferentemente do ex da Lana.

"Bom, e vocês dois já fizeram?", Lana perguntou, tão casual como se estivesse perguntando onde eu fiz minhas luzes.

E eu perguntei: "Fizemos o quê?", porque eu JURO que não fazia a menor ideia do que ela estava falando. Quer dizer, quem é que PERGUNTA essas coisas para os outros?

E Lana continuou: "AQUILO, sua idiota", e olhou para Trisha e as duas começaram a soltar risadas histéricas.

Foi aí que eu percebi do que ela estava falando.

Juro que deu para SENTIR o meu rosto ficando vermelho. Sério mesmo. Deve ter ficado tão vermelho quanto o esmalte da Lana.

E daí, antes que eu pudesse me segurar, já fui respondendo: "NÃO, É LÓGICO QUE NÃO!", com um tom muito chocado.

Porque eu FIQUEI muito chocada. Quer dizer, esse é um assunto que eu mal discuto com as minhas melhores AMIGAS. Com certeza nunca esperava ter de falar sobre isso com a minha INIMIGA MORTAL. Na FILA RÁPIDA.

Mas, antes de eu ter oportunidade de me recuperar da minha surpresa paralisante, Lana prosseguiu:

"Bom, se você quiser continuar com ele, é melhor se apressar", disse ela, enquanto Trisha ficava dando risadinhas atrás dela. "Porque garotos que já estão na faculdade esperam que a namorada Faça Aquilo."

Garotos que já estão na faculdade esperam que a namorada Faça Aquilo.

Foi o que Lana me disse, na FILA RÁPIDA.

Então, enquanto eu estava lá parada olhando para ela horrorizada, total e completamente, Lana me cutucou nas costas e disse: "Você vai comprar isso ou só vai ficar aí parada?", e eu percebi que a fila tinha andado e eu estava na frente do caixa com o sanduíche de sorvete derretendo na mão.

Então, eu entreguei um dólar para o caixa e voltei para a minha mesa com Lilly e Boris e Tina e Shameeka e Ling Su e só fiquei lá sentada sem dizer nada até o sinal tocar.

E ninguém nem reparou.

Garotos que já estão na faculdade esperam que a namorada Faça Aquilo.

Será que isso pode mesmo ser verdade? Quer dizer, eu já vi muitos filmes e programas de TV em que os garotos que já estão na faculdade parecem esperar que a namorada Faça Aquilo. Tipo na MTV, em *Fraternity Life*, que mostra a vida na faculdade, e *Spring Break*, que fala das férias. E *A vingança dos nerds*.

Mas os caras naqueles filmes e naqueles programas tinham namoradas que também estavam na faculdade. Nenhum deles saía com uma menina do ensino médio. Que logo, logo vai ser reprovada em geometria. Que por acaso é a princesa de um pequeno principado europeu. Que tem um guarda-costas de dois metros de altura.

Ai, meu Deus, será que Michael está a fim de TRANSAR comigo???
AGORA????

Naturalmente, eu imaginava que a gente fosse transar UM DIA. Mas achei que UM DIA estivesse longe, bem longe no futuro. Tão longe no futuro quanto o dia em que vamos sair juntos para o mar pelo Greenpeace para impedir que aqueles barcos baleeiros matem os animais. Quer dizer, ele só pegou nos meus peitos UMA VEZ, e foi no baile de formatura e agora eu tenho bastante certeza de que nem foi de propósito e eu nem SENTI nada por causa do sutiã tomara-que-caia que tinha muita armação de metal.

Será que eu deveria achar que a esta altura já deveria estar me preparando para FAZER AQUILO? Mas eu NÃO estou pronta para FAZER AQUILO. Acho que não. Quer dizer, eu nem quero que Michael me veja de MAIÔ, quanto mais PELADA...

AI, MEU DEUS!!!! Ontem à noite ele me convidou para passar no alojamento no sábado para ver como ele e Doo Pak arrumaram o quarto!

E SE NA VERDADE FOI UM CONVITE PARA IR LÁ E FAZER AQUILO E EU NEM PERCEBI PORQUE EU SOU TOTALMENTE SEM NOÇÃO A RESPEITO DA MANEIRA COMO FUNCIONAM AS RELAÇÕES AMOROSAS?????

O que eu vou fazer? É óbvio que preciso conversar com alguém. Mas QUEM? Não dá para falar com Lilly, porque Michael é IRMÃO dela. E não posso falar com Tina, porque ela já me disse que o dom mais precioso que uma mulher pode dar a um homem é a flor da sua virgindade, e é por isso que ela está se guardando para o príncipe William, que só tem permissão para se casar com uma virgem.

Mas ela diz que aceita dar sua flor ao Boris se o negócio com o príncipe William não der certo até mais ou menos a época da nossa formatura no ensino médio.

Não posso falar com minha MÃE sobre isso. Porque, do jeito que as coisas estão, ela mal consegue se concentrar nas coisas em que DEVERIA estar prestando atenção — tipo, em criar meu irmãozinho —, imagine se ela ainda tiver a distração de ter de falar sobre sexo com a filha adolescente.

Além disso, eu já sei o que ela vai fazer: vai marcar uma consulta para mim com o ginecologista dela. Desculpa, mas ECA.

E, obviamente, não posso dizer nenhuma palavra para o meu pai, porque ele simplesmente providenciaria o assassinato do Michael pela Guarda Real Genoviana.

E Grandmère simplesmente me daria uns tapinhas carinhosos na cabeça e depois contaria para todo mundo que ela conhece.

Quem sobrou? Vou dizer quem:

MICHAEL. Vou ter de falar com MICHAEL sobre fazer sexo com MICHAEL.

Será que eu PERDI A CABEÇA??? Não dá para falar sobre SEXO com um GAROTO!!!! Especialmente com ESTE GAROTO!!!!

O QUE EU VOU FAZER???????????

Ai, meu Deus, acho que estou tendo um ataque cardíaco. Fala sério. Meu coração está batendo, tipo, um milhão de vezes por minuto e praticamente explodindo para fora do meu peito. Acho que vou à enfermaria. Acho que preciso...

A Sra. Hill acabou de perguntar se eu estou bem. Como é o primeiro dia de aula, ela está fingindo que de fato pretende nos supervisionar este ano. Fez a gente preencher um formulário para estabelecer nossos objetivos para o semestre. Sabe como é, para esta aula. Eu dei uma espiada no Boris e ele tinha escrito: "Aprender o Concerto para Violino em A Menor de Antonin Dvorák de cor e ganhar um Grammy como fez o meu herói, Joshua Bell."

Sinceramente, não acho que este seja um objetivo muito realista. Mas agora que Boris está quase tão gostoso quanto Joshua Bell, talvez seja de fato atingível. Se é que gostosura conta para os juízes do Grammy.

Tentei dar uma olhada no objetivo da Lilly, mas ela está fazendo de tudo para esconder. Colocou a mão em cima do papel e falou assim: "Sai daqui, babona de bebê", de um jeito bem mal-educado.

Duvido que ela seria tão maldosa se soubesse que no momento eu estou vivendo um intenso turbilhão de emoções que fica rodopiando na minha cabeça, questionando o futuro do meu relacionamento com o irmão dela.

Como eu não sabia o que colocar como objetivo — eu nem sei por que estou NESTA aula este semestre —, simplesmente anotei: "Escrever um romance e não ser reprovada em geometria."

Não dá para acreditar que a Sra. Hill reparou que eu estava tendo um ataque cardíaco. Ela não costumava reparar em nada que a gente fazia. Bom, isso porque ela vivia trancada na sala dos professores. Mas mesmo assim...

Eu disse a ela que estava tudo bem.

Mas a verdade é que eu acho que nunca mais vou ficar bem, graças a Lana.

Terça, 8 de setembro, Governo dos EUA

TEORIAS DE GOVERNO: DIREITO DIVINO — *A criação do governo é a intervenção divina sobre os assuntos humanos. Aspectos religiosos e seculares eram entrelaçados. Havia muito menos possibilidade de as pessoas criticarem um governo criado por Deus.*

Na civilização cristã, reis afirmavam que, com a bênção da Igreja, o monarca era o governante legítimo.

Hmm, se liga, menos em Genovia, onde o rei da Itália, e não Deus, deu o trono para a minha ancestral Rosagunde devido à sua coragem no campo de batalha. Ou na cama, imagino, levando em conta que foi onde ela matou o inimigo mortal de seu povo, Alboin. É bom saber que pelo menos uma pessoa da minha família obteve sucesso em alguma coisa feita na cama, já que sinto, com muita tristeza, que eu não vou ser muito boa nessa área, já que não gosto nem de olhar para MIM MESMA pelada, imagine só se vou deixar OUTRA pessoa olhar.

John Locke, filósofo do século XVII, era contrário ao Direito Divino. Ele e outros afirmaram: O governo só pode ser legítimo na medida em que for baseado no consentimento das pessoas governadas.

Rá! Que bom para você, John Locke! Todos esses reis e faraós que ficavam dizendo que DEUS os colocou no trono estavam viajando, só pode! TOMA ESSA!!!!

Terça, 8 de setembro, Ciências da Terra

Ótimo. Como se o meu dia já não estivesse bem ruim. Adivinha só do lado de quem eu tenho de sentar nesta aula este semestre? Bom, vejamos: qual é a letra do alfabeto que vem logo antes do T? É isso mesmo: S. Kenny Showalter.

Fala sério. Será que hoje eu tropecei em algum carma ruim ou O QUÊ?

Parece que Boris não foi o único que cresceu durante o verão. Kenny também ganhou uns bons cinco centímetros. Só que Kenny não parece ter feito nenhum tipo de musculação. Ele simplesmente ficou parecido com o espantalho de *O mágico de Oz*, e não com o Legolas.

Tirando as orelhas pontudas, é claro.

Mas, diferentemente do espantalho, Kenny tem um cérebro de verdade. Ele se lembra muito bem de que a gente costumava namorar. E que eu dei um fora nele por causa do Michael. Bom, tecnicamente, foi Kenny quem ME deu um fora. E ele parecia muito ansioso para me lembrar desse fato. Ele falou bem assim: "Mia, espero que você possa deixar de lado seus sentimentos pessoais a meu respeito e que assim possamos trabalhar juntos de maneira profissional este semestre."

Eu disse que achava que conseguiria. O negócio é o seguinte: se eu ainda estivesse saindo com Kenny, e Lana tivesse dito alguma coisa a respeito de ele ficar achando que eu ia FAZER AQUILO com ele, eu simplesmente teria rido na cara dela.

Mas com Michael é diferente.

Outra coisa: como é que Lana sabe o que os garotos que já estão na faculdade pensam? Quer dizer, ela nunca nem saiu com um deles! Ela pode estar completamente errada a respeito do Michael. COMPLETAMENTE ERRADA.

Eu gostaria de ter pensado em dizer isso para ela quando estávamos na fila rápida.

Kenny acabou de me perguntar se eu pretendo passar o semestre inteiro escrevendo no diário durante a aula e depois ficar achando que ele vai fazer todo o trabalho, como acontecia quando éramos parceiros de laboratório em biologia no ano passado. Dá um tempo. Acho que alguém está reescrevendo a história aqui. Eu NÃO ficava escrevendo no diário durante as aulas no ano passado.

Bom, tudo bem, talvez ficasse, sim. Mas Kenny se OFERECEU para fazer todo o trabalho de laboratório para mim. E para escrever os relatórios depois. Quer dizer, ele GOSTA desse tipo de coisa. E, além do mais, é bom nisso.

Ah, se cada pessoa se concentrasse em suas próprias capacidades pessoais, o mundo seria um lugar muito melhor.

Acho que agora é melhor eu parar de escrever, se não Kenny vai ficar pensando que eu estou me aproveitando dele. E daí vai ver que ele vai ficar achando que eu vou FAZER AQUILO com ele para compensar.

ECAAAAAAAAAAAAAAAAAA!!!!!!!!!!!!!!

MECÂNICA ORBITAL — MUDANÇAS SISTEMÁTICAS DE LONGO PRAZO

1. Formato da órbita não circular constante — elipse extrema, mais de 100 mil anos
2. Ângulo do eixo de inclinação varia — vai de 22 a 24 graus e 30 minutos em 48.400 anos
3. Precessão — 21 mil anos

*DEVER DE CASA

Educação Física: Nada

Geometria: Exercícios, páginas 11-13

Inglês: Páginas 4-14, Strunk and White

Francês: Écrivez une histoire

Superdotados & Talentosos: Não disponível

Governo dos EUA: Qual é a base da teoria de gov. do Direito Divino?

Ciências da Terra: Seção 1, defina perigeu/apogeu

Terça, 8 de setembro, Assembleia

Deveria realmente existir algum tipo de emenda constitucional para abolir as convocações nas escolas. Fala sério.

Porque, além de serem um enorme desperdício dos recursos da escola (quantas vezes a gente tem paciência de ficar lá sentada ouvindo um deficiente físico falando que ele queria muito nunca ter dirigido bêbado? Acorda, a gente SABE), também estou começando a achar que as convocações não passam de uma desculpa para que os professores façam um intervalo nas aulas. Eu bem vi a Sra. Hill saindo de fininho com um cigarro na mão pela porta do ginásio, agora mesmo. Acho que a frente da escola não é o único lugar que está precisando de câmeras de vigilância.

E cada vez que se colocam mil adolescentes juntos em um recinto, é óbvio que vai ter confusão. A diretora Gupta já teve de gritar com as meninas do time principal de lacrosse por jogar balas em cima dos alunos do Clube de Teatro, que não estavam fazendo nada, pela primeira vez. Eles só estavam lá com cara de esquisitões, com aqueles cabelos tingidos de preto e os piercings no rosto.

E vi alguns integrantes do Clube do Computador esgueirando-se para baixo das arquibancadas agora mesmo. Tinham uma expressão no rosto que só posso descrever como diabólica. Eu não me surpreenderia se eles estivessem lá desempacotando o robô assassino deles e o programando para tomar conta do mundo com seu governo de terror.

A diretora Gupta está dizendo como se sente contente por todos nós estarmos ali de volta. Lilly acabou de levantar a mão. A diretora Gupta disse: "Agora não, Lilly", e simplesmente continuou falando. Lilly agora está resmungando sozinha aqui do meu lado.

Tina, por sua vez, está jogando forca com Boris. Até agora, só acertou a letra E e já ganhou a cabeça e o corpo. Os espaços são:

__ __ __ __ __ __ __ __ E __ __ __

Não acredito que ela não é capaz de descobrir. Mas eu não vou ajudar. Porque o que ela faz com o namorado dela é da conta dela. Assim como o que eu faço com o MEU namorado é da MINHA conta. Ou pelo menos SERIA da minha conta se, de fato, eu estivesse fazendo alguma coisa com ele. Mas não estou. E isso aparentemente é um enorme problema, que pode fazer com que ele termine comigo e me troque por alguma garota universitária que VAI Fazer Aquilo com ele.

Mas por que eu NÃO PODERIA Fazer Aquilo com ele? As pessoas Fazem Aquilo o tempo todo. Quer dizer, eu não estaria aqui se minha mãe e meu pai não tivessem...

Ah, que beleza. Agora estou com vontade de vomitar. Por que eu tinha de pensar nisso? Minha mãe e meu pai Fazendo Aquilo. Eca. Eca eca eca eca eca eca eca. Isso é ainda pior do que pensar na minha mãe e no Sr. G...

Certo, agora eu vou vomitar DE VERDADE. ECAAAAA!!!!!!!!!!!

Agora a diretora Gupta está falando sobre as maravilhosas atividades extracurriculares disponíveis na Escola Albert Einstein, e como todos nós realmente deveríamos aproveitá-las. Lilly ergueu a mão de novo, mas a diretora Gupta só disse: "Agora não, Lilly." Ninguém mais está prestando atenção.

Tina acertou mais uma letra. Agora os espaços estão assim:

_ _ _ _ _ A _ _ _ E _ _

Mas Boris já juntou dois braços ao bonequinho enforcado. Porque Tina não tenta a letra L? Isso é muito irritante.

Agora a diretora Gupta está apresentando todos os grupos estudantis para mostrar quantas atividades extracurriculares a EAE tem a oferecer. Acontece que o outro cara novo, que ficou com o armário antigo do Josh e que derramou café na minha bota, é aluno de intercâmbio do Brasil, e se chama Ramon Riveras. Ele vai jogar no time de futebol.

Acho que isso vai deixar todas as mães que têm filhos no time bem felizes. Principalmente se, depois que ele ganhar, resolver tirar a camisa e rodar por cima da cabeça, igual o Josh fazia.

Ramon está sentado com Lana e Trisha e todo o resto do pessoal popular. Como é que ele sabia? Quer dizer, ele nem é DESTE país. Como é que ele podia saber quem são as pessoas populares, sem mencionar que já é uma delas, e ir se sentar com elas? Será que as pessoas populares simplesmente nascem assim? É uma coisa que elas já sabem de maneira inata?

Agora, a diretora Gupta está falando a respeito do conselho estudantil, e como todos devemos estar ansiosos para nos juntar a ele, e que não há maneira mais maravilhosa de demonstrar o espírito estudantil do que esta, e como também vai ser bom para o currículo. Do jeito que ela fala, fica até parecendo que qualquer pessoa é capaz de concorrer ao conselho estudantil e vencer. O que é a maior mentira, porque todo mundo sabe que só pessoas muito populares mesmo ganham as eleições para o conselho estudantil. Lilly concorreu no ano passado e não ganhou. A pessoa que a derrotou nem era inteligente. Não, no ano passado, ela perdeu de lavada para Nancy di Blasi, capitã da equipe principal de líderes de torcida (a mentora do mal da Lana Weinberger), uma menina que passava muito mais tempo organizando feiras de bolos para que as líderes de torcida pudessem ganhar uma viagem bem merecida para o parque de diversões Six Flags do que fazendo pressão para conseguir reformas estudantis de verdade.

"Será que temos alguma nomeação para presidente do conselho estudantil?", a diretora Gupta pergunta. A mão da Lilly acabou de levantar. Desta vez, a diretora Gupta está ignorando.

"Alguém?", a diretora G continua perguntando. "Ninguém?"

Tina acabou de dizer para Boris: "Hmm, hã, deixa ver. Tem um Y?"

"Ah, pelo amor de Deus." Eu não consigo mais me segurar. Talvez seja a ameaça iminente da defloração. Ou simplesmente seja porque eu não posso mais jogar forca com o amor da minha vida no horário de aula. De qualquer modo, eu falei assim: "É JOSHUA BELL, certo? JOSHUA BELL!"

Tina ficou toda "Aaaaaah! Você tem razão!".

Ramon Riveras está rindo de alguma coisa que Lana cochichou no ouvido dele.

Lilly está sacudindo o braço freneticamente. A mão dela é a única levantada. Finalmente, a diretora Gupta não tem mais escolha além de dizer: "Lilly. Já falamos sobre isto no ano passado. Você não pode nomear a si mesma para presidente do conselho estudantil. Alguém precisa nomear você."

Lilly se levanta, e da boca dela saem as seguintes palavras: "Eu não quero nomear a mim mesma este ano. EU NOMEIO MIA THERMOPOLIS!!!"

Terça, 8 de setembro, na limusine, a caminho do Plaza

Fala sério. Por que eu sou amiga dela, hein?

Terça, 8 de setembro, no Plaza

A primeira aula de princesa do novo ano letivo e — graças a Deus — Grandmère está ocupada com um telefonema. Ela acabou de estalar os dedos para mim e apontar para a mesinha de centro no meio da suíte dela. Fui até lá e encontrei um monte de faxes, cartas de reclamação de diversos integrantes da comunidade científica francesa e do instituto oceanográfico de Mônaco.

Hmm. Acho que estão meio bravos com o negócio das lesmas.

E daí? Até parece que eu não tenho problemas MUITO maiores com que lidar no momento do que um monte de biólogos bravos. Acorda, parece que, se eu quiser ficar com o meu namorado, eu vou ter de Fazer Aquilo. E como se não bastasse, ainda fui nomeada para PRESIDENTE DO CONSELHO ESTUDANTIL.

Sinceramente, não sei o que Lilly tinha na cabeça. Será que ela achou MESMO que eu só ia ficar lá sentada, tipo: "Presidente do conselho estudantil: ah, tudo bem. Certo. Porque, sabe como é, sou a única herdeira do trono de um país estrangeiro inteiro. Tipo, até parece que *eu não tenho nada mais para fazer*."

QUE SE DANE!!! Eu agarrei o braço dela na mesma hora e puxei para baixo e falei assim: "LILLY, O QUE VOCÊ PENSA QUE ESTÁ FAZENDO????", por entre os dentes, já que, obviamente, todas as cabeças do ginásio inteiro estavam viradas na nossa direção e todo mundo estava olhando pra gente, incluindo Perin e Ramon Riveras e o cara que detesta quando colocam milho no *chilli*, que eu achei que tinha se formado. Mas parece que não.

"*Não se preocupe*", Lilly cochichou de volta. "*Eu tenho um plano.*"

Parece que parte do plano da Lilly era chutar a canela da Ling Su com muita, muita força até ela soltar um grito esganiçado de "Hmm, eu apoio, diretora Gupta", quando a diretora Gupta perguntou, toda confusa: "Será que, hã, alguém apoia a nomeação?"

Não dava para acreditar que isso estivesse acontecendo. Era como um pesadelo, só que pior, porque o cara que odeia milho no *chilli* nunca aparece nos meus pesadelos.

"Mas eu...", comecei a reclamar, mas daí Lilly deu um chute bem forte na MINHA canela.

"A Srta. Thermopolis aceita a nomeação!" Lilly gritou para a diretora Gupta.

Que estava com a maior cara de quem não estava acreditando nem um pouco. Mas daí ela falou: "Bom. Se você tem certeza, Mia...", sem sequer esperar por uma resposta minha.

Daí, antes que eu pudesse pensar em qualquer coisa, Trisha Hayes já estava em pé, gritando: "Eu nomeio Lana Weinberger para presidente do Conselho Estudantil!"

"Ah, isso não é ótimo?", disse a diretora Gupta, quando Ramon Riveras apoiou a indicação da Lana feita pela Trisha — mas só depois que Lana deu uma cotovelada nele... bem forte, me pareceu, de onde eu estava. "Algum integrante dos outros anos tem alguma nomeação a fazer? Não? A sua apatia foi notada. Muito bem, então. Mia Thermopolis e Lana Weinberger são as candidatas a presidente do conselho estudantil. Senhoras, espero que conduzam uma eleição justa. A votação será na próxima segunda-feira."

E pronto. Estou concorrendo a presidente do conselho estudantil. Contra Lana Weinberger.

A minha vida chegou ao fim.

Lilly fica dizendo que não. Lilly fica dizendo que tem um plano. Lana concorrendo contra mim não era parte do plano: "Não dá para acreditar que ela vai fazer isso", disse Lilly quando estávamos saindo da escola depois da assembleia. "Quer dizer, ela só resolveu fazer isso porque está com inveja." Mas Lilly diz que não faz mal, porque todo mundo odeia a Lana, então ninguém vai votar nela.

É MENTIRA que todo mundo odeia a Lana. Lana é uma das meninas mais populares da escola. *Todo mundo* vai votar nela.

"Mas, Mia, você é pura e tem um bom coração", observou Boris. "As pessoas que são puras e têm um bom coração sempre vencem o mal."

Hmm, certo. Só em livros tipo *O senhor dos anéis*, pelo amor de Deus.

E o fato de eu ser tão pura? É provavelmente por causa disso que eu estou prestes a perder o meu namorado.

E de pensar que existem tantos exemplos históricos de pessoas que obviamente NÃO têm um bom coração e que ganham mais eleições do que perdem...

"Você não vai precisar mexer um dedo", disse Lilly, quando Lars me ajudou a entrar na limusine para ir ao hotel de Grandmère. "Eu vou ser responsável pela sua campanha. Vou cuidar de *tudo*. E não se preocupe. *Eu tenho um plano!*"

Não sei por que Lilly acha que ficar repetindo que ela tem um plano pode me deixar despreocupada. Na verdade, é o contrário.

Grandmère acabou de desligar o telefone.

"Bom", diz ela. Já está na segunda taça de Sidecar desde que eu cheguei. "Espero que você esteja satisfeita. Toda a comunidade mediterrânea está enfurecida com o que você aprontou."

"Nem todo mundo." Descobri dois faxes de apoio na pilha e mostrei a ela.

"*Pffft!*", foi tudo que Grandmère disse. "Quem liga para o que alguns pescadores têm a dizer? Eles não são exatamente especialistas no assunto."

"É", respondi, "mas eles por acaso são pescadores *genovianos*. Meus súditos. E minha primeira obrigação por acaso não é defender o interesse dos meus súditos?"

"Não se para isso você tiver de colocar em risco as relações diplomáticas com os países vizinhos." Os lábios de Grandmère estão tão apertados que praticamente desapareceram. "Eu estava falando com o primeiro-ministro da França, e ele..."

Graças a Deus o telefone tocou de novo. Isso é o máximo. Eu teria jogado dez mil lesmas na baía de Genovia há muito tempo se fizesse ideia de que isso me livraria das aulas de princesa.

Apesar de ser meio chato o fato de todo mundo estar tão bravo.

Caramba. Eu já sabia que os franceses eram assim. Mas quem é que ia saber que os biólogos marinhos são tão SENSÍVEIS desse jeito?

Mas, falando sério, o que eu deveria ter feito? Deveria ter ficado lá sentada e DEIXAR as algas assassinas destruírem o meio de sustento de famílias que vivem do mar há séculos? Isso sem falar nas criaturas inocentes, como as focas e os botos, cuja sobrevivência depende justamente do acesso direto aos bancos de vegetação marinha que a *Caulerpa taxifolia* está destruindo completamente. Será que alguém seria mesmo capaz de imaginar que *eu* permitiria a ocorrência de um desastre biológico de tais proporções bem debaixo do meu nariz, na minha própria baía — eu, Mia Thermopolis? —, levando em conta que eu conhecia uma maneira (apesar de inteiramente teórica) de impedi-la?

"Era o seu pai", disse Grandmère depois de bater o telefone. "Está extremamente aborrecido. Acaba de ter notícias do Museu & Aquário Oceanográfico de Mônaco. Parece que algumas das suas lesmas passaram para a baía *deles*."

"Que bom." Eu meio que gosto dessa história de rebeldia ambiental. Assim eu não fico pensando em outras coisas. Tipo, que o meu namorado vai me dar um fora se eu não Fizer Aquilo com ele. E que no momento estou disputando a presidência do conselho estudantil com a garota mais popular da escola.

"Bom?" Grandmère pulou da cadeira dela com tanta rapidez que derrubou Rommel, seu poodle toy, do colo. Por sorte, Rommel está acostumado com esse tipo de tratamento e já aprendeu a cair de pé, como um gato. "*Bom?* Amelia, não vou fingir que compreendo alguma coisa nisso tudo — dessa confusão por causa de alguma plantinha e umas lesminhas. Mas eu achei que você, mais do que *todo mundo*, pudesse compreender." Pegou um dos faxes e leu em voz alta: "Quando se introduz uma nova espécie em um ambiente estranho a ela, é possível que ocorra devastação total."

"Diga isso a Mônaco", respondi. "Foram eles que jogaram algas da América do Sul no Mediterrâneo para começo de conversa. Eu só joguei lesmas da América do Sul depois para consertar a bagunça DELES."

"Você não aprendeu NADA do que eu tentei ensinar no último ano, Amelia?", Grandmère pergunta. "Nada a respeito de tato, diplomacia, ou até mesmo de SIMPLES BOM SENSO?"

"ACHO QUE NÃO!!!!"

Certo, provavelmente eu não deveria ter gritado tão alto quanto gritei. Mas, fala sério, QUANDO é que ela vai LARGAR DO MEU PÉ????? Será que ela não percebe que eu tenho COISAS MUITO MAIS IMPORTANTES com que me preocupar do que com as reclamações de um monte de BIÓLOGOS MARINHOS FRANCESES IDIOTAS????

Agora ela está olhando torto para mim. "E então?"

Foi isso mesmo que ela disse. Só "E então?"

E apesar de eu saber que vou me arrepender disto — como pode ser diferente? — eu digo: "E então... o quê?"

"E então, você agora vai me dizer por que está assim tão irritada", é o que ela quer saber. "Não tente negar, Amelia. Você não consegue esconder o que está sentindo, igualzinho ao seu pai. O que aconteceu hoje na escola para deixar você assim tão aborrecida?"

Certo. Até parece que eu vou mesmo discutir a minha vida amorosa com Grandmère.

Mas devo dizer que, na última vez que fiz isso — com aquela história toda do baile de formatura —, Grandmère me deu mesmo alguns conselhos realmente bons. Quer dizer, ela conseguiu fazer com que eu fosse ao baile de formatura, né?

Mesmo assim, como é que eu posso contar para minha AVÓ que estou com medo de que, se eu não fizer sexo com meu namorado, ele me dê um fora?

"Lilly me nomeou para presidente do conselho estudantil", respondi, porque eu precisava falar ALGUMA COISA, senão ela ia ficar cavando um buraco até eu cair dentro. Ela já fez isso antes.

"Mas essa é uma notícia maravilhosa!"

Durante um minuto, achei que Grandmère fosse me dar um beijo ou algo assim. Mas desviei totalmente e ela fingiu que, em vez disso, estava se abaixando para fazer um carinho na cabeça do Rommel. O que talvez fosse mesmo a intenção dela desde o início. Grandmère não é do tipo que gosta muito de dar beijinhos nos outros. Pelo menos não em mim. Já o Rocky, ela fica beijando o tempo todo. E ela tecnicamente nem é parente dele.

É exatamente por isso que eu sempre tenho lenços antibacterianos por perto. Para limpar os beijos de Grandmère no Rocky, quer dizer. Nunca dá para saber por onde os lábios de Grandmère andaram.

Tanto faz.

"Não é maravilhoso coisa nenhuma!", gritei para ela. Por que parece que eu sou a única pessoa que percebe isso? "Eu vou disputar a eleição com Lana Weinberger! Ela é a garota mais popular da escola inteira!"

Grandmère mexeu o Sidecar dela com o palitinho.

"Realmente", disse ela, pensativa. "É uma reviravolta interessante nos acontecimentos. Não há razão, no entanto, para que você não seja capaz de derrotar esta tal de Shana. Você é uma princesa, lembre-se disso! E ela, é o quê?"

"Líder de torcida", respondi. "E é Lana, não Shana. E pode acreditar, Grandmère, no mundo real — tipo na escola — ser princesa NÃO é vantagem nenhuma."

"Quanta bobagem", disse Grandmère. "Ser integrante da realeza é SEMPRE vantajoso."

"Rá!", respondi. "Vá dizer isso a Anastasia!" Que, como você bem sabe, levou um tiro por ser da realeza.

Mas Grandmère já não estava mais prestando a mínima atenção em mim.

"Uma eleição estudantil", murmurava para si mesma, olhando para o nada. "É, isso pode ser mesmo perfeito..."

"Fico feliz por *você* estar contente com isso", falei, de um jeito não muito gentil. "Porque, sabe como é, até parece que eu não tenho mais nada com o que me preocupar. Tipo, tenho plena certeza de que vou me ferrar em geometria. E ainda tem a história de estar namorando um universitário..."

Mas Grandmère estava totalmente perdida em seu próprio mundinho.

"Quando será a votação?", Grandmère perguntou.

"Na segunda." Apertei os olhos para ela. Eu queria fazer com que ela farejasse o problema com Michael, mas agora já não sabia se tinha sido uma boa ideia. Ela parecia envolvida DEMAIS no negócio da eleição. "Por quê?"

"Ah, por nada." Grandmère inclinou-se para a frente, recolheu todos os faxes sobre as lesmas e colocou dentro da lata de lixo dourada e ornamentada ao lado de sua escrivaninha. "Vamos dar continuidade à nossa aula de hoje, Amelia? Acredito que um certo polimento de suas técnicas de discurso deve fazer bem, levando em conta as atuais circunstâncias."

Fala sério. Já não basta eu ter de aguentar minha melhor amiga psicótica? Agora minha avó também está perdendo a cabeça EXATAMENTE NO MESMO MOMENTO????

Terça, 8 de setembro, no apartamento

Como se o dia de hoje já não tivesse sido longo o bastante, ainda chego em casa e encontro o caos total instalado. Minha mãe embalava Rocky nos braços enquanto ele berrava, cantando "My Sharona" com os olhos cheios de lágrimas, e o Sr. G estava na cozinha, gritando ao telefone.

Deu para ver logo de cara que tinha alguma coisa errada. Rocky detesta "My Sharona". Mas, também, não dá para esperar que uma mulher que levou o bebê de três meses a uma passeata de protesto em que alguém acabou jogando uma lata de lixo na vitrine de uma Starbucks fosse capaz de se lembrar de quais músicas ele gostava ou não gostava. Mas a parte "M-m-m-my" é a que faz ele regurgitar de verdade, ainda mais se a música for acompanhada de balanços no mesmo ritmo, que era exatamente o que a minha mãe estava fazendo. E ela parecia alheia à meleca branca que cobria o seu ombro.

"O que está acontecendo, mãe?", perguntei.

Caramba, mas eu ouvi bastante mesmo.

"Minha mãe", gritou ela em resposta, por cima dos berros do Rocky. "Ela está ameaçando vir aqui, com meu pai. Porque ainda não viu o bebê."

"Hmm", soltei. "Certo. E isso é ruim porquê..."

Minha mãe só ficou olhando para mim com os olhos arregalados e frenéticos.

"Porque ela é a minha MÃE", gritou. "Eu não quero que ela venha aqui."

"Sei", respondi, como se aquilo fizesse algum sentido. "Então, você..."

"Vou visitá-la", minha mãe completou, quando os berros de Rocky atingiram novos decibéis.

"Não", o Sr. G dizia ao telefone. "Dois assentos. Só dois assentos. A terceira pessoa é um bebê de colo."

"Mãe", falei, esticando os braços e tirando Rocky dela, tomando cuidado para evitar a gosma branca que continuava saindo da boca dele igual à lava da porcaria do Krakatoa. "Você acha mesmo que é uma boa ideia? Rocky ainda é meio pequeno para andar de avião. Quer dizer, com aquele ar reciclado. Alguém com ebola ou algo assim pode espirrar e daí, sem que ninguém perceba, o avião inteiro pode ficar doente. E o sítio? Você não ouviu falar de todos aqueles alunos que pegaram *E. coli* naquele zoológico de animais de granja em Nova Jersey?"

"Se assim vou impedir que meus pais venham aqui", respondeu minha mãe, "estou disposta a correr esse risco. Você faz ideia de quanto dinheiro eles gastaram no minibar naquela vez que o seu pai hospedou os dois no Soho Grand?"

"Certo", respondi, entre versos de "Independent woman", que sempre têm efeito calmante sobre Rocky. Ele gosta muito mais de R&B do que de rock. "Então, quando a gente vai?"

"Você não vai", disse minha mãe. "Só Frank e eu. E Rocky, é claro. Você não pode ir. Tem escola. Frank vai tirar um dia de folga."

Eu sabia que parecia bom demais para ser verdade. Não os riscos em potencial à saúde do meu irmãozinho, mas sabe como é, a possibilidade de fugir para Indiana em vez de ter de enfrentar o inferno das eleições na escola e o possível término do meu namoro.

O que me fez lembrar de uma coisa.

"Hmm, mãe", tentei, enquanto a seguia até o quarto do Rocky, onde parecia que ela estava arrumando as roupas lavadas antes do golpe desferido pela Vovó. "Posso falar com você sobre uma coisa?"

"Claro." Mas minha mãe não parecia estar muito a fim de conversa. "O que foi?"

"Hmm..." Bom, ela TINHA me dito uma vez que eu podia falar com ela a respeito de QUALQUER COISA. "Quantos anos você tinha quando transou pela primeira vez?"

Eu estava crente que ela fosse responder: "Eu estava na faculdade", mas acho que ela estava muito ocupada enfiando os macacõezinhos do Rocky, em que se lia MINHA MÃE ESTÁ FURIOSA E ELA VOTA, dentro de uma gaveta minúscula que nem pensou antes de responder. Simplesmente, falou assim: "Ai, meu Deus, Mia, sei lá. Acho que eu tinha uns, deixa ver, uns 15 anos?"

E então, tipo, ela percebeu o que tinha dito, respirou bem fundo, olhando para mim com os olhos bem arregalados, e disse: "NÃO QUE EU ME ORGULHE DISSO!!!"

Porque ela deve ter se lembrado, no mesmo momento que eu, *eu* tenho 15 anos.

No momento seguinte, ela estava falando sem parar.

"Eu morava em Indiana, Mia", gritou. "Lá não tinha assim muita coisa para fazer. E foi, tipo, há uns vinte anos. Era a década de oitenta! As coisas eram bem diferentes naquele tempo!"

"Se liga", soltei, porque é óbvio que eu tinha assistido a todos os episódios do programa *Eu amo os anos 80*, até *Eu amo os anos 80, o retorno*. "Só porque todo mundo usava polaina o tempo todo..."

"Não estou falando disso!", mamãe gritou. "Quer dizer, todo mundo achava mesmo que George Michael era heterossexual. E que o sucesso da Madonna ia passar logo. As coisas eram DIFERENTES naquela época."

Eu não consegui pensar em nada para dizer. A não ser uma coisa bem idiota: "Não acredito que você e papai Fizeram Aquilo pela primeira vez quando você tinha QUINZE anos."

E então, quando reparei na cara que minha mãe fez, eu fiquei tipo: "Ai, meu Deus. É óbvio!" Porque ela só foi conhecer meu pai quando já estava na faculdade. "MÃE!!! Com quem FOI?"

"O nome dele era Wendell", respondeu minha mãe, com os olhos sonhadores, ou porque o tal do Wendell devia ser muito gato ou porque Rocky finalmente tinha parado de chorar, e em vez disso estava babando por cima do bordado de leão do blazer do meu uniforme, de modo que, pela primeira vez, o apartamento se encheu de um silêncio abençoado. "Wendell Jenkins."

WENDELL???? O homem a quem minha mãe cedeu a preciosa flor de sua virgindade se chamava WENDELL????

Falando muito sério, eu NUNCA faria sexo com alguém chamado Wendell. Mas, bom, eu tenho sérias reservas a respeito de fazer sexo com qualquer pessoa, então a minha opinião não deve valer muito.

"Uau", disse minha mãe, ainda com aquela cara de sonhadora. "Faz séculos que eu não penso no Wendell. O que será que aconteceu com ele?"

"Você não SABE?", gritei bem alto, o bastante para que Rocky se sobressaltasse um pouco no meu colo. Mas ele se acalmou depois de um versinho rápido de "Trouble", da Pink.

"Bom, quer dizer, eu sei que ele se formou", respondeu minha mãe, rápido. "E tenho bastante certeza de que ele se casou com April Pollack, mas..."

"Ai, meu DEUS!" Aquilo era chocante. Não é à toa que minha mãe é assim. "Ele saía com você e com outra ao mesmo tempo?"

"Não, não", respondeu minha mãe. "Ele começou a sair com April depois que a gente terminou."

Eu assenti com a cabeça, compreensiva. "Você está dizendo que ele amava você e depois terminou com você?" Igualzinho a Dave Farouq El-Abar e Tina Hakim Baba!

"Não, Mia", respondeu minha mãe, rindo. "Caramba, mas você tem mesmo a capacidade de transformar tudo em música *country*. Quer dizer, nós namoramos, e foi ótimo, mas eu acabei percebendo que... bom, que eu queria sair de Versailles, e ele, não, então eu fui embora, e ele ficou. E se casou com April Pollack."

Igualzinho ao Dean, que se casou com aquela outra menina em *Gilmore Girls*!

"Mas...", fiquei encarando a minha mãe. "Você amava o Wendell?"

"Lógico que amava", respondeu minha mãe. "Meu Deus, Wendell Jenkins. Faz séculos que eu não penso nele."

CARAMBA! Não acredito que minha mãe não manteve contato com o garoto que tirou a virgindade dela! Nossa, que tipo de escola será que ela FREQUENTAVA naquela época?

"Por que você está me perguntando essas coisas, Mia?", minha mãe finalmente perguntou. "Você e Michael..."

"Não", respondi, devolvendo Rocky rapidinho para o colo dela.

"Mia, não tem absolutamente problema nenhum se você quiser conversar comigo sobre..."

"Não quero", respondi, apressada. Bem apressada.

"Porque se você..."

"Não quero", repeti. "Tenho dever de casa. Tchau."

E fui para o meu quarto e tranquei a porta.

Deve ter algo errado comigo. É sério. Porque, quando minha mãe estava se lembrando do Wendell Jenkins, deu para ver que ela tinha gostado muito de Fazer Aquilo. Todo mundo parece gostar de Fazer Aquilo. Tipo acontece nos filmes e na TV e tal. Parece que todo mundo acha que Fazer Aquilo é, tipo, a melhor experiência de todas.

Todo mundo menos eu. Por que eu sou a única pessoa que, quando pensa a respeito de Fazer Aquilo, não sente nada além de... suor? E não de uma maneira positiva. Essa reação não pode ser normal. Tem de ser mais uma anomalia genética da minha constituição, tipo a ausência de glândulas mamárias e pés tamanho 40. O gene do Fazer Aquilo não existe em mim.

Quer dizer, eu QUERO Fazer Aquilo. Quer dizer, eu *acho* que é o que eu quero, sabe como é, quando Michael e eu estamos nos beijando, e eu cheiro o pescoço dele, e fico com vontade de pular em cima dele. Com certeza isso indica que eu quero Fazer Aquilo.

Só que, para Fazer Aquilo, é preciso TIRAR A ROUPA. NA FRENTE DA OUTRA PESSOA. Quer dizer, a menos que você seja uma daquelas judias ortodoxas que Fazem Aquilo através de um buraco no lençol, igual a Barbra Streisand em *Yentl*.

E não acho que esteja pronta para TIRAR A ROUPA na frente do Michael. Já é bem ruim ter de tirar na frente da Lana Weinberger no vestiário logo de manhã. Acho que nunca vou ser capaz de tirar a roupa na frente de um GAROTO. Principalmente de um garoto por quem eu estou apaixonada de verdade e com quem eu espero me casar algum dia, se ele pedir a minha mão e se eu conseguir superar este meu bloqueio de não-querer-tirar-a-roupa-na-frente-dele e tal.

Por outro lado, com toda a certeza eu não ia achar nada ruim ver MICHAEL sem roupa.

Será que estou usando dois pesos e duas medidas?

Fico aqui imaginando se minha mãe sentiu a mesma coisa com Wendell Jenkins. DEVE ter sentido, senão não teria Feito Aquilo com ele.

E, no entanto, aqui está ela, mais de vinte anos depois, e sequer sabe onde ele ESTÁ agora.

Espera um pouco: aposto que eu sou capaz de encontrá-lo. Posso dar um Google!

AI, MEU DEUS!!! AQUI ESTÁ ELE!!!! WENDELL JENKINS!!! Quer dizer, não tem foto, mas ele trabalha para... AI, MEU DEUS, ELE TRABALHA PARA A COMPANHIA ELÉTRICA DE VERSAILLES!!!! ELE É O CARA QUE CONSERTA OS CABOS ELÉTRICOS QUANDO A ELETRICIDADE CAI POR CAUSA DE UM FURACÃO OU ALGUMA COISA DO TIPO!!!!

Não dá para acreditar que minha mãe entregou a flor da virgindade dela para um cara que agora trabalha para a COMPANHIA ELÉTRICA DE VERSAILLES!!!!!!!!!!!!!!!

Não que haja algo de errado com alguém que trabalha para uma companhia elétrica. Acho que não é muito diferente de ser professor de álgebra.

Mas pelo menos o Sr. G não precisa usar MACACÃO para trabalhar.

Estou imaginando se April Pollack, a moça que se transformou na Sra. Wendell Jenkins no lugar da minha mãe, também está aqui.

AI, MEU DEUS! Está!!!! APRIL POLLACK FOI ELEITA PRINCESA DO MILHO DE VERSAILLES, INDIANA, EM 1985!!!!!!!!!!!!

Minha mãe Fez Aquilo com um cara que acabou se casando com uma princesa do milho.

O que é muito irônico, levando em conta que minha mãe depois foi ter a filha ilegítima de um príncipe! Imagina se Wendell por acaso sabe disso. Que a ex dele, Helen Thermopolis, é mãe da herdeira do trono de Genovia. Aposto que ele não ia se sentir tão bem assim de a ter trocado pela Princesa do Milho April se soubesse DISSO, não é mesmo????

Bom, mas acho que ele não deu exatamente um fora na minha mãe, se for verdade o que ela me contou a respeito de ela e Wendell quererem coisas diferentes na vida.

Será que isso pode acontecer comigo e Michael? Será que algum dia vamos querer coisas diferentes? Daqui a vinte anos, será que Michael vai estar casado, não com a princesa de Genovia, mas com alguma PRINCESA DO MILHO?

AHHHHHHHHHHHHH!!!! ALGUÉM ESTÁ ME MANDANDO MENSAGEM!!!! Quem será AGORA?

Socorro! É Michael.

SkinnerBx: OI!

Desde que Michael mudou para o Mac, o user dele mudou. Antes era LinuxRulz.

SkinnerBx: Como foi o primeiro dia de volta às aulas?

Ai, meu Deus. Ele não está sabendo. Bom, mas como PODERIA saber? Tipo, ele nem estava lá. E Lilly também não ia contar para ele. Já que eles não moram mais na mesma casa.

FtLouie: Foi... o de sempre.

Bom, FOI mesmo. A minha vida é uma montanha-russa infinita... alegria seguida de decepções destruidoras, com períodos ocasionais em que nada acontece e eu fico só admirando a vista.

Achei que deveria mudar de assunto.

FtLouie: Como foi o SEU primeiro dia?

SkinnerBx: Fantástico! Hoje, na minha aula de Economia para o Desenvolvimento Sustentável, o professor falou sobre como nos próximos dez ou vinte anos o petróleo, que é o combustível mais eficiente e mais barato do planeta — sabe, o que a gente usa nos carros e para aquecer as casas e nos protetores labiais e tal — vai acabar. Sabe, há cem anos, quando o petróleo foi descoberto, a população mundial era só de dois bilhões de habitantes. Agora, com quase oito bilhões de pessoas — explosão populacional que é praticamente consequência direta do acesso mais fácil a um combustível mais acessível —, a Terra não pode sustentar tanta gente com a quantidade de petróleo restante. Como a população não vai diminuir, o consumo de petróleo não vai baixar, então, daqui a umas duas décadas — talvez mais, mas provavelmente menos, devido ao ritmo em que avançamos —, o petróleo vai acabar, e se não encontrarmos uma maneira de explorar o petróleo localizado a grandes profundezas — sem destruir o ambiente — ou se não começarmos a usar mais energia nuclear, hidráulica ou solar, todo mundo vai voltar à idade das trevas, e no mundo todo as pessoas vão morrer de fome e/ou de frio.

FtLouie: Então, em outras palavras... daqui a uns 15 anos, todo mundo vai morrer?

SkinnerBx: Basicamente. E você. O que VOCÊ aprendeu hoje?

Deixa eu ver... que você vai me dar um fora se eu não Fizer Aquilo.

Mas é óbvio que eu não podia DIZER isso. Então simplesmente contei ao Michael que minha mãe e o Sr. G vão fazer uma viagem de emergência para Indiana para apresentar Rocky para os avós de lá. E que Lilly me esfaqueou pelas costas MAIS UMA VEZ, agora com a nomeação para presidente do conselho estudantil, mas que disse para eu não me preocupar porque ela "tem um plano". E também falei de como eu já detesto geometria.

SkinnerBx: Espera aí... os seus pais vão para Indiana neste fim de semana?

FtLouie: Não os meus pais. A minha mãe e o Sr. G.

Eu adoro o Sr. G e tudo, mas ainda acho muito esquisito quando alguém fala dele como se fosse o meu pai. Eu já tenho pai.

Mas perdoo Michael por este erro tão comum, já que ele não sabe — como eu sei — o que é viver em um lar desfeito.

> **FtLouie:** O que você acha que sua irmã está aprontando agora? Quer dizer, eu seria a pior presidente do conselho estudantil DA HISTÓRIA.
>
> **SkinnerBx:** Que dia eles vão viajar?

Por que Michael está obcecado pelo fato de minha mãe e o Sr. G irem viajar? Esse é o MENOR dos meus problemas.

> **FtLouie:** Não sei, acho que é na sexta.

O que me fez lembrar:

> **FtLouie:** Você ainda quer que eu passe aí no sábado para conhecer Doo Pak?
>
> **SkinnerBx:** Claro. Ou, se você quiser, eu posso ir aí.
>
> **FtLouie:** Com Doo Pak?
>
> **SkinnerBx:** Não. Eu quis dizer sozinho.
>
> **FtLouie:** Bom, se você quiser... Mas não sei por que, já que não vai ter ninguém aqui além de mim.

Ah, não. Rocky está chorando de novo.
Não sou babona de bebê. NÃO sou.

> **SkinnerBx:** Mia? Você ainda está aí?

Mas como é que eles podem simplesmente ficar lá sentados sem fazer nada enquanto ele chora desse jeito? É simplesmente ERRADO.

SkinnerBx: Mia?

FtLouie: Desculpa, Michael, preciso ir. A gente se fala mais tarde.

Fico imaginando se existe algum grupo de Babões de Bebês Anônimos do qual eu possa fazer parte.

Quarta, 9 de setembro, Sala de Estudos

Bom, Lana com certeza não perdeu tempo no lançamento da campanha dela para presidente do conselho estudantil.

Quando eu e Lilly entramos na escola hoje de manhã, encontramos os corredores FORRADOS de fotos coloridas gigantescas da Lana em pôsteres de papel brilhante com as palavras VOTE EM LANA escritas na parte de baixo.

Alguns dos pôsteres parecem aquelas fotos de atores, com Lana jogando o cabelo longo dourado brilhante para trás e rindo, ou com o queixo apoiado nas mãos, sorrindo com a doçura angelical da Britney na capa do primeiro disco. Nas fotos, Lana não se parece nem um pouco com alguém capaz de puxar a parte de trás do sutiã de outra garota e falar: "Por que você se dá ao trabalho de usar isso se não tem nada com o que preencher?"

Ou alguém capaz de dizer para outra menina na fila rápida que garotos que já estão na faculdade esperam que a namorada Faça Aquilo.

Outros pôsteres mostram Lana em ação, tipo pulando no ar e abrindo *spaccato* com o uniforme de líder de torcida. Um deles mostra Lana com o vestido do baile de formatura do ano passado, parada no degrau mais baixo de alguma escada. Não sei onde foi tirada, porque não tinha nenhuma escada daquele tipo no baile propriamente dito. Talvez no apartamento dela? Não tenho como saber porque obviamente nunca fui convidada para ir lá.

Lilly deu uma olhada nos pôsteres e depois olhou para os que ela tinha feito — sim, Lilly tinha passado a noite inteira, enquanto eu me informava a respeito do Wendell Jenkins, fazendo pôsteres de campanha para mim — e soltou um palavrão muito feio.

Porque apesar de os pôsteres da Lilly serem bem legais — eles diziam MIA COMANDA TUDO e ESCOLHA A PRINCESA — não passam de purpurina com cola em uma placa de isopor (para ficar rígido). Lilly não pegou umas fotos minhas e ampliou um montão em papel brilhante e forrou a escola com elas.

"Não se preocupe, Lilly", disse eu a ela, dando o maior apoio. "Eu não quero ser presidente mesmo, então talvez seja melhor assim."

Até Boris reparou em como Lilly ficou triste e se sentiu mal por ela, o que eu achei muito legal da parte dele, levando em conta a maneira como ela arrancou o coração dele do peito e pisou em cima há poucos meses, em maio.

"Os seus pôsteres são bem mais legais que os da Lana", disse ele. "Porque foram feitos de coração, e não simplesmente impressos."

Mas Lilly rasgou os pôsteres no meio e enfiou em uma lata de lixo na frente do escritório administrativo mesmo assim. Quando ela terminou, tinha purpurina *por todo lado*.

Ela disse, meio sombria: "Ela quer guerra? Pois acabou de conseguir."

Mas Lilly podia estar falando do fato de estarem servindo bacalhoada no almoço hoje na cantina. É que o bacalhau está em vias de extinção devido à pesca excessiva, e Lilly anda fazendo uma campanha muito forte em seu programa no canal público para que o peixe não seja mais servido nos restaurantes de Nova York.

Eu gostaria muito que os produtores que selecionaram o programa da Lilly achassem logo um estúdio que quisesse comprá-lo. Lilly está mesmo precisando de um projeto novo. Ela tem MUITO tempo livre.

Não falei mais com Michael desde ontem à noite. Espero que isso signifique que ele está muito ocupado com aquela história do fim do petróleo, e não que, sabe como é, esteja preocupado em terminar comigo porque percebeu que eu não sou exatamente do tipo que Faz Aquilo.

Quarta, 9 de setembro, Educação Física

Devia existir uma lei contra jogar queimado.

Além do mais, o que foi que eu fiz pra ELA? Quer dizer, está bem óbvio que ela vai ganhar essa eleição idiota.

Qual é a utilidade de se TER um guarda-costas se ele permite que eu seja acertada na coxa com bolas de borracha vermelha?

Acho que, com certeza, vai ficar uma marca roxa.

Quarta, 9 de setembro, Geometria

"a se b" e "a apenas se b"

A frase "se e apenas se" é representada pela abreviação "se" e pelo símbolo ↔

a ↔ b significa tanto a → b quanto b → a.

A conversão de uma afirmação verdadeira é necessariamente verdadeira?

Dá licença... mas
O QUÊ??????????????
Tem um diagrama de Euler aparecendo na minha coxa no lugar onde Lana me acertou com aquela bola.

Quarta, 9 de setembro, Inglês

      Você não AMOU aquele casaquinho cor-de-rosa que a Srta. M está usando? Ela está totalmente Elle Woods com ele! Quer dizer, se Elle Woods tivesse cabelo preto. — T.

Amei. É legal.

      Tudo bem com você? Você está brava com o que Lilly fez? Acho que você seria uma ótima presidente do conselho estudantil, se quer saber.

Valeu, Tina. Na verdade, eu meio que já tinha esquecido isso. Tem tantas outras coisas acontecendo...

      Que outras coisas? Aquele negócio das lesmas?

Até você está sabendo DISSO?

      Estava no noticiário ontem à noite. Parece que o pessoal de Mônaco ficou meio bravo.

Eles não têm o direito de ficar bravos! A culpa é toda deles!

      É, o repórter meio que disse isso. É por isso que você está chateada?

Não. Bom, um pouco. Quer dizer... você pode guardar um segredo?

      Claro!

Eu sei, mas é, tipo, um segredo DE VERDADE. NÃO PODE contar pra Lilly.

Juro mesmo.

NEM PARA O BORIS!!!!!!!!!!!!!!!!!!!

JURO MESMO!!! JÁ DISSE QUE JURO MESMO!!!!

Certo. Bom. É que ontem, quando eu estava na fila rápida, Lana me disse que garotos que já estão na faculdade esperam que a namorada Faça Aquilo, e isso significa que Michael deve estar achando que EU vou Fazer Aquilo, só que eu não sei muito bem se quero. Quer dizer, ACHO que eu quero, mas não se isso significa tirar a roupa na frente dele. Mas não tenho certeza se existe um jeito de evitar essa parte. Achei que os garotos na faculdade Faziam Aquilo só com garotas da faculdade. Mas eu não estou na faculdade, estou na escola. Mas daí eu falei com minha mãe e ela disse que Fez Aquilo quando tinha 15 anos com um cara chamado Wendell Jenkins, mas daí ele se casou com uma princesa do milho chamada April e minha mãe nunca mais o viu. E se isso acontecer comigo e com Michael? Tipo, e se a gente Fizer Aquilo e daí a gente terminar porque na verdade a gente quer coisas diferentes da vida e ele acabar se casando com uma princesa do milho? Acho que eu morro se isso acontecer. Mas minha mãe diz que não pensava no Wendell há anos. Sei lá. O que eu faço?

> Só porque não deu certo com Wendell e sua mãe, isso não é motivo para achar que você e Michael também vão terminar. E, aliás, que tipo de nome é WENDELL?

Então você está dizendo... que eu devo Fazer Aquilo?????

> Não acho que Lana saiba de verdade como garotos que já estão na faculdade pensam. Ela não conhece nenhum. Ou, se conhecer, devem ser uns garotos de fraternidade. E Michael nem está em fraternidade. Além do mais, Michael ama você de verdade. É óbvio só pelo jeito como ele olha pra você. Se você não quiser Fazer Aquilo, não faça.

É, mas e quanto ao que Lana disse?

> Michael não é o tipo de cara que te daria um fora só porque você não quer Fazer Aquilo com ele. Quer dizer, talvez os caras que LANA conhece possam agir dessa maneira. Tipo Josh Richter, por exemplo. Ou aquele tal de Ramon. Ele parece meio superficial. Mas não Michael. Porque ele se PREOCUPA de verdade com você. Além do mais, eu não acho que Michael esteja pensando que você vai Fazer Aquilo. Pelo menos não agora.

VOCÊ ACHA MESMO??????

> Acho. Quer dizer, seria meio presunçoso da parte dele. Não faz nem um ano que vocês estão namorando. Acho que ninguém devia Fazer Aquilo com um cara a não ser que estejam juntos há pelo menos um ano. E então têm de Fazer Aquilo a primeira vez na noite do baile de formatura. Porque quando a gente Faz Aquilo pela primeira vez, o garoto tem de estar de smoking. Questão de educação.

Tina, eu quase não consegui fazer o Michael me levar ao baile de formatura uma vez. Duvido muito que algum dia vou conseguir fazer com que ele me leve de novo.

> Hmmm. Bom, coroações também contam. Tenho certeza de que também seria muito romântico Fazer Aquilo pela primeira vez depois da sua coroação.

Eu só vou ser coroada depois que meu pai morrer e deixar o trono para mim!!!! E eu posso estar tão velha quanto o Príncipe Charles quando isso acontecer!!!!!!!!!!!!!! Eu QUERO muito Fazer Aquilo antes de ficar VELHA, sabe. Só que não AGORA.

> Bom, então você só precisa dizer isso ao Michael. Vocês dois estão precisando ter A Conversa. Você precisa colocar tudo isso

em pratos limpos. Porque a comunicação é o segredo dos relacionamentos românticos.

Você e Boris já falaram sobre isso? Quer dizer, já tiveram A Conversa? Sobre FAZER AQUILO?

É lógico!!!! Quer dizer, caso não dê certo entre mim e o Príncipe William, Boris sabe que, se pretende receber o presente da minha flor, ele vai ter de esperar até depois do baile de formatura
- em uma cama tamanho king-size com lençóis brancos de cetim
- em uma suíte de luxo com vista para o Central Park
- no Hotel Four Seasons da East 57th Street
- com champanhe e morangos cobertos de chocolate na chegada
- com banho de banheira com aromaterapia para depois
- e, na manhã seguinte, café na cama com waffles.

Ah, Tina, não sei como dar esta notícia para você... mas parece um pouco mais do que Boris pode pagar. Quer dizer, ele AINDA está na escola.

Eu sei. É por isso que eu sugeri que ele já começasse a economizar a mesada agora. Além do mais, é melhor ele ter mais do que aquela única camisinha que ele carrega na carteira há uns dois anos.

Boris tem uma camisinha na carteira???? Neste MOMENTO??????????

Ah, tem. Ele é muito proativo. Essa é uma das razões pelas quais eu o amo.

SERÁ QUE VOCÊS DUAS PODEM PARAR DE PASSAR BILHETINHOS E PRESTAR ATENÇÃO? ESTA É A MELHOR PROFESSORA QUE JÁ TIVEMOS E VOCÊS DUAS ESTÃO ME ENVERGONHANDO TOTALMENTE COM A SUA INCAPACIDADE DE PRESTAR ATENÇÃO...
Espera aí. Que história é essa de camisinha?

Nada! Olha pra frente!

Aliás, de quem é que vocês estão falando?

De ninguém, Lilly. Não tem importância. Olha, ela está devolvendo nossas redações.

E você acha que isso vai servir para desviar a minha atenção. Eu quero saber de quem é que vocês duas estão falando. QUEM é que anda com uma camisinha na carteira??

Presta atenção, Lilly!

Certo! Isso, sim, é que é o sujo falando do mal lavado. Que nota você tirou, falando nisso? 10, como sempre, Senhorita Tira Sempre 10 em Inglês?

Bom, para falar a verdade, eu me esforcei MESMO nisto...

Rá! Você não tirou 10!!!! Eu disse. Você devia prestar atenção nessa aula se quer mesmo virar escritora.

Quarta, 9 de setembro, Francês

Não estou entendendo nada. NÃO ESTOU ENTENDENDO NADA. Eu sou uma escritora de talento. Eu SEI que sou. Já me DISSERAM que sou. Mais de uma pessoa já disse.

Quer dizer, não estou dizendo que não tenho mais nada para aprender. Eu sei que tenho. Sei que não sou nenhuma Danielle Steel. Ainda. Sei que ainda tenho muito trabalho a fazer antes de ter esperança de ganhar um Booker Prize ou qualquer outro prêmio que os escritores recebem.

Mas um 8????

Nunca tirei um 8 em uma redação de inglês na vida!!!!

Deve haver algum erro.

Fiquei tão chocada quando recebi minha redação que acho que fiquei lá sentada com a boca aberta durante muito tempo... tempo suficiente para a fila de pessoas em volta da mesa da Srta. Martinez diminuir e ela finalmente reparar em mim e dizer assim: "Pois não, Mia? Você tem alguma pergunta?"

"Isto aqui é um 8", foi tudo o que eu consegui dizer, com a voz engasgada. Porque a minha garganta tinha meio que fechado. E as palmas das minhas mãos estavam suadas. E meus dedos tremiam.

Porque eu nunca tirei 8 em uma redação de inglês. Nunca, nunca, nunca, nunca...

"Mia, você escreve muito bem", disse a Srta. Martinez. "Mas você não tem disciplina."

"Não tenho?" Lambi os lábios. Acho que tinham ressecado naquele período em que fiquei ali sentada.

A Srta. Martinez sacudiu a cabeça, cheia de tristeza.

"Compreendo que a culpa não seja inteiramente sua", prosseguiu a Srta. Martinez. "Você provavelmente só tira 10 nas aulas de inglês há anos, usando o humor cru e as referências escrachadas de cultura pop que usou na sua redação. Tenho certeza de que seus professores estavam ocupados demais lidando com os alunos que não tinham nenhuma capacidade de escrever para se ocupar com uma aluna que obviamente sabe. Mas, Mia, você não percebe? Essa pseudoloucura autoconsciente não tem espaço em um trabalho expositivo sério. Se você não aprender a se disciplinar, nunca vai crescer como escritora. Textos como o que você entregou só servem para comprovar que você sabe usar as palavras, NÃO que você é uma escritora."

Eu não fazia a menor ideia do que ela estava falando. Só sabia que tinha tirado 8. Um 8!!! EM INGLÊS.

"Se eu escrever outro texto", perguntei, "será que você aceita no lugar deste e cancela o meu 8?"

"Se for bom o bastante, pode ser", respondeu a Srta. Martinez. "Não quero simplesmente que você saia apressada fazendo alguma outra coisa exagerada, Mia. Quero que você reflita a respeito do texto. Quero que você me obrigue a pensar."

"Mas", reclamei, bem baixinho, "foi o que eu tentei fazer no texto sobre as lesmas..."

"E você fez isso comparando o seu ato de despejar dez mil lesmas na baía de Genovia com a recusa da Pink em se apresentar para o Príncipe William porque ele caça?" A Srta. Martinez estremeceu. "Não, Mia. Isso não me fez pensar. Só fez com que eu sentisse tristeza pela sua geração."

Ainda bem que, exatamente neste momento, o sinal tocou e eu tive de sair. O que foi bom, porque eu estava prestes a vomitar em cima da carteira.

Quarta, 9 de setembro, S&T

Michael ligou na hora do almoço. Os alunos da EAE não devem fazer nem receber ligações no horário das aulas, mas no almoço não faz mal.

De qualquer forma, ele ficou todo: "O que aconteceu com você ontem à noite? A gente estava se falando e do nada você simplesmente desapareceu!"

Eu: Ah, é. Desculpa. Rocky acordou chorando e eu tive de ir lá cantar pra ele voltar a dormir.

Michael: Então está tudo bem?

Eu: Bom, quer dizer, se você levar em conta que depois de dois dias de aula eu já estou reprovando em geometria, estou sendo obrigada a concorrer ao cargo de presidente do conselho estudantil contra a vontade e minha nova professora de inglês acha que eu sou uma fraude sem talento, e se para você isso significa que está tudo bem, então, é, acho que sim.

Michael: Não acho que nenhuma dessas coisas seja boa. Você já falou com o... quem é seu professor, o Harding? Ele é um cara decente. Sobre ter um pouco de ajuda extra nessa matéria, quero dizer? Ou, se você quiser, podemos repassar o capítulo juntos no sábado, quando a gente se encontrar. E como é que sua professora de inglês pode achar que você é uma fraude sem talento? Você é a melhor escritora que eu conheço. E, no que diz respeito ao negócio do conselho estudantil, Mia, só diga pra Lilly que você não dá a MÍNIMA para o plano dela. Você já tem muito com que se preocupar e não quer disputar a eleição. Qual é a pior coisa que pode acontecer?

Rá! É tão fácil para Michael falar... Quer dizer, ele não tem medo da irmã dele — nem um pouquinho, e eu tenho. E o Sr. Harding? Um cara decente? Meu Deus, hoje ele jogou um pedaço de giz na cabeça da Trisha Hayes! Preciso dizer que eu faria o mesmo se soubesse que não ia me ferrar depois. Mas mesmo assim.

E como é que Michael sabe o tipo de escritora que eu sou? Tirando alguns artigos no jornal da escola no ano passado, e minhas cartas, e-mails e mensagens, ele nunca leu nada do que eu escrevi. Com certeza nunca dei um dos meus poemas para ele ler. Por que e se ele não gostar? O meu espírito de escritora ficaria despedaçado.

Ainda mais despedaçado do que está agora.

Eu: Sei lá. E o SEU dia, como está?

Michael: Ótimo. Hoje, na minha aula de Princípios de Geomorfologia, falamos a respeito de como a calota polar encolheu cem milhões de hectares — é o tamanho dos estados da Califórnia e do Texas juntos — nos últimos vinte anos e que se continuar a desaparecer no ritmo atual — cerca de 9% por década — pode desaparecer totalmente até o fim deste século, o que vai, obviamente, ter efeitos devastadores sobre a vida na Terra como a conhecemos. Espécies inteiras vão desaparecer, e todas as pessoas que têm imóveis à beira-mar vão ter imóveis submersos. A não ser que façamos alguma coisa para controlar as emissões de gases poluentes que estão destruindo a camada de ozônio e permitindo o derretimento das calotas.

Eu: Então, essencialmente, no final não faz a menor diferença a nota que eu vou tirar em geometria, já que vamos todos morrer mesmo?

Michael: Bom, não nós, necessariamente. Mas os nossos netos, com certeza.

Só que eu tinha bastante certeza de que Michael não estava falando dos NOS-SOS netos, como se fossem os filhos dos filhos que nós podemos ter se, sabe como é, nós Fizermos Aquilo. Acho que ele estava falando de netos de uma maneira geral. Tipo os netos que ele pode ter com uma princesa do milho com quem vai se casar depois que ele e eu tivermos nos afastado e seguido cada um o seu caminho.

Eu: Mas eu achei que nós íamos morrer mesmo daqui a dez anos quando o petróleo de fácil acesso terminasse.

Michael: Ah, não se preocupe com isso. Doo Pak e eu resolvemos criar um protótipo para um carro movido a hidrogênio. Espero que sirva para resolver esse problema. Se, sabe como é, a indústria automobilística não tentar nos matar por causa disso.

Eu: Ah. Certo.

É legal saber que pessoas inteligentes como Michael estão trabalhando nesse negócio todo de o petróleo acabar. Assim os problemas que podem ser resolvidos com mais facilidade, como algas assassinas e governo do conselho estudantil, podem sobrar para pessoas como eu.

Michael: Então está tudo certo para sábado?

Eu: Você quer dizer de eu ir aí para conhecer Doo Pak? Acho que sim.

Michael: Na verdade, o que eu quis dizer foi...

Neste momento, Lilly tentou arrancar o telefone de mim.

Lilly: É o meu irmão? Deixa eu falar com ele.

Eu: Lilly! Solta!

Lilly: É sério, eu preciso falar com ele. A mamãe trocou a senha de novo e eu não consigo mais entrar no e-mail dela.

Eu: Mas você não deve ler o e-mail da sua mãe!

Lilly: Mas como é que eu vou saber o que ela anda falando de mim para as pessoas?

E foi aí que eu finalmente consegui arrancar o telefone das mãos dela.

Eu: Hmm, Michael. Vou ter de ligar para você mais tarde. Depois da aula. Tudo bem?

Michael: Ah. Tudo bem. Aguenta firme. Vai dar tudo certo.

Eu: É. Até parece.

É fácil para ELE dizer que vai dar tudo certo. VAI dar tudo certo. Para ELE. ELE não precisa mais ficar enfiado neste buraco dos infernos oito horas por dia. Ele tem aulas divertidas a respeito de como a calota polar está derretendo e a gente vai morrer, enquanto eu tenho de andar por um corredor com vinte milhões de pôsteres da Lana Weinberger olhando para mim e falando: *Fracassada! Fracassada! Princesa do quê? Ah, já sei! Da Fracassolândia!*

Quando saímos da cantina para passar brilho labial antes da próxima aula, vi Ramon Riveras, o novo estudante de intercâmbio, demonstrando a técnica brasileira de domínio de bola para Lana e alguns companheiros do time principal de futebol, e todos estavam prestando muita atenção (o que era mesmo muito bom, já que no ano passado eles não ganharam nenhum jogo). Só que, em vez da bola, Ramon estava usando uma laranja, jogando de um lado para o outro entre os pés. Também estava dizendo alguma coisa, mas não deu para entender nenhuma palavra, seja lá o que fosse. Os outros integrantes do time dele também pareciam confusos.

Mas vi Lana fazendo sinal de sim com a cabeça, como se estivesse entendendo. E provavelmente entendia mesmo. Lana conhece muitas coisas brasileiras. Eu sei porque já a vi pelada no chuveiro.

Quarta, 9 de setembro, ainda em S&T

Mia. Vamos fazer uma lista.

Não! Lilly, me deixa em paz! Tenho problemas demais neste momento para fazer uma lista.

Que problemas? Você não tem nenhum problema. Você é uma princesa. Você não vai reprovar em álgebra. Você tem namorado.

É isso mesmo. Eu tenho namorado, mas parece que ele acha que eu...

Você o quê?

Deixa para lá. Vamos fazer uma lista.

LILLY E MIA AVALIAM OS REALITY SHOWS

Survivor:

Lilly: Tentativa nojenta da mídia de atrair audiência com golpes baixos, mostrando os participantes em situações humilhantes e exploratórias. 0/10

Mia: É. E quem quer ver pessoas comendo insetos? Eca!!! 0/10

Fear Factor:

Lilly: Igual ao anterior. 0/10

Mia: Mais insetos. Que nojo. 0/10

American Idol:

Lilly: Este programa é divertido, se a sua ideia de divertimento for assistir a jovens sendo ridicularizados por tentar compartilhar seus talentos com o mundo. 5/10

Mia: Depois de ter os meus sonhos despedaçados há pouquíssimo tempo, não gosto de ver gente pisoteando os sonhos dos outros. 2/10

Recém-casados: Nick e Jessica:

Lilly: Se assistir aos devaneios patéticos de uma cantora iletrada que não sabe a diferença entre frango e atum é a sua ideia de diversão, por favor, então assista a esse programa. Eu não farei nada para impedir. 0/10

Mia: Jessica não é burra, só não tem experiência. Ela é ENGRAÇADA. Além do mais, Nick é gostoso. O melhor programa DE TODOS! 10/10

The Bachelor/ette:

Lilly: Quem se importa com gente idiota que fica junta? No fim, eles só vão ter filhos, e daí vai ter mais gente idiota neste planeta. E nós incentivamos essas pessoas com esse programa! Uma desgraça. 0/10

Mia: Mas que exagero! Eles estão em busca do amor! O que tem de errado nisso? 5/10

Trading Spaces:

Lilly: Eu nunca deixaria a Hildi chegar perto do meu quarto, de jeito nenhum. 10/10

Mia: Preciso concordar. Qual é o problema dela? Mas ia ser legal soltá-la no quarto da LANA. 10/10

Real world:

Lilly: É perfeito, se a sua ideia de perfeição for assistir a jovens mergulhados em jacuzzis sem supervisão dos pais ou qualquer espécie aparente de moral (que é exatamente a minha. 10/10)

Mia: Por que eles são tão maus uns com os outros? Mesmo assim, até que é bom. 9/10

Queer eye for the straight guy:

Lilly: Cinco homens LGBTQ+ dão um jeito em pessoas que não conseguem arrumar o quarto e só sabem usar jeans desbotados. Alguns defensores dos direitos iguais independentemente da orientação sexual temem que esse programa faça o movimento regredir décadas. E mesmo assim... por que aquele cara PASSOU tanto tempo usando aquela peruca horrorosa???? 10/10

Mia: É isso aí, e por acaso eu conheço uma pessoa que ainda poderia se beneficiar de uma ajudinha dos Fab Five, porque eu tenho certeza de que eles não aprovam suéter para dentro da calça. 10/10

The Simple Life com Paris Hilton e Nicole Richie:

Lilly: Você está de brincadeira, certo? Alguém acha que eu vou me divertir com uma louva-a-deus humana e a amiga bêbada dela enquanto elas tiram sarro, com a maior grosseria, das pessoas que foram gentis o bastante para acolhê-las? Acho que não. 0/10

Mia: Hmm. Eu meio que preciso concordar. Aquelas garotas estão precisando de umas BOAS aulas de princesa. Quem sabe, da próxima vez, as irmãs Hilton e a pequena Nicole possam passar uma semana com Grandmère! Aposto que ELA teria algo a dizer a respeito dos piercings delas. Ah, mas esse, sim, é um reality show a que eu ADORARIA assistir!!!!!!! 0/10

Quarta, 9 de setembro, Governo dos EUA

TEORIAS DE GOVERNO (cont.)

TEORIA DO CONTRATO SOCIAL: Thomas Hobbes, filósofo inglês do século XVII, escreveu *Leviatã*, em que afirma o seguinte:
Os seres humanos existiam originalmente em um "estado natural".

Em outras palavras, ANARQUIA.

Mas a anarquia é ruim! Com a anarquia, as pessoas podem fazer o que bem entenderem! Com a anarquia, por exemplo, uma certa líder de torcida, cujo nome não será citado, poderia usar um calção que claramente pertence a um integrante do time de futebol por baixo da saia do uniforme escolar dela e assegurar-se de que todo mundo está vendo que ela está usando aquilo com cruzadas e descruzadas de pernas de maneira muito atlética e chamativa, durante a aula de Governo dos EUA, como pode estar fazendo AGORA MESMO, desafiando escandalosamente as regulamentações da escola. E uma certa outra pessoa, cujo nome não será citado, pode estar com vontade de dedurá-la, mas no final vai se decidir por não o fazer, porque delatar os outros é errado, a menos que a vida de alguém esteja em jogo.

Hobbes defendeu que o contrato original entre o povo e o Estado era definitivo, resultando assim no absolutismo do Estado.

Por sorte, John Locke modificou a teoria para dizer que o contrato podia ser negociado.

VIVA JOHN LOCKE!
VIVA JOHN LOCKE!
VIVA VIVA VIVA
VIVA JOHN LOCKE!

Quarta, 9 de setembro, Ciências da Terra

Kenny acabou de se inclinar pro meu lado pra me lembrar de que tem uma namorada nova, Heather, que conheceu no acampamento de ciências durante o verão. Parece que Heather é superior a mim em todos os aspectos (só tira 10, faz ginástica olímpica, não usa humor escrachado relacionado a cultura pop em suas redações, não é princesa etc.), então, apesar do que eu possa pensar, Kenny já me superou totalmente, e eu posso ficar piscando meus olhões azuis de bebê para ele o quanto eu quiser que não vai fazer a menor diferença, ele NÃO vai fazer o meu dever de casa de ciências da terra este semestre.

Tanto faz, Kenny. Em primeiro lugar, vá ao oftalmologista para ver se os seus óculos estão certos: os meus olhos são acinzentados, não azuis. Em segundo, eu nunca pedi para você fazer o meu dever de casa de biologia ano passado. Você simplesmente começou a fazer sozinho. Reconheço que foi um erro da minha parte PERMITIR que você fizesse, tendo em vista que eu sabia que não gostava de você do mesmo jeito que você gostava de mim. Mas pode ter certeza de que isso não vai acontecer de novo. Porque eu vou prestar total atenção à aula e fazer meu PRÓPRIO trabalho. Nem vou PRECISAR da sua ajuda.

E, sinceramente, espero que você e Heather sejam felizes juntos. Seus filhos provavelmente vão ser muito inteligentes. No caso de vocês acabarem Fazendo Aquilo, quero dizer. E esquecerem de se precaver. Mas isso é altamente improvável no caso de dois prodígios da ciência.

Kenny é mesmo muito esquisito.

Não, quer saber? Os *garotos* são esquisitos. Fala sério. Talvez eu deva escrever o meu novo texto para a Srta. Martinez sobre isso. Meninos e suas esquisitices.

Por exemplo, meus cinco filmes preferidos são:

1. *Dirty dancing — Ritmo quente*
2. *Flashdance*
3. *Teenagers — As apimentadas*
4. O *Guerra nas estrelas* original e
5. *Honey*

sendo que todos têm tema parecido — uma garota precisa usar seus talentos recém-adquiridos (dançar) para salvar a si mesma / seu relacionamento / sua equipe (bom, tudo bem, o enredo de *Guerra nas estrelas* não é bem esse. Quer dizer, até é se você trocar a palavra "garota" por "garoto". E dança por "a Força").

Então já deu para ver por que eu gosto tanto deles.

Mas os cinco filmes preferidos do Michael — sem contar o *Guerra nas estrelas* original — são totalmente diferentes dos meus. Eles não têm um único tema em comum! Tratam de tudo que é situação! E, na maior parte, eu nem sei POR QUE ele gosta deles. As pessoas nem dançam neles.

Aqui está um vislumbre do Mundo Estranho dos Meninos e os Filmes de que Eles Gostam:

OS CINCO FILMES PREFERIDOS DO MICHAEL

(SENDO QUE EU NUNCA ASSISTI A NENHUM DELES, NEM NUNCA VOU ASSISTIR):

1. *O poderoso chefão*
2. *Scarface — A vergonha de uma nação*
3. *O massacre da serra elétrica*
4. *Alien — O 8º passageiro, Alien — O resgate, Alien — A ressurreição* etc.
5. *O exorcista*

OS CINCO FILMES PREFERIDOS DO MICHAEL

(A QUE EU JÁ ASSISTI, SEM CONTAR O *GUERRA NAS ESTRELAS* ORIGINAL):

1. *Como enlouquecer seu chefe*
2. *O substituto*
3. *O quinto elemento*
4. *Tropas estelares*
5. *Supertiras*

Gostaria de observar que nenhum dos filmes acima contém cenas de dança. Nenhum. Na verdade, eles não compartilham de nenhum tema em comum, com a possível exceção de que todos os caras dos filmes têm namoradas lindas.

Basicamente, homens e mulheres têm expectativas inteiramente diferentes no que diz respeito ao gosto por filmes. Realmente, levando tudo isso em conta, é surpreendente eles conseguirem se juntar para Fazer Aquilo.

Pensando melhor, esse provavelmente é um assunto sobre o qual a Srta. Martinez não gostaria nem um pouco de ler. Apesar de *eu* o considerar educacional, duvido muito que *ela* ache a mesma coisa.

Ela provavelmente nunca vai ao cinema porque os filmes são muito pop. Provavelmente só assiste a filmes cult, tipo os que passam no cinema alternativo Angelika. Aposto que ela nem tem televisão.

Meu Deus. Não é *para menos* que ela seja assim.

*DEVER DE CASA

Educação Física: Não disponível

Geometria: Exercícios, páginas 20-22

Inglês: Não sei, estava chocada demais para anotar

Francês: *Écrivez une histoire*

    E descobrir se Perin é homem ou mulher!!!!!!

S & T: Não disponível

Governo dos EUA: Qual é a base do governo de acordo com a teoria do contrato social?

Ciências da Terra: Perguntar ao Kenny

Quarta, 9 de setembro, na limusine, voltando do Plaza pra casa

Hoje, quando fui ao hotel da Grandmère para minha aula de princesa, ela avisou que iríamos fazer uma pesquisa de campo.

Eu disse a ela que não tinha tempo nem para a aula de princesa hoje — que minha nota de inglês estava em jogo, e que eu precisava ir para casa fazer uma redação nova imediatamente.

Mas Grandmère não ficou nem um pouco impressionada — mesmo quando eu disse que minha futura carreira de romancista dependia daquilo. Ela disse que membros da realeza não devem escrever livros, de qualquer maneira — que as pessoas só querem ler livros SOBRE a realeza, e não escritos POR seus integrantes.

Às vezes, Grandmère não entende nada mesmo.

Eu tinha certeza de que a nossa pesquisa de campo seria uma visita ao Paolo — as minhas raízes estão começando totalmente a aparecer —, mas, em vez disso, Grandmère me levou para o térreo, em uma das inúmeras salas de conferência do Plaza. Tinha umas duzentas cadeiras na sala, com um púlpito na frente, com um microfone e uma jarra de água.

Só na fileira da frente tinha gente sentada. E as pessoas eram a camareira de Grandmère, o chofer dela e diversos funcionários do Plaza com seus uniformes em verde e dourado, com cara de que não estavam nada à vontade. Principalmente a camareira da Grandmère, que segurava Rommel no colo, e ele não parava de tremer.

No começo, achei que eu tivesse sido enganada e que era uma entrevista coletiva a respeito das lesmas ou algo assim. Mas onde estavam os repórteres?

Mas Grandmère disse que não, que não era uma entrevista coletiva. Era para treinar.

Para o debate.

De presidente do conselho estudantil.

"Hã, Grandmère", comecei. "Não vai haver debate entre as candidatas a presidente do conselho estudantil. Todo mundo só vai lá e vota. Na segunda-feira."

Mas Grandmère não acreditou em mim de jeito nenhum. Ela falou assim, depois de soltar um fio comprido de fumaça de cigarro, apesar de no Plaza só ser permitido fumar no quarto: "A sua amiguinha Lilly me disse que vai ter um debate."

"Você falou com LILLY?" Não dava para acreditar. Lilly e Grandmère se ODEIAM. Por bons motivos, depois de tudo que aconteceu com o Jangbu Panasa.

E agora Grandmère me diz que ela e a minha melhor amiga fizeram um COMPLÔ?

"QUANDO FOI QUE LILLY DISSE ISSO A VOCÊ?", perguntei, já que não acreditei em nenhuma palavra daquilo.

"Mais cedo", respondeu Grandmère. "Vá até o púlpito e veja como você se sente."

"Eu SEI como é ficar atrás de um púlpito, Grandmère", respondi. "Já fiquei atrás de púlpitos antes, lembra? Quando eu fiz um discurso no Parlamento de Genovia a respeito da questão dos parquímetros."

"Foi", disse Grandmère. "Mas era um público formado por senhores. Aqui, quero que você aja como se estivesse falando com os seus colegas. Pense neles sentados à sua frente, com aqueles jeans folgadões ridículos e aqueles bonés virados para trás."

"A gente usa uniforme na escola, Grandmère", lembrei a ela.

"É, mas, bom, você sabe do que eu estou falando. Pense neles todos sentados aqui, sonhando em ter seu próprio programa de televisão, igual àquele Ashton Kutcher pavoroso. Diga como você responderia à seguinte pergunta: que melhorias você implementaria para fazer com que a Escola Albert Einstein seja uma instituição de ensino melhor, e por quê?"

Fala sério, às vezes eu não a entendo. Parece que ela caiu no chão e bateu a cabeça quando nasceu. Só que caiu em cima de um assoalho de madeira, e não no sofá-cama como quando eu derrubei o Rocky há pouco tempo. Só que não foi nem um pouco minha culpa, porque Michael entrou sem avisar, usando jeans novos.

"Grandmère", falei. "Qual é o motivo disso? NÃO VAI HAVER DEBATE."

"APENAS RESPONDA À PERGUNTA."

Caramba. Às vezes ela é mesmo impossível.

Certo, ela é impossível o tempo todo.

Então, só para acalmá-la, fui para trás daquele púlpito idiota e disse no microfone: "Melhorias que eu implementaria para fazer com que a Escola Albert Einstein seja uma instituição de ensino melhor incluem a incorporação de mais pratos sem carne no almoço para alunos vegetarianos e veganos, e, hmm, uma lista dos deveres de casa colocada no site da escola toda noite, para que os alunos que, hã, sem querer esqueceram de anotar saibam exatamente o que precisam entregar no dia seguinte."

"Não se debruce tanto por cima do púlpito, Amelia", disse Grandmère, cheia de críticas, do lugar onde estava em pé, soprando a fumaça em uma azaleia grande em um vaso (Grandmère tem mesmo muita sorte. Porque daqui a dez anos, quando todo o petróleo acabar e a calota polar tiver derretido completamente, ela provavelmente já vai estar morta de câncer do pulmão de tanto que fuma). "Fique com as costas retas. Ombros para trás. Isso mesmo. Pode continuar."

Eu já tinha me esquecido completamente do que estava falando.

"E os professores?", o chofer de Grandmère perguntou, tentando soar como um aspirante a Ashton Kutcher de jeans largão. "O que que você vai fazer com eles, hein?"

"Ah, sim", respondi. "Os professores. Por acaso não é o trabalho deles nos incentivar a realizar os nossos sonhos? Mas eu reparei que alguns professores parecem achar que, entre as suas funções, está acabar com a gente e... e... podar nossos impulsos criativos! Só porque, sabe como é, eles podem ser mais divertidos do que educacionais. É esse tipo de gente que queremos moldando nossas jovens mentes? É?"

"Não", gritou uma camareira.

"Tem toda a razão, caramba", berrou o chofer de Grandmère.

"Ah", disse eu, sentindo-me mais segura devido a resposta positiva. "E também as, hmm, câmeras de vigilância na frente da escola. Posso compreender como são valiosas no sentido de representarem uma medida de segurança. Mas se estão sendo usadas para..."

"Amelia!", berrou Grandmère. "Tire os cotovelos do púlpito!"

Tirei os cotovelos do púlpito.

"Para monitorar o comportamento dos alunos, preciso perguntar: será que a diretoria tem mesmo o direito de nos espionar?" Eu estava meio que gostando desse negócio de debate. "O que acontece com as fitas das câmeras de vídeo depois que estão cheias? São rebobinadas e regravadas, ou são guardadas de alguma maneira, para que seu conteúdo possa ser usado contra nós em algum momento no futuro? Por exemplo, se um de nós for indicado para a Suprema Corte, será que uma fita mostrando essa pessoa jogando serpentina em spray no Leão Joe será disponibilizada para os repórteres, e usada para nos comprometer?"

"Pés no chão, Amelia!", Grandmère soltou um berro estridente, só porque eu tinha apoiado um pé na prateleirinha do púlpito, onde a gente deve guardar a bolsa ou algo assim.

"E o que dizer das garotas que usam os calções da equipe esportiva do namorado por baixo da saia?", prossegui. Preciso admitir que eu estava até me divertindo. As camareiras do Plaza estavam prestando total atenção em mim. Uma delas até bateu palmas quando eu falei do negócio das câmeras de vigilância que possivelmente seriam usadas contra nós se alguém fosse indicado para a Suprema Corte. "Por mais sexista que eu considere essa prática, será que é da conta da diretoria o que usamos ou deixamos de usar por baixo da saia? Eu digo que não! Não! Não ousem interferir nas MINHAS roupas de baixo!"

Uau! Essa última parte provocou um longo "Ah" nas camareiras! Elas se levantaram, aplaudindo, como se eu fosse... sei lá, a J. Lo ou alguém assim!

Eu não fazia a menor ideia de que fosse uma oradora tão brilhante assim. Fala sério. Quer dizer, o negócio dos parquímetros não foi nada comparado a isso.

Mas Grandmère não ficou tão impressionada quanto os outros.

"Amelia", disse Grandmère, soltando uma plumagem de fumaça azul. "Princesas não batem no púlpito com os punhos quando fazem uma afirmação."

"Desculpe, Grandmère", falei.

Mas eu não achava que precisasse me desculpar. Para falar a verdade, eu fiquei mais animada. Eu não fazia ideia de como era divertido fazer um discurso para uma sala cheia de camareiras de hotel. Quando fiz meu discurso no parlamento genoviano sobre a questão dos parquímetros, quase ninguém tinha prestado atenção em mim.

Mas nesta noite, no hotel, aquelas mulheres ficaram na palma da minha mão. Fala sério.

Bom, mas provavelmente seria bem diferente se eu estivesse mesmo me dirigindo a um público formado por pessoas da minha idade. Tipo, se eu estivesse mesmo na frente da Lana e da Trisha e de todas elas, poderia ser um pouco diferente.

Tipo, eu podia vomitar em cima de mim mesma, de verdade.

Mas não vou me preocupar com isso porque até parece que vai acontecer. Quer dizer, eu não vou participar de debate nenhum com a Lana. Porque ninguém disse nada sobre debate nenhum.

E mesmo que haja um, não vou ter de participar dele, de todo modo.

Porque Lilly disse que não. Que ela tem um plano.

Seja lá o que isso queira dizer.

Quarta, 9 de setembro, em casa

Entrei no caos completo do apartamento da Thompson Street mais uma vez. Como a minha mãe e o Sr. G vão para Indiana no fim de semana, o pôquer das mulheres do sábado teve de ser transferido para hoje à noite. Então, todas as artistas feministas do grupo de pôquer da minha mãe estavam sentadas em volta da mesa da cozinha, comendo *moo goo gai pan* quando eu entrei.

Também estavam fazendo muito barulho. Tanto que, quando eu chamei Fat Louie, ele nem veio. Eu até balancei o saquinho de biscoitos de baixa caloria dele e nada. Por um minuto, pensei até que Fat Louie tivesse fugido — tipo, que ele tivesse conseguido sair de algum jeito na confusão das feministas entrando. Porque, sabe como é, ele não anda muito feliz de ter de compartilhar o apartamento com o novo bebê. Na verdade, tivemos de espantá-lo do berço do Rocky algumas vezes porque ele parece pensar que aquela cama foi colocada ali para ele, porque é MESMO meio que do tamanho do Fat Louie.

E reconheço que passo MESMO muito tempo com Rocky. E é o tempo que eu costumava passar com Fat Louie, fazendo massagens nele.

Mas estou TENTANDO ser uma boa mãe — tento babar TANTO pelo gato QUANTO pelo meu irmão.

Finalmente, o encontrei escondido embaixo da minha cama... mas só a cabeça, porque ele é tão gordo que o resto dele não cabia, então a bundinha de gato dele estava arrebitada para cima.

Eu não o culpo por querer se esconder. As amigas da minha mãe sabem mesmo ser assustadoras.

Parece que o Sr. G concorda. Ele também estava escondido, descobri, no quarto que compartilha com a minha mãe, tentando assistir a um jogo de beisebol com Rocky. Ergueu os olhos todo assustado quando eu entrei para dar um beijo de oi no Rocky.

"Elas já foram embora?", ele perguntou, os olhos parecendo meio que agitados por trás dos óculos.

"Hmm", falei . "Elas ainda nem começaram a jogar."

"Droga." O Sr. G abaixou os olhos para o filho, que não estava chorando, por um milagre. Ele geralmente fica bem quando a televisão está ligada. "Quer dizer, que pena."

Senti uma onda de solidariedade pelo Sr. G. Quer dizer, não é nada fácil ser casado com a minha mãe. Além de toda a loucura de ser pintora, ainda há o fato de ela ser fisicamente incapaz de pagar uma conta no dia certo, ou mesmo de ENCONTRAR a conta quando ela finalmente se lembra de que precisa ser paga. O Sr. G transferiu tudo para débito em conta, mas não ajudou nada, porque todos os cheques que a minha mãe recebe pela venda de suas obras acabam perdidos em algum lugar esquisito, tipo no fundo da caixa da máscara antigás dela.

Juro que, entre a minha incapacidade de dividir frações e a incapacidade dela de assumir qualquer tipo de responsabilidade adulta — exceto por participar de passeatas políticas e amamentar —, é um milagre o Sr. G não se divorciar de nós.

"Você precisa de alguma coisa?", perguntei. "Umas costeletas? Camarão com molho de alho?"

"Não, Mia", respondeu o Sr. G com um olhar de longo sofrimento que eu conhecia muito bem. "Mas muito obrigado mesmo. Nós vamos ficar bem."

Deixei os rapazes sozinhos e fui até a cozinha para arrumar um pouco de comida para mim antes de voltar de fininho para o meu quarto e fazer todo o dever de casa. Por sorte, nenhuma das amigas da minha mãe prestou atenção em mim, porque elas estavam muito ocupadas reclamando que os músicos homens como o Eminem são responsáveis por transformar toda uma geração de jovens em misóginos.

Francamente, não dava para ficar lá parada e aguentar esse tipo de papo na minha própria casa. Talvez fosse por consequência da minha experiência fortalecedora de fazer um discurso na sala de conferências vazia do Plaza, só sei que larguei o meu prato de legumes *moo shu* e disse para as amigas da minha mãe que o argumento delas contra o Eminem era especioso (eu nem sei o que essa palavra significa, mas ouvi Michael e Lilly a usarem várias vezes) e que se elas parassem um pouco para escutar "Cleaning out my closet" (que quer dizer "limpando o meu armário" e que, aliás, é uma das preferidas do Rocky), elas saberiam que as únicas mulheres que o Eminem detesta são a mãe dele e as interesseiras que correm atrás dele.

Essa afirmação, que eu achei bastante razoável, foi recebida com um silêncio total por parte das artistas feministas. Daí minha mãe falou assim: "A campainha está tocando? Deve ser Vern, do andar de baixo. Ele anda ficando aborrecido ultimamente quando acha que estamos dando uma festa e ele não foi convidado. Já volto."

E ela saiu apressada na direção da porta, apesar de eu não ter ouvido campainha nenhuma.

Então, uma das feministas disse assim: "Então, Mia, defender o Eminem é uma das coisas que a sua avó ensina a você durante as aulas de princesa?"

E todas as outras feministas riram.

Mas daí eu me lembrei que estava mesmo precisando de alguns conselhos do fronte feminista, então fiquei toda assim: "Ei, caras, quer dizer mulheres, vocês sabem se é verdade que garotos que já estão na faculdade esperam que a namorada Faça Aquilo?"

"Hmm, não só os que já estão na faculdade", respondeu uma das mulheres, enquanto as outras rolavam de rir.

Então é verdade. Eu já devia saber. Quer dizer, eu estava meio que esperando que Lana só tivesse dito aquilo para fazer eu me sentir mal. Mas agora parece que ela estava mesmo falando a verdade.

"Você parece preocupada, Mia", disse Kate, artista performática que gosta de ficar parada no palco esfregando gordura de frango no corpo para fazer uma crítica à indústria de cosméticos.

"Ela está sempre preocupada", comentou Gretchen, soldadora especializada em fazer réplicas de partes do corpo. Especialmente da variedade masculina. "É a Mia, lembra?"

Todas as artistas feministas rolaram de rir com isso também.

Isso fez com que eu me sentisse mal. Como se minha mãe andasse falando mal de mim pelas costas. Quer dizer, eu falo DELA pelas costas DELA, é lógico. Mas é diferente quando sua própria mãe fica falando de VOCÊ.

Claramente, Lilly não é a única que acha que eu sou uma babona de bebê.

"Você passa tempo demais se preocupando com tudo, Mia." Becca, que faz obras com luz néon, abanou o copo de margarita para mim, dando uma de sabichona. "Você deveria parar de pensar tanto. Eu não me lembro de pensar nem a metade do que você pensa quando eu tinha a sua idade."

"Porque você já tomava lítio quando estava com a idade dela", observou Kate.

Mas Becca ignorou o comentário.

"É por causa das lesmas?", Becca perguntou.

Eu só fiquei lá parada, piscando. "As o quê?"

"As lesmas", respondeu ela. "Sabe como é, aquelas que você jogou na baía. Você está preocupada porque todo mundo se aborreceu com isso?"

"Hmm", murmurei, imaginando se ela, assim como Tina, tinha visto isso no noticiário. "Acho que sim."

"É compreensível", disse Becca. "Eu também ficaria preocupada. Por que você não começa a fazer ioga?", sugeriu ela. "Isso sempre me ajuda a relaxar."

"Ou assiste a mais TV", sugeriu Dee, que gosta de criar totens e dançar em volta deles com pedaços de fígado amarrados embaixo dos braços.

Não dava para acreditar naquilo. Aquelas mulheres inteligentes estavam me falando para assistir a MAIS TV? Obviamente não são amigas de Karen Martinez.

"Parem de implicar com a Mia." Windstorm (que significa "ventania"), uma das amigas mais antigas da minha mãe E parteira E mestre espiritual E coreógrafa profissional, levantou-se para colocar mais gelo no liquidificador. "Ela tem o direito de pensar demais e de se preocupar o quanto quiser. Não existe nada mais estressante do que ter 15 anos, com a possível exceção de ser uma princesa de 15 anos."

Eu nunca tinha pensado nisso. SERÁ que eu penso demais? Será que as outras pessoas não pensam tanto quanto eu? Só que, de acordo com a Srta. Martinez, eu não penso o BASTANTE...

"Acho que foi um daqueles entregadores enfiando um cardápio por baixo da porta", disse minha mãe quando voltou para a mesa. "O que foi que eu perdi?"

"Nada", respondi, pegando meu prato e saindo apressada para o meu quarto. "Divirtam-se, caras, quer dizer, mulheres!"

Fico aqui me perguntando se Windstorm tem razão. Sobre esse negócio de eu pensar demais. Talvez esse seja o meu problema. Eu não consigo desligar o meu cérebro. Talvez outras pessoas sejam capazes de fazer isso, mas eu não sou. Na verdade, nunca tentei, é claro, porque quem é que vai querer ficar com a cabeça vazia? A não ser, você sabe, as irmãs Hilton. Porque provavelmente é mais fácil ficar na balada o tempo todo quando a gente não se preocupa com algas assassinas ou com o petróleo que vai acabar.

Mesmo assim, talvez isso tenha lá o seu valor. Eu mal consigo dormir à noite de tanto que a minha cabeça fica girando de ideias, imaginando o que eu vou fazer se alienígenas aparecerem no meio da noite e tomarem conta de tudo, ou qualquer coisa assim. Eu ADORARIA ser capaz de desligar a minha mente, do jeito que outras pessoas parecem ser capazes de fazer. Bom, isso se Windstorm estiver certa.

Aaaaa, Michael me mandou uma mensagem agora!

SkinnerBx: E aí, a gente ainda vai se ver no sábado?

Bem quando Michael perguntou isso, recebi outra mensagem.

WomynRule: BDB, o que você vai fazer no sábado?

Fala sério. Por que eu? POR QUÊ?

FtLouie: Não posso falar com você agora. Estou conversando com o seu irmão.

WomynRule: Fala para ele que mamãe vai transformar o quarto dele em um altar para o Reverendo Moon.

FtLouie: LILLY, VAI EMBORA!

WomynRule: Só fica com o sábado livre, certo? É importante. Tem a ver com a campanha.

FtLouie: Eu já marquei com o seu irmão no sábado.

WomynRule: O que, vocês vão Fazer Aquilo no sábado ou algo assim?

FtLouie: NÃO, NÃO VAMOS FAZER AQUILO NO SÁBADO. QUEM DISSE ISSO?

WomynRule: Ninguém! Caramba! Não vem para cima de mim com ataque de princesinha. Por que você ficou tão brava com isso? A não ser que... Espera aí! VOCÊS VÃO FAZER???? E VOCÊ NEM ME CONTOU??????????

FtLouie: NÃO, PELA ÚLTIMA VEZ, NÃO VAMOS FAZER!!!!

SkinnerBx: Fazer o quê, do que você está falando?

AI, MEU DEUS.

FtLouie: Não, essa mensagem era pra Lilly!

SkinnerBx: Espera aí, Lilly está falando com você agora também?

WomynRule: Não dá para acreditar que você vai Fazer Aquilo com meu irmão. Que coisa mais nojenta. Sabe como é, ele tem pelo nos dedos dos pés. Igual a um *hobbit*.

FtLouie: Lilly! CALA A BOCA!

SkinnerBx: Lilly está enchendo você? Fala para ela que, se não parar, eu vou contar pra mamãe sobre quando ela fez o "experimento gravitacional" com os bonequinhos Hummel da vovó.

FtLouie: VOCÊS DOIS! PAREM COM ISSO!!!! VOCÊS ESTÃO ME DEIXANDO TONTA!!!!

FtLouie: log-off

Sinceramente. AINDA BEM que eu sou uma babona de bebê, se isso significar que o Rocky e eu nunca vamos ficar iguais a esses dois aí.

Quinta, 10 de setembro, Sala de Estudos

Ai. Meu. Deus!
É tudo o que eu tenho a dizer.

Quinta, 10 de setembro, Educação Física

Estão até no ginásio. Não sei como ela conseguiu. Mas estão até PENDURADAS NAS CORDAS DO GINÁSIO.

Fala sério.

Estão nos chuveiros também. Envoltas em folhas de plástico para não molharem.

* Sei que aprendemos em Saúde e Segurança que é fisicamente impossível morrer de vergonha, mas pode ser que eu me transforme na exceção à regra.

Quinta, 10 de setembro, Geometria

ESTÃO EM TODA PARTE. FOTOGRAFIAS ENORMES DO MEU ROSTO, COM A MINHA TIARA. COM O MEU CETRO. A foto foi feita quando eu fui apresentada formalmente ao povo de Genovia em dezembro do ano passado.

E, embaixo da minha foto, está escrito:

VOTE EM MIA.

E daí, embaixo:

PET.

PET. Que diabos isso QUER DIZER?????

Todo mundo está falando disso. TODO MUNDO. Eu estava aqui quietinha, sentada, revisando meu dever de casa na maior inocência, quando Trisha Hayes entrou e ficou toda assim: "Boa tentativa, PET. Mas não vai fazer a menor diferença. Você pode ser princesa, mas Lana é a garota mais popular da escola. Ela vai dizimar você na segunda-feira."

"Alguém andou estudando vocabulário", foi o que eu respondi a Trisha. Porque ela usou a palavra "dizimar".

Mas não era isso que queria ter dito. O que eu queria dizer era o seguinte: "NÃO FUI EU!!!! EU NÃO FIZ NADA DISSO!!!! EU NEM SEI O QUE PET QUER DIZER!!!!!"

Mas não consegui. Porque todo mundo estava olhando para nós. Inclusive o Sr. Harding, que tirou cinco pontos do dever de casa da Trisha porque ela não estava no lugar dela quando o sinal tocou.

"Você não pode fazer isso", Trisha teve a infelicidade de dizer para ele.

"Hmm", respondeu o Sr. Harding. "Sinto muito, Srta. Hayes, mas acontece que posso, sim."

"Não durante muito tempo", disse Trisha. "Quando minha amiga Lana for presidente do conselho estudantil, ela vai acabar com os pontos tirados por atraso."

"E o que você tem a dizer sobre isso, Srta. Thermopolis?", o Sr. Harding perguntou. "Também faz parte da sua campanha acabar com os pontos tirados por atraso?"

"Hmm", disse eu. "Não."

"É mesmo?" O Sr. Harding pareceu se interessar demais por aquilo. Mas eu acho que ele só se interessou porque considerou a coisa toda levemente hilária. De algum ponto de vista esquisito de professor. "E por quê?"

"Hmm", disse eu, sentindo as orelhas ficarem vermelhas. Isso porque dava para perceber que a sala toda estava olhando para nós. "Porque acho que vou me concentrar em coisas que interessam de verdade. Tipo a falta de opções vegetarianas na cantina. E as câmeras que colocaram lá fora, perto do Joe, que infringem o nosso direito à privacidade. E o fato de que alguns professores por aqui não dão notas objetivas."

E para a minha ENORME surpresa, algumas pessoas no fundo da sala começaram a bater palmas. Mesmo. Igual àquele aplauso lento que fazem nos filmes, o tipo a que todo mundo acaba se juntando, até que se transforma em um aplauso bem rápido.

Só que o Sr. Harding cortou logo o mal pela raiz, antes que desse tempo para se transformar em um aplauso rápido, falando assim: "Muito bem, muito bem, já basta. Abram o livro na página 23 e vamos começar."

Ai, meu Deus. Esta coisa de presidente já saiu DEMAIS do controle.

Silogismo = argumento da fórmula a → b (primeira premissa) b → c (segunda premissa)

Portanto: a → c (conclusão)

SEI LÁ. Por que ela tinha de escolher uma foto com meu CETRO??? Eu estou com a maior cara de esquisitona.

* Anotação pessoal: Olhar "dizimar" no dicionário.

Quinta, 10 de setembro, Inglês

LILLY! ONDE FOI QUE VOCÊ ARRUMOU AQUELES PÔSTERES????

> *Onde você acha que arrumei? E vê se para de gritar comigo!*

Não estou gritando. Estou perguntando muito calmamente... Você conseguiu aqueles pôsteres com minha avó?

> *É óbvio! O que você acha, que eu paguei com o meu dinheiro? Você faz alguma ideia de quanto custam pôsteres coloridos daquele tamanho? Eu teria gastado todo o orçamento anual de* **Lilly Manda a Real** *só para fazer as cópias!*

Mas eu achei que você odiasse Grandmère! Por que você resolveu fazer uma coisa dessas? Tipo, envolver minha avó nisso?

> *Porque, caso você não tenha notado, essa eleição é importante para mim, Mia. Eu quero MESMO ganhar. A gente TEM QUE ganhar. É o único jeito de impedir que essa escola se transforme em um estado completamente fascista sob o reino tirânico de Gupta Sem Coração.*

Mas, Lilly, EU NÃO QUERO SER PRESIDENTE DO CONSELHO ESTUDANTIL.

> *Não se preocupe. Você não vai ser.*

ISSO NÃO FAZ O MENOR SENTIDO! Quer dizer, Lilly, eu sei que todo mundo acha que Lana vai ganhar porque ela ganha tudo, mas as coisas estão ficando muito esquisitas mesmo. Hoje, na aula de geometria, eu disse alguma coisa a respeito daquelas câmeras serem contrárias ao nosso direito à privacidade, e alguém começou a BATER PALMAS para mim.

Está acontecendo. Exatamente como eu SABIA que iria acontecer!

O que está acontecendo?????

Não importa. Só continue fazendo o que você já está fazendo. Está ótimo. É tão NATURAL... Eu nunca conseguiria ser tão natural assim.

MAS EU NÃO ESTOU FAZENDO NADA!

Essa é a melhor parte. Agora, vamos lá, presta atenção na aula. Você precisa saber essas coisas, se quer mesmo ser escritora e tal.

Lilly. Vai ter algum debate? Porque Grandmère disse alguma coisa a respeito de um debate.

Shhh. Presta atenção. Ei, aliás, o que está acontecendo entre você e o meu irmão? Vocês vão mesmo Fazer Aquilo?

PARA DE TENTAR MUDAR DE ASSUNTO! VAI TER ALGUM DEBATE?????

LILLY!!!!

LILLY!!!!!!!!!!!! RESPONDE!!!!!!

Acho que Lilly não vai responder. Posso fazer alguma coisa?

Ah. Oi, Tina. Não. É que... bom, acho que você não vai querer mandar o seu guarda-costas atirar em mim, vai? Porque eu acharia ótimo.

Hmm, Wahim não tem permissão para atirar em ninguém, a não ser que estejam tentando me sequestrar. Você sabe disso muito bem.

Eu sei. Mas, mesmo assim, gostaria de estar morta.

> Sinto muito. É por causa do negócio da eleição?

Isso, e Michael, e tudo o mais.

> Você e Michael conversaram, como eu falei para você fazer?

Não. Quando é que a gente poderia ter conversado? A gente nunca mais se vê porque ele tem aula o tempo todo, aprendendo um monte de jeitos novos pra gente morrer. E não dá para falar sobre Fazer Aquilo — neste caso, sobre NÃO Fazer Aquilo — pelo telefone ou pelo computador. É um assunto que precisa ser tratado cara a cara.

> É verdade. Então, quando é que vocês vão conversar sobre isso?

No sábado, acho. Quer dizer, vai ser o dia em que vamos nos ver.

> Muito bem! Você não adora a Srta. M com as roupas fofas dela? Quem diria que calças pantacourt PODERIAM ser assim tão fofas?

Mas sabe como é, alguém pode usar pantacourt e mesmo assim não estar... hmm, certa.

> Como assim? A Srta. Martinez SEMPRE está certa. Ela adora Jane Austen, não é mesmo?

Hmm, é. Mas talvez não seja pela mesma razão que nós.

> Você está dizendo que não é porque Colin Firth sempre fica lindo quando mergulha naquele lago no canal A & E? Mas que outra razão EXISTE para adorar Jane Austen?

Deixa para lá. Finge que eu não disse nada.

> Você acha que a Srta. M sabe que na vida real a Emma Thompson ficou com o cara que fez o papel do filho do Willoughby???? Porque, apesar de ele ter feito o papel de um vilão em Razão e Sensibilidade, tenho certeza de que ele é um cara muito legal. E, além do mais, Emma precisava encontrar o amor depois que aquele Kenneth Branagh a trocou pela Helena Bonham Carter.

Às vezes eu gostaria de viver dentro da cabeça da Tina. Juro. Lá deve ser tudo muito mais tranquilo.

Quinta, 10 de setembro, banheiro da Escola Albert Einstein

Como é que eu sempre acabo aqui? Quer dizer, escrevendo no meu diário em uma cabine do banheiro? Isso está se transformando em uma espécie de ritual ou algo do tipo.

Bom, mas tudo começou de maneira bem inocente. Estávamos falando a respeito do episódio de *O.C. — Um estranho no paraíso* de ontem à noite quando, do nada, Tina falou assim: "Ei, você já contou pra Lilly?"

E Lilly ficou toda, tipo: "Contou o que pra mim?"

E eu achei que Tina estivesse falando do negócio de Fazer Aquilo com Michael e eu fiz o movimento com os lábios de VOCÊ JUROU até que ela disse: "Que seus pais vão para Indiana esse fim de semana, é disso que eu estou falando", que eu devo ter mencionado em algum momento de fraqueza, apesar de não me lembrar.

Lilly olhou para mim, toda animada. "Vão mesmo? Que maravilha! A gente pode fazer outra festa!"

Acorda. É de imaginar que Lilly, mais do que NINGUÉM, nunca mais iria querer ir a uma festa na minha casa. Ou pelo menos que seria um pouco mais sensível ao fato de que o ex dela, que ela PERDEU PRA SEMPRE na minha última festa, estava sentado bem ali.

Mas parecia que ela nem reparava mesmo, ou então que não estava nem aí.

"Então, que horas a gente pode passar lá?", ela perguntou.

"Só porque a minha mãe e o Sr. G vão viajar, isso NÃO significa que eu vou dar uma festa", gritei, tomada pelo pânico.

"Certo", disse Lilly, com ar pensativo. "Esqueci. Você é herdeira do trono de Genovia. Até parece que eles vão deixar você lá sozinha. Mas tudo bem. Acho que a gente consegue fazer Lars e Wahim irem para algum lugar juntos..."

"NÃO", interrompi, "não é isso. Não vou dar uma festa porque, da última vez que dei uma, foi um desastre completo."

"É", disse Lilly. "Mas, dessa vez, o Sr. Gianini não vai estar lá..."

"NADA DE FESTA", disse, com minha voz mais princesa possível.

Lilly só fungou e falou assim: "Só porque você tirou 8 em uma redação de inglês, não vem descontar em mim."

Ah, certo, Lilly, pode deixar. E só porque SEUS pais não confiam em você o bastante para deixar você sozinha em casa por causa daquela vez que você fez o sistema anti-incêndio do prédio disparar com o seu lança-chamas feito com isqueiro e spray de cabelo, não vem descontar em mim.

Só que, é claro, eu não falei isso em voz alta.

"Espera aí", disse Boris. "VOCÊ tirou um 8 em uma redação de inglês, Mia? Como isso é possível?"

E daí eu não tive outra escolha a não ser dar a notícia para todo mundo que estava naquela mesa do almoço. Sabe como é, a respeito de a Srta. Martinez ser uma falsa total.

Todo mundo ficou chocado, obviamente.

"Mas ela tem uns tamancos tão lindos!", berrou Tina, com o coração obviamente partido.

"Isso só serve para mostrar", disse Boris, "que não dá para saber o que existe dentro do coração de uma pessoa pela maneira como ela se veste."

Mas não adianta: enfiar o suéter para dentro da calça não fica bem em NINGUÉM.

"Ela provavelmente teve boa intenção", disse Tina, já que ela sempre tenta encontrar o lado bom de todo mundo.

"Nunca existe uma boa justificativa para acabar com o espírito artístico", disse Ling Su — e como ela desenha melhor do que qualquer outra pessoa da escola inteira, ela deve saber. "Muitas pessoas consideradas críticos ou resenhistas tinham *boa intenção* quando acabaram com o trabalho dos impressionistas no século XIX. Mas se artistas como Renoir e Monet tivessem seguido o conselho dessas pessoas, algumas das maiores obras de arte do mundo nunca teriam sido criadas."

"Bom, eu não compararia os meus textos exatamente a um quadro do Renoir", senti a obrigação de dizer. "Mas valeu, Ling Su."

"O negócio é que, mesmo que o texto da Mia seja REALMENTE uma porcaria", disse Boris, do jeito direto dele de sempre, "será que uma professora tem o direito de dizer isso a ela?"

"Isso parece meio contraproducente", disse Shameeka.

"A gente precisa fazer alguma coisa a respeito disso", disse Ling Su. "Mas a questão é: o quê?"

Mas antes que pudéssemos pensar em alguma coisa, uma sombra recaiu sobre a nossa mesa de almoço, e nós erguemos os olhos, e lá estava...

Lana.

O coração de cada um de nós se apertou no peito. Bom, pelo menos foi o que aconteceu com o meu.

Lana estava acompanhada do novo Grand Moff Tarkin do Darth Vader dela, Trisha Hayes.

"Gostei dos seus pôsteres, PET", disse Lana. Só que, é claro, estava sendo sarcástica. "Mas eles não vão servir para nada."

"É", disse Trisha. "Nós fizemos uma pesquisa aleatória na cantina e, se a eleição fosse hoje, você só teria 16 votos."

"Você está dizendo que tem 16 pessoas nesta cantina", disse Lilly, com muita calma, enquanto tirava a cobertura de chocolate de um bolinho, "que estavam dispostas a dizer na sua cara que não vão votar em você? Meu Deus, eu não fazia a menor ideia de que tinha tantos masoquistas nesta escola."

"Continua aí comendo o seu chocolatinho", disse Lana, "e a gente vai ver só quem é masoquista".

"É um bolinho o que ela está comendo", esclareceu Boris, porque é o tipo de coisa que Boris faz.

Lana nem olhou para ele.

"E sabe o que mais?", disse Lana. "Vou destroçar você no debate de segunda-feira durante a assembleia. Ninguém na Albert Einstein quer uma despejadora de lesmas como presidente."

Despejadora de lesmas! Isso é quase tão ruim quanto ser chamada de babona de bebê!

Mas antes que eu tivesse oportunidade de defender minha atitude de despejar lesmas no mar, Lana saiu saltitante.

Como eu não queria humilhar Lilly por gritar com ela na frente do seu ex, principalmente agora que ele está gostoso, eu só olhei para ela e disse assim: "Lilly, banheiro. AGORA."

Para minha surpresa, ela me seguiu até lá.

"Lilly", disse eu, lembrando todas as lições que Grandmère havia me dado a respeito de como lidar com as pessoas. Não que Grandmère tenha de fato me ensinado alguma coisa útil sobre como lidar com as pessoas. É que é tão difícil lidar com Grandmère que eu meio que fui aprendendo pelo caminho. "Isso aqui já foi longe demais. Eu nunca quis concorrer ao cargo de presidente do conselho estudantil para começo de conversa, mas você ficou dizendo que tinha um plano. Lilly, se você tem mesmo um plano, quero saber qual é. Porque estou cansada de todo mundo ficar me chamando de PET — seja lá o que isso signifique. E NÃO TEM A MENOR CHANCE de eu fazer um debate com Lana na segunda. NÃO TEM A MENOR CHANCE MESMO."

"Princesa em treinamento", foi tudo o que Lilly teve a dizer a respeito do assunto.

Eu só fiquei olhando pra ela como se ela tivesse perdido o juízo. O que, tenho bastante certeza, é o caso.

"Princesa em treinamento", repetiu. "É isso que PET quer dizer. Já que você perguntou."

"Eu já disse a você", falei com os dentes cerrados, "para não me chamar mais assim."

"Não", disse Lilly. "Você disse para não te chamar de babona de bebê nem de PDG — princesa de Genovia. Não falou nada de PET — princesa em treinamento."

"Lilly." Meus dentes continuavam bem cerrados. "Eu não quero ser presidente do conselho estudantil. Eu já tenho problemas suficientes neste momento. Não preciso disso. Não preciso fazer um debate com Lana Weinberger na segunda-feira na frente da escola inteira."

"Você quer que essa escola seja um lugar melhor ou não?", Lilly perguntou.

"Quero", respondi. "Quero, sim. Mas não tem jeito, Lilly. Não dá pra ganhar da Lana. Ela é a garota mais popular da escola. Ninguém vai votar em mim."

Naquele momento, apesar de eu achar que estávamos sozinhas no banheiro, alguém deu a descarga. Em seguida, uma caloura pequenininha saiu de uma cabine e foi até a pia lavar as mãos.

"Hmm, dá licença, Vossa Alteza", disse ela pra mim, depois de Lilly e eu ficarmos olhando para ela sem falar nada, pasmas, durante vários segundos. "Mas eu realmente admiro aquela coisa que você fez com as lesmas. E eu *pretendo* votar em você."

Então ela jogou a toalha de papel no lixo e saiu.

"Rá!", disse Lilly. "Viu? Eu FALEI! Alguma coisa está ACONTECENDO, Mia. É como se todo o ressentimento que as pessoas têm em relação a Lana e à laia dela estivesse vindo à superfície. As pessoas estão cansadas desse reinado. Querem uma nova rainha. Ou uma princesa, como pode ser o caso."

"Lilly..."

"Só continue fazendo o que você está fazendo e tudo vai dar certo."

"Mas Lilly..."

"E fique com o dia de sábado livre. Você pode fazer sei-lá-o-que que vai fazer com o meu irmão à noite. Deixe só o dia para mim."

"Lilly, eu não QUERO ser presidente", berrei.

"Não se preocupe", disse Lilly, dando um tapinha de leve na minha bochecha. "Você não vai ser."

"Mas eu também não quero perder para Lana de um jeito humilhante na eleição estudantil!"

"Não se preocupe", disse Lilly, ajeitando uma das várias presilhas dela, se olhando no espelho em cima da pia. "Não vai perder."

"Lilly", disse eu. "COMO É QUE ESSAS DUAS COISAS NÃO VÃO ACONTECER???? É IMPOSSÍVEL!!!!"

Mas daí o sinal tocou e ela foi embora.

Fico imaginando se tem algum distúrbio no Google que esclareça o que há de errado com a minha melhor amiga.

Quinta, 10 de setembro, Governo dos EUA

TEORIAS DE GOVERNO (cont.)

TEORIA DA FORÇA

A religião e a economia têm papéis importantes na história. Como resultado, a teoria diz o seguinte:
    Os governos sempre forçaram o povo que comandam a pagar tributos ou impostos.
    Isso passou a ser sancionado pelo costume e as pessoas desenvolveram mitos e lendas para justificar quem as comanda.

É mais ou menos o modo como as pessoas aceitam que os atletas e as líderes de torcida mandem na escola — apesar de essa gente não ter necessariamente as melhores notas, então até parece que formam o grupo mais inteligente aqui. E essas pessoas nem tentam ser simpáticas com aqueles de nós que não comem, bebem e respiram esportes e baladas. Como é que eles têm QUALIFICAÇÃO para nos liderar? E, no entanto, a palavra deles é lei e todo mundo lhes presta tributo quando não chamam atenção para as crueldades que eles fazem com os outros ou não os deduram quando eles desrespeitam o regulamento estudantil na cara dura, tipo fumar na área da escola e usar o calção do namorado por baixo da saia. Isso está totalmente errado. As más ações de alguns poucos estão surtindo impacto negativo sobre a maioria, e isso não é justo. Fico aqui imaginando o que John Locke teria a dizer sobre isso.

Quinta, 10 de setembro, Ciências da Terra

Por que Kenny não para de falar da namorada dele? Tenho certeza de que ela é legal e tal, mas, fala sério, será que ele PRECISA continuar recitando cada conversa que já teve com ela no meu ouvido?

Campo magnético

1. Não é constante: varia em força, mas é dificilmente detectado.
2. Reversão dos polos: número de vezes que os polos se reverteram.
3. Reversão do campo magnético: quando há reversão de polos, o campo desaparece, permitindo que os íons atinjam a Terra, mutações, desastres climáticos etc.

A última reversão importante ocorreu há 800 mil anos: as partículas magnéticas que apontavam para o norte mudaram de direção para apontar para o sul.

* DEVER DE CASA

Educação Física: Não disponível

Geometria: Exercícios, páginas 33-35

Inglês: Strunk and White, páginas 30-54

Francês: lisez L'Étranger pour lundi

Superdotados & Talentosos: Não disponível

Governo dos EUA: Definir a teoria de gov. da força

Ciências da Terra: Perturbações orbitais

Quinta, 10 de setembro, na limusine, voltando do Plaza pra casa

Então, quando eu entrei na suíte de Grandmère no Plaza hoje à tarde pra minha aula de princesa, adivinha só o que eu encontrei lá?

Um teste surpresa sobre como organizar as cadeiras de um banquete diplomático com chefes de Estado? Ah, não.

Uma valsa que eu precisava aprender para algum baile? Nã-nã.

Porque esse tipo de coisa seria de ESPERAR de uma aula de princesa. E parece que Grandmère gosta de me deixar sempre na expectativa.

Em vez disso, encontrei umas duas dúzias de jornalistas reunidos na suíte dela, todos ansiosos para conversar sobre minha campanha para presidente do conselho estudantil comigo e com a responsável pela minha campanha, Lilly.

É isso mesmo. Lilly. Lilly estava lá sentada, tranquilona, em um sofazinho de veludo azul com Grandmère, respondendo às perguntas dos repórteres.

Quando os jornalistas me viram entrar, todos se ergueram de um pulo e enfiaram microfones na minha cara, em vez de na da Lilly, e falaram assim: "Vossa alteza, Vossa alteza! Está ansiosa pelo debate na segunda-feira?" e "Princesa Mia, quer fazer alguma declaração para os seus eleitores?"

Tinha uma coisa que eu queria dizer para uma eleitora. E era o seguinte: "LILLY! O QUE VOCÊ ESTÁ FAZENDO AQUI?"

Foi quando Grandmère entrou em ação. Ela se apressou na minha direção, colocou o braço em volta do meu ombro e falou assim: "Sua cara amiga Lilly e eu estávamos aqui conversando com esses repórteres simpáticos a respeito da sua campanha para presidente do conselho estudantil, Amelia. Mas eles gostariam mesmo de ouvir uma declaração sua. Por que você não faz a gentileza de lhes dar uma?"

Quando Grandmère vem com essa de *gentileza*, já dá para saber que está armando alguma coisa. Mas é claro que eu já sabia disso, porque Lilly estava lá. Como é que ela conseguiu chegar ao Plaza tão rápido? Deve ter pegado o metrô enquanto eu estava presa no trânsito com a limusine.

"Sim, *princesa*", disse Lilly, esticando o braço para pegar minha mão, e depois me puxando — de um jeito nada delicado — para eu me sentar no sofá ao lado dela. "Fale a esses repórteres simpáticos sobre as reformas que você pretende implementar na EAE."

Então eu me inclinei pra frente, fingindo que ia pegar um sanduíche de agrião da bandeja que a camareira de Grandmère tinha preparado para os repórteres, que estão sempre com fome (e não só de notícias). Mas daí, quando peguei um daqueles sanduichinhos gostosos, sussurrei no ouvido da Lilly: "Agora você foi longe demais."

Mas Lilly só deu um sorriso simpático para mim e disse: "Acho que a princesa quer um pouco de chá, Vossa Alteza", ao que Grandmère respondeu imediatamente: "Mas é lógico. Antoine! Chá para a princesa!"

A entrevista coletiva demorou cerca de uma hora, com repórteres do país inteiro me enchendo de perguntas sobre a minha plataforma de campanha. Eu fiquei ali pensando que, naquele dia, realmente não devia estar acontecendo NADA para a minha campanha para presidente do conselho estudantil ser classificada como uma boa reportagem quando um dos repórteres fez uma pergunta que esclareceu por que Grandmère estava tão interessada que eu me fizesse de idiota na frente do país todo, e não apenas dos meus colegas da EAE:

"Princesa Mia", perguntou um jornalista do jornal *Indianapolis Star*. "É verdade que a única razão para a sua disputa pelo cargo de presidente do conselho estudantil — e a única razão por que nós fomos convidados para vir aqui hoje — é que a sua família está tentando desviar a atenção da imprensa da notícia que está nas manchetes da Europa inteira, o seu ato de ecoterrorismo relativo ao despejo de dez mil lesmas na baía de Genovia?"

De repente, duas dúzias de microfones foram enfiadas na minha cara. Eu pisquei algumas vezes, daí falei assim: "Mas não foi um ato de ecoterrorismo. Eu fiz isso para salvar..."

Então Grandmère começou a bater palmas e falou assim: "Quem quer um bom copo de *grappa*? Vamos lá, é a verdadeira *grappa* de Genovia. Ninguém pode resistir a essa delícia!"

Mas nenhum dos repórteres se deixou seduzir.

"Princesa Mia, gostaria de comentar a respeito do fato de Genovia estar atualmente correndo o risco de ser expulsa da União Europeia graças ao seu ato egoísta?"

Outro gritou: "Como Vossa Alteza se sente sabendo que é a única responsável pela destruição da economia de sua nação?"

"O... o quê?" Não dava para acreditar. Do que aqueles repórteres estavam falando?

Para variar, Lilly veio em minha defesa.

"Pessoal!", ela se levantou de um salto e gritou. "Se vocês não tiverem mais perguntas sobre a campanha da Mia para presidente do conselho estudantil, então acho que vou ter de pedir para que vocês saiam!"

"Uma distração!", gritou alguém. "Isso aqui não passa de uma distração para nós não falarmos da verdadeira notícia!"

"Princesa Mia, Princesa Mia", gritou uma outra pessoa, quando Lars começou a tocar — ou, para ser mais exata, a empurrar com o corpo — todos os repórteres para fora da suíte. "Vossa Alteza faz parte do FLT, a Frente de Libertação da Terra? Quer fazer uma declaração em nome de outros ecoterroristas como Vossa Alteza?"

"Bom", disse Grandmère, virando metade de um Sidecar em um gole quando Lars finalmente fechou as portas atrás dos últimos repórteres. "Tudo correu bem, não foi mesmo?"

Não dava para acreditar. Só fiquei lá sentada, completamente chocada. Ecoterrorismo? FLT? Tudo isso por causa de algumas LESMAS????

Lilly pegou seu Palm Pilot (quando foi que ela arrumou isso!!!) e foi até onde Grandmère estava.

"Certo. Então, temos a revista *Time* às seis, e a *Newsweek* às seis e meia", disse Lilly. "Recebi um contato da NPR, a Rádio Pública Nacional, e realmente acho que nós deveríamos encaixá-los hoje à noite — na hora que todo mundo está no trânsito, sabe como é. E recebemos um pedido do canal local New York One para que Mia apareça na transmissão de hoje à noite do *Inside Politics*. Consegui fazer o pessoal jurar que não vai perguntar nada sobre a palavra que começa com E. O que você acha?"

"Maravilha", disse Grandmère, tomando mais um gole de Sidecar. "E Larry King?"

Lilly deu um tapinha no fone que tinha colocado na orelha e disse: "Antoine? Você já conseguiu falar com Larry K? Não? Bom, providencie."

Larry K? A palavra que começa com E? O que está ACONTECENDO?

E foi exatamente o que eu choraminguei.

Grandmère e Lilly olharam para mim como se tivessem acabado de perceber que eu estava ali.

"Ah", disse Lilly, tirando o fone. "Mia. Certo. A coisa do ecoterrorismo? Não se preocupe. Faz parte do jogo."

FAZ PARTE DO JOGO???? Desde quando Lilly usa esse tipo de linguagem?

"Nós não queríamos aborrecê-la, Amelia", disse Grandmère com tranquilidade, enquanto acendia um cigarro. "Não é nada, mesmo. Diga uma coisa, você está gostando do seu cabelo ultimamente? Será que não ficaria melhor se estivesse... um pouco mais curto?"

"O que está acontecendo?", perguntei, ignorando a pergunta que ela fez sobre o meu cabelo. "Genovia vai MESMO ser expulsa da União Europeia por causa do que eu fiz com as lesmas?"

Grandmère soltou uma nuvem comprida de fumaça azul.

"Não se eu puder dizer alguma coisa a esse respeito", me informou ela, como quem não quer nada.

Parecia que o meu coração tinha se contorcido dentro do peito. É verdade!

"Eles podem fazer isso?", perguntei. "A União Europeia pode mesmo nos expulsar por causa de algumas lesmas?"

"Claro que não." Esta veio do meu pai, que entrou na sala com um celular colado na orelha. Senti um alívio momentâneo, até perceber que ele não estava falando comigo. Estava falando no celular.

"Não", berrou ele a quem quer que estivesse do outro lado da linha, enquanto se inclinava para pegar um punhado dos sanduíches que tinham sobrado na bandeja, então voltou para a suíte dele. "Ela agiu completamente por conta própria, e não em nome de qualquer organização global. É mesmo? Bom, é uma pena que você pense assim. Quem sabe, quando tiver uma filha adolescente, poderá entender do que eu estou falando."

Bateu a porta ao sair.

"Bom", disse Grandmère, apagando o cigarro e esticando o braço para pegar o resto do Sidecar dela. "Então, vamos discutir a plataforma da Amelia?"

"Que ideia excelente!", respondeu Lilly, e digitou alguma coisa no Palm Pilot.

Então pelo menos agora eu sei por que GRANDMÈRE está tão interessada nesse negócio de presidência. É a única ideia que ela conseguiu ter para desviar a atenção dos repórteres daquela coisa toda de Genovia ser expulsa da União Europeia por causa do tal ato de ecoterrorismo.

Mas qual é a desculpa da LILLY? Quer dizer, ela é a ÚLTIMA pessoa que eu achei que Grandmère conseguiria trazer para o lado sombrio.

Até tu, Lilly?

Meu pai voltou para a sala entre a entrevista para a *Time* e a da *Newsweek*. Parecia estressado demais. Eu me senti muito mal mesmo, e pedi desculpa a ele a respeito da coisa de despejar lesmas e tal.

Ele pareceu não se abalar muito com aquilo.

"Não se preocupe muito com isso, Mia", disse ele. "Nós certamente conseguiremos superar essa se eu convencer todo mundo de que você agiu por conta própria e no papel de simples cidadã, e não como regente."

"E talvez", completei, cheia de esperança, "quando as pessoas virem que as lesmas só fizeram coisas boas e nada de ruim, elas mudem de ideia."

"Esse é que é o problema", disse meu pai. "As suas lesmas não estão fazendo absolutamente nada. De acordo com os últimos relatórios que eu recebi do Esquadrão Genoviano Real de Mergulho com Tanque, elas só estão lá paradas. Não estão, como você afirmou com tanta veemência, comendo aquela porcaria de alga."

Aquilo foi muito desanimador de se ouvir.

"Talvez elas ainda estejam em estado de choque", disse eu. "Quer dizer, foram trazidas de avião da América do Sul. Provavelmente nunca estiveram assim tão longe de casa. Vai ver que demora um pouco até elas se acostumarem ao novo ambiente."

"Mia, já faz quase duas semanas que elas estão lá. Em duas semanas, é de se pensar que elas vão ter um pouco de fome e comer alguma coisa."

"É, mas talvez elas tenham comido muito no avião", disse eu, me sentindo desesperada. "Quer dizer, eu pedi para que tivessem o maior conforto possível durante o transporte..."

Meu pai só ficou lá me encarando.

"Mia", disse ele. "Faça-me um favor. Daqui por diante, se você tiver alguma outra ideia mirabolante para salvar a baía das algas assassinas, pergunte a mim primeiro."

Ai.

Coitado do meu pai. É difícil mesmo ser príncipe.

Saí logo depois disso. Mas Lilly ficou. LILLY FICOU COM MINHA AVÓ. Porque ainda não tinha conseguido falar com Larry. Lilly me disse que, se conseguisse me colocar no programa de entrevistas *Larry King*, eu acabaria com Lana na segunda-feira, sem dúvida alguma.

Mas eu discordo. Se fosse em um programa de entrevistas da MTV, quem sabe. Mas ninguém na EAE assiste ao canal de notícias CNN. Tirando Lilly, é lógico.

Bom, mas, de todo jeito, agora eu sei por que Grandmère gostou tanto da ideia de eu concorrer à presidência do conselho estudantil.

Mas o que LILLY vai ganhar com isso? Quer dizer, pensando em como ela ficou brava com o negócio da câmera de vigilância, ELA é quem deveria disputar a presidência. Aliás, o que ela está armando, hein?

Quinta, 10 de setembro, em casa

Então, adivinha só onde eu vou ficar enquanto minha mãe e o Sr. G estiverem viajando? Certo. No Plaza.
COM GRANDMÈRE.

Ah, vão arrumar um quarto só para mim. **PODE ACREDITAR**. Eu não vou dormir **DE JEITO NENHUM** na mesma suíte que Grandmère. Não depois daquela vez que ela se hospedou aqui em casa. Eu mal consegui pregar os olhos durante todo o tempo que ela passou lá de tanto que ela roncava. Dava para ouvir lá da sala.

Isso sem contar que ela é a maior porca no banheiro.

Acho que eu já estava meio que esperando por isso. Quer dizer, minha mãe e o Sr. G não iam mesmo me deixar ficar sozinha em casa. Mesmo que, tipo, toda a Guarda Real Genoviana fosse posicionada no telhado do prédio, pronta para abater qualquer sequestrador internacional de princesas em potencial. Não depois do que aconteceu na minha festa de aniversário.

Não que eu me importe com isso. Não agora que sou responsável por fazer com que o país que um dia eu vou governar seja o mais detestado da Europa. O que é uma coisa bem difícil, já que, sabe como é, a França existe.

Eu realmente não achei que fosse possível ficar mais estressada do que eu já estou, levando em conta que:

↳ Acho que já vou reprovar em geometria, depois de apenas três dias de aula.

↳ Minha melhor amiga está me obrigando a disputar a presidência do conselho estudantil contra a garota mais popular da escola, que vai me esmagar como um inseto em uma derrota humilhante na frente de todos os alunos na segunda-feira.

↳ Minha professora de inglês — aquela que me deixou tão animada e que, eu tinha certeza, ajudaria a fazer de mim o tipo de escritora que eu sei, no fundo, que tenho o potencial de ser — parece achar que o meu texto é tão ruim que nunca deveria ser liberado para ser lido pelo público desavisado. Bom, mais ou menos.

↳ Parece que meu namorado espera que eu Faça Aquilo.
↳ Sou uma babona de bebê.

E como se eu já não tivesse de agradecer a Deus por tudo isso, ainda preciso acrescentar que fiz dez mil lesmas serem transportadas de avião da América do Sul até Genovia e jogadas na baía, na esperança de que acabariam com as algas assassinas que estão destruindo nosso ecossistema tão delicado, mas aí descobri que, aparentemente, as lesmas sul-americanas não gostam de comida europeia, e que os vizinhos de Genovia agora não querem mais saber da gente. Caramba!

Por que eu não consigo fazer NADA certo?

Talvez Becca tenha razão. Talvez eu devesse *mesmo* praticar ioga. Só que eu já tentei uma vez, com Lilly e a mãe dela na ACM da 92nd Street, e queriam que eu empinasse a bunda pra cima o tempo inteiro. Como é que empinar a bunda pra cima pode deixar a gente menos estressada? Só fez com que eu ficasse MAIS estressada, porque fiquei pensando o que todo mundo devia estar achando da minha bunda.

Normalmente, quando quero acalmar meus nervos em frangalhos, eu escrevo um poema ou algo assim.

No entanto, pra mim, é impossível escrever poesia, sabendo, como sei, neste exato momento, que Karen Martinez está lendo o pedaço da minha alma que entreguei a ela. Espero que ela esteja consciente de que segura entre os dedos com unhas cobertas de esmalte preto todos os meus sonhos de ter sucesso enquanto romancista — ou pelo menos jornalista internacional perspicaz. Sinceramente, espero que ela não os esmague como se fossem um inseto embaixo da pata gordona do Fat Louie.

Eu sei, e você sabe, que vai ser bem difícil eu CONSEGUIR escrever alguma coisa quando assumir o trono, já que vou estar muito ocupada implorando para que a União Europeia nos aceite de volta e tal.

Mas acho que eu ia gostar de ver um livro, ou pelo menos uma reportagem de jornal, com as palavras "por Mia Thermopolis" escritas.

Agora eu preciso ir lá ver se a minha mãe está a par de todas as regulamentações de segurança nos aviões. Quer dizer, eles nem compraram um assento para o Rocky. Ela vai ter de ficar com ele no colo o tempo todo. Espero que, no caso de o avião cair, ela esteja preparada para usar o corpo como escudo humano para impedir que o Rocky seja consumido por um incêndio de grandes proporções.

Também preciso ter certeza de que o Sr. G vai contar o número de fileiras entre o assento deles e a saída de emergência mais próxima, para o caso de o avião cair na água e as luzes se apagarem. Assim ele vai poder conduzir minha mãe e Rocky em segurança para fora.

Quinta, 10 de setembro, em casa, mais tarde

Caramba! Mas que gente mais sensível! Não sei por que ficaram tão bravos. É importante conhecer as regras de segurança a bordo de um avião. Quer dizer, é por isso que as empresas de aviação colocam aqueles cartões na bolsa das poltronas. Acorda. Ainda bem que eu os coleciono há anos, então pude usá-los para a minha exposição a respeito da segurança dos bebês agora há pouco.

Era de esperar que as pessoas apreciassem um pouco mais minha proatividade.

Alguém está me mandando uma mensagem...

Aaaaaaaaaaaaaaaa, é Michael.

SkinnerBx: Ei! Você está em casa! Eu vi você na TV, no New York 1.

FtLouie: Você VIU aquilo??? Ai, meu Deus, que vergonha.

SkinnerBx: Não, você estava bem. Mas é verdade o negócio da União Europeia?

FtLouie: Parece que sim. Mas meu pai disse que vai ficar tudo bem. Ele acha. Ele espera.

SkinnerBx: Eles deviam ter vergonha. Será que não sabem que você só estava tentando corrigir o erro DELES?

FtLouie: Pois é! Como foi o seu dia?

SkinnerBx: Ótimo. Hoje, no meu seminário de Criação de Políticas da Incerteza, discutimos o fato de as imagens de satélite terem revelado que o parque nacional de Yellowstone é na verdade uma enorme caldeira, ou um supervulcão, que basicamente é um depósito subterrâneo de magma que explode a cada 600 mil anos, e que agora a erupção está uns 40 mil anos atrasada. Além do mais, quando explodir, as cinzas vulcânicas poderão alcançar o estado do Iowa, a erupção vai ser 2.500 vezes mais forte do que a do monte Santa Helena e vai matar dezenas de milhares de pessoas imediatamente, e milhões de pessoas como consequência do inverno nuclear resultante. A menos, é lógico, que nós possamos descobrir uma maneira de aliviar a pressão agora para prevenir uma catástrofe global.

Certo, eu PRECISO dizer. *Que tipo de faculdade é essa que Michael está frequentando, hein?*

SkinnerBx: Bom, mas queria saber se a sua mãe e o Sr. G vão mesmo viajar neste fim de semana.

FtLouie: Vão. E me obrigaram a ficar com GRANDMÈRE.

SkinnerBx: Que barra. Em um quarto só para você?

FtLouie: ÓBVIO QUE SIM! Mas é no mesmo andar. Espero que não dê para ouvir os roncos dela através das paredes.

SkinnerBx: O seu pai coloca guarda-costas no corredor do andar? Ou eles só ficam nos quartos vizinhos?

Meu Deus, mas às vezes ele faz mesmo umas perguntas estranhas. Os meninos são tão ESQUISITOS.

FtLouie: Lars e os outros caras ficam no andar de baixo.

SkinnerBx: Tem câmeras de vigilância?

A família Moscovitz está com uma paranoia total em relação a câmeras de vigilância ultimamente.

> **FtLouie:** Não, não há câmeras de vigilância. Bom, quer dizer, o hotel provavelmente deve ter. Igual em *Encontro de amor*. Mas a GRG não tem.

GRG é a abreviação de Guarda Real Genoviana, da qual Lars é integrante.

> **FtLouie:** Por que tantas perguntas, aliás? Você está pensando em se esgueirar para lá e roubar as joias da Coroa? Você já tem uma pedra da lua. O que mais pode querer? Hahaha
>
> **SkinnerBx:** Hahaha É, não, eu só estava imaginando. Então, você vai vir aqui no sábado, certo?
>
> **FtLouie:** Esta é a única coisa que eu QUERO DA VIDA NESTE MOMENTO.
>
> **SkinnerBx:** Eu sei. Também estou com saudade.

Ahhhhhhhhhhhhhh. Quer dizer, fala sério. Pode até não ser muito feminista da minha parte, mas eu adoro quando ele diz — ou escreve — coisas assim. Na verdade, quando escreve é melhor, porque daí eu tenho provas concretas, sabe como é. De que ele me ama.

Então ouvi um som bem conhecido.

> **FtLouie:** Michael, preciso ir, Rocky-alerta.
>
> **SkinnerBx:** Já entendi. Câmbio e desligo.

Sabe, acho mesmo que Lana está errada. Nem TODOS os garotos que já estão na faculdade esperam que a namorada Faça Aquilo. Porque Michael não disse NENHUMA palavra sobre isso para mim.

E uma vez, depois de ele pagar algumas fatias de pizza no Ray's, ele deixou a carteira na mesa e eu a examinei — enquanto ele estava no banheiro —, porque tenho curiosidade de saber o que os meninos guardam na carteira, e eis o que eu encontrei:

↳ Quarenta e oito dólares
↳ Um cartão do metrô

↳ Carteirinha do planetário Hayden
↳ Carteirinha da escola
↳ Carteira de motorista
↳ Cartão de desconto na Forbidden Planet Comic Superstore
↳ Cartão da biblioteca pública da cidade de Nova York

Mas nada de camisinha.

O que simplesmente serve para mostrar que o meu namorado, com toda certeza, tem outras coisas em mente que não sexo.

Como a futura crise energética. E desastres globais em potencial causados por supervulcões.

O que é bem mais do que Lilly pode dizer sobre Boris.

Quer dizer, Tina.

Tanto faz.

Talvez eu e Michael nunca PRECISEMOS ter A Conversa.

Sexta, 11 de setembro, Educação Física

Eu detesto tanto esta garota...

Sexta, 11 de setembro, Geometria

Fala sério! Será que ela não desiste?

Teorema = afirmação que pode ser provada por meio do raciocínio dedutivo a partir de afirmações já aceitas.

Ela só disse aquilo pra me irritar.

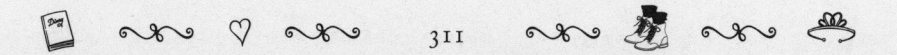

Certo?
Porque não pode ser verdade. NÃO PODE ser.
Pode?

Sexta, 11 de setembro, Inglês

O que foi AQUILO?????

O quê? Ah, aquele negócio de apertar? O que eu vou querer com uma coisa idiota em formato de pompom que diz VOTE NA LANA? Eu detesto a Lana. Você faz ideia do que ela disse hoje na Educação Física? NA FRENTE DA LILLY????

O quê?????

Ela disse que garotas que namoram garotos que já estão na faculdade e não querem Fazer Aquilo são trocadas por garotas que fazem.

ELA NÃO FEZ ISSO!

Ah, fez sim. Bem no chuveiro. Bem na frente de todo mundo. Na frente da Lilly. Que agora vai contar para o Michael.

Não vai nada! Por que contaria?

Porque ele é irmão dela.

Ela não vai contar. Tem umas coisas que a gente simplesmente não conta para o irmão. Pode acreditar, Mia, eu tenho irmão. Eu sei.

Tina. O seu irmão tem três anos.

Certo, mas tanto faz. Lilly não vai contar para o Michael. Aliás... o que ela disse quando ouviu isso?

Ela disse pra Lana ir lá colocar o calção de ginástica dela e não encher.

Está vendo??? Eu disse.

Mesmo assim!!!! Você sabe o que MAIS ela disse? Lana, quer dizer. Ela disse que os garotos PRECISAM Fazer Aquilo, porque, se não fizerem, a coisa toda se acumula e eles perdem a cabeça.

Espera aí... o que é que se acumula onde?

VOCÊ SABE. Lembre-se das aulas de Saúde e Segurança. Ano passado.

ECAAAAAAAAAAAAA!!!!!!!!!!!! E é mentira. Não se acumula. Senão, o Sr. Wheeton teria dito.

Mas isso serviria para explicar por que os garotos cujas namoradas não Fazem Aquilo as trocariam por alguma garota que quer fazer. Tina, e se for verdade???? E se Lana souber de alguma coisa que a gente não sabe????

Tem uma maneira bem simples de descobrir. Você falou com Michael sobre esse assunto?

AINDA NÃO!!! EU JÁ DISSE!!!!

Bom, então, quando você se encontrar com ele amanhã, vocês vão conversar sobre isso, e você vai perceber...

DÁ PRA ACREDITAR QUE ELA ESTÁ PARADA ALI FORA DISTRIBUINDO ESSAS COISAS IDIOTAS???? Deve ter gastado uma FORTUNA com elas. E olha só como são vagabundos, dá para tirar com toda a facilidade a parte do VOTE NA LANA. Deve ser tinta com chumbo também. Eu devia ligar para uma organização de proteção ambiental. Mas, Mia, não se sinta deslocada. Eu já liguei pra sua avó e está tudo sob controle. Nós vamos achar alguma coisa para você distribuir também.

LILLY!!! EU NÃO QUERO DISTRIBUIR NADA!!! EU NEM QUERO SER PRESIDENTE!!!

Não se preocupe, você não vai ser.

VOCÊ FICA DIZENDO ISSO, LILLY, MAS A CADA VEZ QUE EU ME VIRO, VOCÊ ESTÁ FAZENDO MAIS ALGUMA COISA PARA ME AJUDAR A GANHAR, TIPO LIGAR PRA MINHA AVÓ E FAZER COM QUE ELA DISTRIBUA COISAS GRÁTIS PRA QUE O PESSOAL VOTE EM MIM!!!!

Aaah, será que você consegue fazer a avó da Mia distribuir tiaras? Porque eu adoraria usar uma!

Não podemos distribuir tiaras, Tina. Não está no orçamento. Mas estou examinando coisas de apertar no formato de tiaras, iguais às da Lana.

SERÁ QUE VOCÊ PODE POR FAVOR ME ESCUTAR, LILLY???? NÃO AGUENTO MAIS ISSO!!!! ESSA PALHAÇADA PRECISA TERMINAR!!!!!!!!

Acalme-se, PET. Vai dar tudo certo. Meu irmão não vai te dar um fora por não Fazer Aquilo com ele. Pelo menos não se ele quiser que aquele cachorro idiota dele continue vivo.

!

Tanto faz. Lana está drogada. Não se preocupe com isso. Você sabe que Michael não é assim.

Mas agora ele está na FACULDADE, Lilly. Ele está MUDANDO. Cada vez que falo com ele, ele já aprendeu uma coisa nova e pavorosa. E aquele negócio de... sabe como é. A ACUMULAÇÃO.

> Acorda. É uma faculdade da Ivy League. Ninguém fica fazendo sexo lá. Pode acreditar. Você VIU aquelas meninas no dia em que ajudamos a fazer a mudança? Hmm, acorda, se chama xampu. Que tal usar um pouco?

> É verdade, Mia. Você é MUITO mais bonita do que aquelas meninas-gênios da Ivy League. Lembra do grupo de estudo da Elle em *Legalmente Loira*?

> Será que podemos prestar atenção no que é importante aqui? Coisas de apertar no formato de tiara. Sim ou não?

Ai, meu Deus. Ela está devolvendo a minha redação... e ela está...

> ... coberta de marquinhas vermelhas. Ah, Mia. Sinto muito. Mia? MIA?

Sexta, 11 de setembro, Enfermaria

Estou aqui deitada com uma toalhinha úmida na testa. Apesar de ser bem difícil escrever no diário E ficar com uma toalha úmida na testa, estou me virando.

A enfermeira me disse para tentar ficar quietinha e não pensar muito. Até parece! Com quem é que a enfermeira acha que está falando? Sou EU, Mia Thermopolis! É impossível eu ficar sem pensar muito. A única coisa que eu faço, o tempo todo, é pensar.

Por sorte, ela não está vendo que eu estou desobedecendo às ordens dela porque está no escritório, preenchendo formulários. Espero que sejam formulários para a minha internação. Não vou poder participar do debate com Lana na segunda-feira se eu estiver em uma instituição psiquiátrica.

Mas a enfermeira Lloyd disse que eu não tive um surto ou algo parecido. Disse que todo mundo passa por um momento em que não aguenta mais, e quando eu saí no corredor depois de tirar mais um 8 em inglês, e vi minha avó ali parada com a tiara e a capinha de pele dela, distribuindo canetas que diziam PROPRIETÉ DU PALAIS ROYAL DE GENOVIA para todo mundo que passava, eu tive o meu.

A enfermeira Lloyd disse que não foi minha culpa eu ter perdido as estribeiras, agarrado a caixa de canetas das mãos de Grandmère e jogado na câmera de segurança pendurada na frente da sala da diretora Gupta.

A câmera nem quebrou. Quer dizer, tem CANETA para tudo quanto é lado, mas está tudo bem com a câmera.

Não sei por que precisaram ligar para os meus pais.

A enfermeira Lloyd disse para eu ficar quietinha descansando até eles chegarem. Ela não deixou Grandmère entrar porque pedi. Não que seja culpa de Grandmère, mesmo. Quer dizer, ela só estava tentando ajudar. Lilly deve ter ligado pra ela e contado sobre os negocinhos de apertar em forma de pompom da Lana. Então Grandmère se viu na obrigação de ir correndo para a escola com alguma coisa que ela achou que *eu* pudesse distribuir.

Por que quem é que NÃO vai querer uma caneta onde se lê PROPRIETÉ DU PALAIS ROYAL DE GENOVIA?

Fala sério, nada disso é culpa de ninguém. A não ser minha. Eu nunca deveria ter entregado aquela redação para a Srta. Martinez. O que eu estava PENSANDO? Como é que eu pude achar por UM MINUTO que ela apreciaria uma redação comparando o amor proibido de Romeu e Julieta com o da Britney Spears e do Jason Allen Alexander? Quer dizer, é verdade que eu coloquei meu coração e minha alma naquilo. Eu queria que o leitor fosse capaz de sentir a dor da Britney pela maneira como ela e Jason foram destroçados pela imprensa e pelos empresários da gravadora dela, tanto que a única opção que ela teve foi se consolar com Kevin. É tão óbvio para mim que esses namorados de infância estão destinados um ao outro...

Eu já deveria saber que a Srta. Martinez não compartilharia da minha preocupação pela Britney. Está bem claro que ela nunca parou para OUVIR "Toxic".

Ah, não.

ALGUÉM ESTÁ VINDO!!! PRECISO COLOCAR A TOALHINHA DE VOLTA NA TESTA!!!!

Sexta, 11 de setembro, Enfermaria, mais tarde

Era só o meu pai. Perguntei como ele tinha conseguido chegar tão rápido, e ele disse que estava a caminho da embaixada francesa para argumentar e convencê-los a não expulsar a Genovia da União Europeia.

Isso só fez com que eu me sentisse pior. Porque me lembrei de como decepcionei o povo genoviano com aquela história das lesmas.

Meu pai disse que não era para eu me preocupar com isso, que se algum país devia ser expulso da União Europeia, devia ser Mônaco, por ter deixado Jacques Cousteau jogar algas sul-americanas no Mediterrâneo para começo de conversa, e também a França, por ter passado uma década inteira de braços cruzados depois disso. Mas, como ele ressaltou, é isso que a França sabe fazer de melhor.

Pedi desculpas ao meu pai por ter interrompido o dia tão atribulado de política dele, mas ele deu uns tapinhas carinhosos na minha mão e disse que todo mundo tem o direito de ter um ataque de vez em quando. Perguntei se aquele tinha sido o diagnóstico clínico que a enfermeira Lloyd tinha feito sobre o que tinha acontecido comigo e ele respondeu: "Não exatamente", mas que ele já tinha presenciado muitos ataques na vida. Mas nunca da parte de alguém que não tivesse tomado uma dose de *prosecco* genoviano maior do que a recomendada.

É a maior vergonha ficar choramingando como um bebê crescido na frente da escola inteira, isso sem contar quando a gente faz a mesma coisa um pouco mais tarde, na frente do pai. Principalmente, sabe como é, quando não tem mais nenhum lencinho de papel por perto porque eu já tinha acabado com todos os disponíveis. Então precisei assoar o nariz no lencinho de seda da lapela do meu pai. Não que ele parecesse se importar muito com isso. Provavelmente só vai jogar fora e comprar um novo, como Britney Spears faz com a lingerie dela. É legal ser príncipe. Ou pop star.

De todo modo, meu pai estava bem preocupado e ficou perguntando qual era o problema. *Qual é o problema, pai?* Ah, você quer dizer além de *tudo*?

Claro que a única coisa que eu podia CONTAR para ele era o negócio da Srta. Martinez. Porque eu sabia que, se contasse a ele a respeito de como aquela história de eleição estava acabando comigo, ele não compreenderia e simplesmente diria algo bem paternal do tipo: "Ah, Mia, não se deixe abater. Você sabe que vai se sair muito bem."

E Deus bem sabe que não tinha como eu contar para ele a respeito do negócio do Michael. Quer dizer, eu amo meu pai. Não quero fazer com que a cabeça dele exploda.

No começo, meu pai não acreditou nem um pouco em mim. Sabe como é, que era possível eu ter tirado 8 em uma redação de inglês. Tive de pegar o texto e MOSTRAR a ele.

E daí ele apertou bem os olhos — mas acho que foi principalmente porque tinha deixado os óculos de leitura na limusine — e limpou a garganta várias vezes.

Daí ele disse alguma coisa a respeito de como *aquilo* era o que ele recebia em troca de vinte mil dólares por ano e que tipo de mundo era este em que os sonhos de uma menininha podiam ser assim destruídos e que se essa tal de Srta. Martinez acha que vai se livrar desta, pode pensar de novo.

Então, sabe como é. Durante um tempo foi divertido vê-lo andar de um lado para o outro, todo bravo.

Finalmente, a enfermeira escutou e entrou para fazer com que ele saísse dali.

Mas enquanto a enfermeira Lloyd estava mandando meu pai embora, minha mãe conseguiu se esgueirar lá para dentro, com a maior cara de confusão, com Rocky amarrado nela. Então eu me sentei e fiquei cheirando a cabeça dele um pouco, porque a cabeça do Rocky cheira quase tão bem quanto o pescoço do Michael, mas de um jeito totalmente diferente, é lógico.

Mas devo dizer que o cheiro da cabeça do Rocky não consegue acalmar minha alma despedaçada como o pescoço do Michael.

Enquanto eu cheirava a cabeça do Rocky, minha mãe disse: "Mia, este é um péssimo momento para você ter um ataque. Nosso voo para Indiana sai daqui a duas horas."

Eu garanti à minha mãe que eu não estava tendo nenhum colapso ou coisa do tipo, que tinha sido só uma crise de estresse. Não falei o que tinha causado aquilo. Sabe como é, a parte em que a Lana tinha me dito umas coisas sobre garotos universitários. E, depois, a Srta. Martinez acabando com os meus sonhos de ser escritora. Em vez disso, eu disse que ainda devia estar sentindo o fuso em relação ao horário de Genovia e só.

"Isto não é falta de adaptação ao fuso horário", disse minha mãe, com desdém. "Isto aqui tem o nome Clarisse Renaldo assinado bem embaixo."

Bom, eu não quis dizer nada em voz alta. Pelo menos, não para minha mãe, que já tem razões suficientes para não gostar de Grandmère.

Mas É verdade que a gota d'água foi ver Grandmère distribuindo canetas no corredor.

"Ela tem boa intenção", ressaltei para minha mãe.

"É mesmo?", perguntou ela, desconfiada.

Mas eu garanti a ela que, desta vez, Grandmère só tinha o bem da coroa em mente. Afinal, se minha campanha eleitoral estudantil afastasse a imprensa da notícia de Genovia ser expulsa da União Europeia, valia muito a pena.

Mais ou menos.

Mas minha mãe não pareceu acreditar nem um pouco nisso.

"Mia, se você quiser desistir desse negócio de eleição, é só dizer. Eu farei isso acontecer."

Minha mãe sabe ser bem assertiva quando quer — mesmo com um bebê tão adorável quanto Rocky amarrado ao peito dela. Fala sério, se eu tivesse de escolher entre fazer um debate com minha mãe ou com Lana a respeito de qualquer coisa, eu escolheria Lana com toda a certeza.

"Não, mãe, tudo bem", respondi. "Está tudo bem *comigo*. Mesmo. Então... você vai tentar falar com Wendell quando estiver lá em Versailles?"

Minha mãe estava toda ocupada mexendo no pé do Rocky, que tinha se embaraçado todo nas bandeirinhas de orações tibetanas que estavam penduradas no canguru. "Quem?"

"Wendell Jenkins." Caramba! Não dá para acreditar que ela nem se lembra do homem para quem deu a flor de sua virgindade. "Ele ainda mora lá. Ele e

April. Ele trabalha na companhia elétrica. E você sabia que April foi princesa do milho?"

Minha mãe pareceu surpresa. "É mesmo? Como é que você sabe de tudo isso, Mia?"

"Eu dei um Google, ué", falei. "Se você cruzar com April, não se esqueça de dizer para ela, sabe como é, que você é mãe da princesa de Genovia. É muito melhor do que ser princesa do milho, apesar de ESTARMOS prestes a ser expulsos da União Europeia."

"Pode deixar", disse minha mãe. "Tem certeza de que você vai ficar bem? Porque, se você quiser, eu não vou para Versailles."

Garanti pra mamãe que ia ficar bem. A essa altura a enfermeira Lloyd entrou de novo e, ao ver minha mãe ali, basicamente garantiu a mesma coisa a ela. Então, depois de deixar a enfermeira Lloyd brincar um pouquinho com Rocky — porque ele é o bebê mais fofo que já existiu, e todo mundo que o vê não CONSEGUE ficar sem fazer um carinho nele —, minha mãe foi embora, e eu fiquei sozinha com a enfermeira Lloyd de novo.

O que, sabe como é, me fez lembrar de uma coisa que eu queria saber. E uma integrante dos serviços de saúde era a pessoa perfeita para quem perguntar, já que eu não podia dar um google, porque não havia nenhum computador ao meu alcance.

"Enfermeira Lloyd", falei, sem deixar o termômetro que ela tinha enfiado embaixo da minha língua cair. Ela resolveu medir minha temperatura para se assegurar de que estava tudo bem comigo e que eu podia voltar pra aula.

"Pois não, Mia?" Ela estava olhando para o relógio e medindo minha pulsação.

"É verdade que, se os garotos que já estão na faculdade não Fizerem Aquilo, fica tudo acumulado?"

A enfermeira Lloyd soltou uma gargalhada. "Essa história ainda circula? Mia, você devia ser mais esperta. Você fez Saúde e Segurança, não foi?"

"Então... não é verdade?"

"Com toda a certeza, não." A enfermeira Lloyd largou o meu pulso e tirou o termômetro da minha boca. "E não deixe que ninguém lhe diga algo diferente. E uma dica: qualquer camisinha que fique em uma carteira durante um longo período deve ser jogada no lixo e substituída por uma nova. A fricção do movimento de carregar a carteira no bolso pode fazer com que apareçam furinhos minúsculos no látex."

Eu só fiquei olhando lá para ela, de queixo caído. COMO É QUE ELA SABIA DAQUILO?

A enfermeira Lloyd simplesmente olhou para o termômetro e disse: "Já faço este serviço há muito tempo. Ah, olhe só, 36 graus. Você está bem. Pode ir agora, se quiser. Mas, antes disso, Mia, só mais uma coisa."

Olhei para ela, cheia de expectativa.

"Você precisa parar de guardar as coisas dentro de si", disse ela. "Eu sei que você gosta de escrever bastante no seu diário — é, eu vi —, e isso é ótimo. Mas você precisa VERBALIZAR os seus sentimentos também. Principalmente se você estiver brava ou aborrecida com alguém. Quanto mais coisas você guardar, mais vezes algo como o episódio de hoje pode acontecer. Eu sei que falam para as princesas sempre manterem a pose e tal, mas a verdade é que você, mais do que qualquer outra pessoa, não pode ficar deixando as coisas se acumularem. Entendeu?"

Eu assenti com a cabeça. Acho que a enfermeira Lloyd é a pessoa mais inteligente que eu já conheci. E isso inclui todos os gênios que por acaso são meus melhores amigos ou meu namorado.

"Certo. Deixe-me escrever um bilhete para explicar o seu atraso", disse a enfermeira Lloyd.

Que é o que ela está fazendo agora.

Sabe de uma coisa?

A ENFERMEIRA LLOYD É SHOW!!!!!

* **Anotação pessoal**: Falar para Tina obrigar Boris a comprar uma camisinha nova antes de os dois Fazerem Aquilo na noite do baile de formatura.

Sexta, 11 de setembro, escadaria do terceiro andar

Quando saí da enfermaria, Lilly estava sentada no corredor, me esperando. Estava com três advertências na mão, porque vários inspetores tinham passado enquanto ela estava lá.

Mas ela diz que não liga, porque PRECISAVA ter certeza de que estava tudo bem comigo. Ela diz que PRECISAVA me ver.

Eu me lembrei do que a enfermeira Lloyd disse a respeito de não guardar as coisas dentro de mim e disse a Lilly que também PRECISAVA falar com ela.

Então fugimos para cá, onde ninguém vai nos encontrar, a menos que alguém precise ir até o telhado. Mas as pessoas por aqui só precisam ir ao telhado quando alguma criança do prédio vizinho joga um Pikachu ou algo assim pela janela, e o brinquedo cai no telhado da escola, e o zelador ou o porteiro do prédio precisa vir até aqui para recolher o objeto.

Bom, mas, primeiro, eu preciso reconhecer que eu estava agindo com uma certa distância em relação a Lilly porque, acorda, ela é pelo menos parcialmente responsável pelo meu ataque. Quer dizer, canetas do palácio????

"Mas todo mundo adora", foi a grande desculpa dela. "Fala sério, Mia, as pessoas estão, tipo, guardando como *souvenir*. Nem todo mundo vai morar em um palácio todo verão como você, Mia."

"Isso não faz a menor diferença." Não dá pra acreditar nisso: apesar de Lilly ser um gênio e tal, eu tenho sempre de explicar essas coisas para ela. "O lance é que você prometeu que eu não precisaria continuar com esta história."

Lilly só ficou lá piscando para mim. "Quando foi que eu disse isso?"

"LILLY!" Não dava pra acreditar. "Você jurou que eu não ia ter de ser presidente do conselho estudantil!"

"Eu sei", respondeu Lilly. "E não vai."

"Mas você também prometeu que Lana não ia acabar comigo com uma derrota humilhante na frente de todo mundo!"

"Eu sei", respondeu Lilly. "Ela não vai."

"LILLY!" Parecia que a parte de cima da minha cabeça ia sair voando pelos ares. "Mas se Lana não ganhar de mim, eu VOU ser presidente."

"Não, não vai", respondeu Lilly. "*Eu* vou."

Agora foi a minha vez de ficar piscando. "O QUÊ? Isso não faz o menor sentido."

"Ah, faz sim", respondeu Lilly, com muita calma. "Veja bem, o que vai acontecer é o seguinte: você vai ganhar a eleição — porque você é princesa, e você é legal com todo mundo, e as pessoas gostam de você. Daí, depois de um certo período — digamos, dois ou três dias — você vai ter de — cheia de remorso, é claro — abandonar a presidência por estar muito ocupada com o negócio de ser princesa. É aí que eu, que serei indicada como sua vice-presidente, vou ter de assumir o manto da responsabilidade presidencial." Lilly deu de ombros. "Está vendo? É simples."

Fiquei olhando para Lilly, totalmente bestificada.

"Espera aí. Você está fazendo tudo isso para que VOCÊ possa ser presidente?"

Lilly assentiu.

"Mas, Lilly... então por que você mesma não se candidatou?"

Foi aí que uma coisa totalmente inesperada aconteceu. Os olhos da Lilly, por trás das lentes dos óculos, encheram-se completamente de lágrimas. No minuto seguinte, ela estava dando um ataque.

"Porque eu nunca ia conseguir ganhar", disse ela, com um soluço. "Você não se lembra de como eu fui esmagada na eleição do ano passado? Ninguém gosta de mim. Não do jeito que gostam de você, Mia. Quer dizer, você pode ser babona de bebê e tal, mas as pessoas conseguem se identificar com você, até com toda essa história de princesa. NINGUÉM consegue se identificar comigo... talvez porque eu seja um gênio e isso intimide as pessoas, ou algo assim. Não sei por que, mesmo. Quer dizer, a gente fica achando que as pessoas iam querer ter o líder mais inteligente que pudessem encontrar, mas, em vez disso, parece que elas ficam absolutamente contentes de eleger IDIOTAS completos."

Tentei não levar para o lado pessoal o fato de Lilly estar me chamando de idiota. Afinal, ela estava no meio de uma crise pessoal de grandes proporções.

"Lilly", falei, surpresa. "Eu não sabia que você se enxergava assim. Sabe como é. Como alguém que não é popular."

Lilly ergueu os olhos dos bilhetes de advertência sobre os quais estava chorando.

"P-por que eu i-ia me considerar popular?", gaguejou ela, toda magoada. "V-você é a única amiga de verdade que eu tenho."

"Isso não é verdade", falei. "Você tem um monte de amigos. Shameeka e Ling Su e Tina..."

Lilly começou a chorar ainda mais quando ouviu o nome da Tina. Tarde demais eu me lembrei do Boris e de sua recém-adquirida gostosura.

"Ah", disse eu, dando tapinhas carinhosos no ombro da Lilly. "Desculpa. O que eu quis dizer é que... Bom, tanto faz. As pessoas gostam SIM de você, Lilly. É só que às vezes..."

Lilly ergueu o rosto manchado de lágrimas.

"O-o quê?", perguntou.

"Bom", respondi. "Às vezes você é meio maldosa com os outros. Como por exemplo comigo. Com aquela história de eu ser babona de bebê."

"Mas você é MESMO babona de bebê", observou Lilly.

"É", disse eu. "Mas, sabe como é, você não precisa ficar DIZENDO isso o tempo todo."

Lilly apoiou o queixo nos joelhos.

"Acho que não", disse ela, com um suspiro. "Você tem razão. Desculpa."

Já que ela estava mesmo com espírito conciliatório, aproveitei para acrescentar: "E eu não gosto quando você me chama de PDG, nem de PET."

Lilly olhou para mim como quem não está entendendo nada.

"Então do que você quer que eu te chame?"

"Que tal só de Mia?"

Lilly parecia refletir um pouco sobre aquilo.

"Mas... isso é muito chato", disse ela.

"Mas é o meu nome", observei.

Lilly suspirou de novo.

"Tudo bem", disse ela. "Tanto faz. Você não faz ideia de como as coisas são fáceis para você, PDG. Quer dizer, Mia."

"Fáceis? Para MIM? Faça-me o favor!" Eu praticamente explodi em uma gargalhada. "Minha vida está um HORROR neste momento. Você VIU a nota que a Srta. Martinez deu para a minha redação?"

Lilly enxugou os olhos.

"Bom, vi sim", respondeu ela. "Ela FOI meio severa. Mas um 8 não é tão ruim assim, Mia. Além do mais, eu vi o seu pai indo para a sala dela agora há pouco. Parecia que ele ia berrar com ela."

"É, mas você acha que isso vai me ajudar em alguma coisa?", perguntei. "Quer dizer, ela não vai mudar de ideia a respeito do meu talento para a escrita... ou a falta dele. No máximo ela vai ficar, sabe como é, com medo do meu pai."

Lilly só sacudiu a cabeça.

"É", disse ela. "Mas pelo menos você tem um namorado."

"Que está na FACULDADE", lembrei a ela. "E que, aparentemente, espera que..."

"Ah, por favor", disse Lilly. "Não me venha com aquela bobagem da Lana de novo. Quando é que você vai enfiar na cabeça que Lana não sabe do que está falando? Quer dizer, você já viu LANA saindo com algum garoto que esteja na faculdade?"

"Não", respondi. "Mas..."

"É, bom, deve haver uma RAZÃO para isso. E se o que está escrito no banheiro inteiro for verdade, NÃO é porque Lana tem alguma restrição quanto a Fazer Aquilo."

Nós duas ficamos lá sentadas pensando um pouco sobre isso. Daí Lilly disse: "Então, sua mãe e o Sr. G ainda vão passar o fim de semana em Indiana?"

"Vão", respondi, mas logo emendei: "Mas não vai ter festa nenhuma na minha casa, porque eu vou ficar no Plaza."

"Em um quarto só para você?", perguntou Lilly. Quando eu assenti, ela disse: "Beleza." Depois, completou: "Ei, você devia dar uma festa do pijama."

Olhei para ela como se tivesse perdido a cabeça.

"No *hotel*?"

"Claro", respondeu Lilly. "Vai ser divertido. E a gente precisa trabalhar a sua habilidade no debate, de qualquer jeito. A gente pode fazer uma simulação. O que você acha?"

"Bom", respondi. "Pode ser."

Mas não sei muito bem o que meu pai e Grandmère vão achar disso. De eu fazer uma festa do pijama no Plaza.

Mas, bom, se isso vai deixar Lilly feliz, acho que vale a pena. Eu sinceramente nunca soube que ela se sentia assim a respeito de si mesma. Sabe como é, que ela não é popular. Quer dizer, *eu* sei que Lilly não é muito popular. Mas nunca achei que ELA soubesse. Ela sempre AGE como se fosse a rainha da escola.

Quem diria que era só aparência?

Agora nós duas temos de ficar aqui sem fazer nada até o sinal do sexto tempo tocar e a gente poder voltar lá para baixo e se misturar com o resto da multidão. Estamos perdendo superdotados & talentosos, mas eu tenho o bilhete da enfermeira para mostrar para a Sra. Hill na segunda, então ela não vai me dar falta hoje.

Não sei o que Lilly vai fazer a respeito. Mas parece que ela não está ligando muito. Realmente, pensando bem, Grandmère e Lilly poderiam AS DUAS ensinar ao mundo uma ou duas coisas a respeito de agir como uma princesa.

O que, pensando bem, é meio assustador.

Sexta, 11 de setembro, Governo dos EUA

TEORIAS DE GOVERNO:

TEORIA EVOLUCIONÁRIA
Teoria da evolução de Darwin — aplicada ao governo =
1. Família
2. Clã
3. Tribo

Grupos formados para coordenar e gerenciar a iniciativa de bens e serviços.

Para manter a ordem interna e proteger o grupo de perigos externos, foram formadas as instituições governamentais.

Uau, isso aqui é igualzinho às panelinhas! Sério! Quer dizer, ao jeito como as panelinhas se formam dentro de uma escola: para proteger o grupo de perigos externos. Tipo, por exemplo, como nós, os nerds, nos unimos e formamos uma panelinha para nos proteger de piadas dos atletas e das líderes de torcida, porque existe segurança nos grandes números. Isso explica muita coisa:

↳ A panelinha dos skatistas se formou para se proteger dos punks
↳ Os punks se formaram para se proteger do Clube de Teatro
↳ O Clube de Teatro se formou para se proteger dos nerds
↳ Os nerds se formaram para se proteger dos atletas
↳ E os atletas se formaram para se proteger dos...

Bom, não sei para se proteger de quem os atletas se juntaram.

Mas, tirando isso, agora tudo faz sentido. É por isso que as panelinhas existem! Darwin estava certo!!!

Sexta, 11 de setembro, Ciências da Terra

Campo magnético que rodeia a Terra devido às correntes de convecção internas

Descoberto por Van Allen (cinturões de radiação)

Zona de alta radiação devido a partículas, algumas radiativas e carregadas, do espaço e do sol

Aurora boreal causada pela interação de partículas carregadas com a atmosfera

HEATHER, A NOVA NAMORADA DO KENNY

DE ACORDO COM KENNY:

1. Tem cabelo louro natural e nunca precisa retocar as raízes.
2. Só tira 10 e está em todas as aulas de alunos avançados.
3. Consegue fazer acrobacias de ginástica olímpica.
4. Geralmente faz isto em festas.

5. E em restaurantes.
6. É completamente popular na escola dela em Delaware.
7. Vem visitá-lo no Dia de Ação de Graças.
8. Tem um cavalo só dela.
9. Nunca perde tempo assistindo à TV, porque está ocupada demais lendo livros.
10. Não tem secretária eletrônica.

O que não faz a mínima diferença, porque provavelmente ninguém nunca quer ligar para ela, porque ela não assiste à TV, e, portanto, não tem nada sobre o que conversar.

* DEVER DE CASA

Educação Física: Não disponível

Geometria: Exercícios, páginas 42-45

Inglês: Strunk and White, páginas 55-75

Francês: ????

Superdotados & Talentosos: ????

Governo dos EUA: Como a teoria de Darwin pode ser aplicada ao desenv. do gov.?

Ciências da Terra: Seção 2, Natureza do Ambiente Energético

Sexta, 11 de setembro, no Plaza

Grandmère se sentiu tão mal por ter feito com que eu tivesse um ataque em plena escola que insistiu em me levar para tomar um chá no térreo do hotel, no Palm, para compensar.

Tá bom, eu sabia que ela não estava se sentindo mal DE VERDADE. Quer dizer, afinal de contas, ela é GRANDMÈRE. E HAVIA jornalistas por todos os lados, tentando conseguir fotos de nós duas comendo nossos bolinhos com nata, de modo que amanhã, na capa do *Post*, vai ter uma foto de nós duas sentadas aqui e uma manchete grande dizendo: *Chá para 2 — Aguenta essa, UE!* ou qualquer outra coisa do gênero.

Mas *foi* legal ficar ali sentada comendo sanduíches minúsculos de pão sem casca enquanto Grandmère tagarelava alguma coisa a respeito dos negocinhos de apertar em forma de pompom da Lana e como eles são baratos e como nossas canetas Proprieté du Palais Royal de Genovia são muito superiores. Principalmente, sabe como é, levando em conta que eu não tinha almoçado por ter passado todo o tempo na enfermaria com uma toalhinha úmida na testa.

Grandmère estava sendo tão legal por causa de toda a coisa de se sentir culpada (anotação pessoal: será que alguém com transtorno da personalidade limítrofe pode se sentir culpada? Checar esta informação.) que eu finalmente tive coragem e falei: "Grandmère, posso convidar Lilly e Tina e Shameeka e Ling Su para dormir hoje no meu quarto, fazer uma festa do pijama e uma simulação de debate?"; e ela respondeu, na maior calma: "Certamente que sim, Amelia."

ÊÊÊÊÊÊÊÊÊÊÊÊÊÊÊÊÊÊÊÊÊÊÊÊÊÊÊ!!!!!!!!!!!!!

Então, peguei o meu celular e liguei para todas elas para fazer o convite. O Sr. Taylor teve de falar com Grandmère antes de deixar Shameeka vir, para ter certeza de que haveria supervisão adequada e tal, mas Grandmère se comportou perfeitamente. Quando entregou o telefone de volta para mim, o Sr. Taylor estava perguntando se a gente queria que Shameeka levasse alguma coisa, tipo uma pipoqueira, ou qualquer coisa assim.

Mas eu assegurei a ele que o Plaza atenderia a todas as nossas necessidades.

Mandamos a camareira de Grandmère até o apartamento para pegar minhas coisas e dar comida para Fat Louie.

Espero que ele fique bem sozinho. Vai ser esquisito para ele não ter Rocky por perto. Ele se acostumou demais a lamber o leite que sobra na cara do Rocky toda noite, como um tipo de lanchinho da meia-noite.

* Anotação pessoal:

Ligar para mamãe assim que o avião dela aterrissar e lembrá-la de manter Rocky longe de:

- Máquinas ceifadoras de feno
- Serpentes *Agkistrodon contortrix* (nativas de Indiana e altamente venenosas)
- Garfos de feno
- Aranhas viúvas-negras (a picada delas é mortal para bebês)
- Leite não pasteurizado (por causa da *Salmonella*)
- A poltrona reclinável do Vovô (Rocky pode ficar preso lá dentro e sufocar)
- Animais de fazenda (*E. coli*)
- O assado de atum / batata / batatinha frita / macarrão da Vovó (é simplesmente nojento)
- O celeiro (pode ter um fugitivo escondido lá dentro)

Sexta, 11 de setembro, no Plaza, quarto 1.620, Hora???? Mais TARDE!!!!!!!

Ai, meu Deus, Ling Su achou o quiz on-line mais legal do mundo e trouxe com ela pra gente responder e descobrir coisas sobre nós mesmas!!!!

QUESTIONÁRIO

NÃO TRAPACEIE!!! NÃO leia adiante...
apenas responda às perguntas em ordem!

Primeiro, pegue um pedaço de papel e uma caneta. Quando fizer a escolha dos nomes, assegure-se de escolher pessoas que você conhece de fato. Aceite seu primeiro instinto. FAÇA ISTO AGORA!

1. Primeiro, escreva os números de 1 a 11 em uma coluna.
2. Ao lado dos números 1 e 2, escreva quaisquer números que desejar.

3. Ao lado do 3 e do 7, escreva o nome de pessoas do sexo oposto.
4. Escreva o nome de qualquer pessoa (amigos ou familiares) nos locais 4, 5 e 6.
5. Escreva quatro nomes de música em 8, 9, 10 e 11.

FAÇA ISSO AGORA, SEM LER AS RESPOSTAS!!!!!!!!

Respostas de Mia Thermopolis:

1. Dez.
2. Três.
3. Michael Moscovitz.
4. Fat Louie.
5. Lilly Moscovitz.
6. Rocky Thermopolis-Gianini.
7. Kenny Showalter.
8. "Crazy in love" — Beyoncé.
9. "Bootylicious" — Destiny's Child.
10. "Belle" — *A Bela e a Fera*.
11. Música-tema de *Friends*.

RESPOSTAS:

1. Você deve falar sobre este jogo a (os números nos espaços 1 e 2) pessoas.
2. A pessoa no espaço 3 é aquela que você ama.
3. A pessoa em 7 é alguém de quem você gosta, mas com quem não consegue se resolver.
4. Você se preocupa mais com a pessoa que colocou em 4.
5. A pessoa que você colocou o nome em 5 conhece você muito bem.
6. A pessoa que você colocou em 6 é a sua estrela da sorte.
7. A música em 8 combina com a pessoa do número 3.
8. O título em 9 é a música para a pessoa em 7.
9. A música em 10 é a que mais revela o que VOCÊ pensa.
10. A resposta em 11 é a música que diz como você encara a vida.

Ai, meu Deus!!! MAS COMO É POSSÍVEL???? É TUDO COMPLETAMENTE VERDADEIRO!!!!!!

Tipo, Michael é totalmente a pessoa que eu amo! E Rocky é totalmente a minha estrela da sorte! E Lilly é a pessoa que me conhece melhor! E Fat Louie é a pessoa (ou gato) com quem eu mais me preocupo!

E acho que eu NUNCA vou conseguir entender Kenny. "Bootylicious" é uma música apropriada para ele porque, de uma coisa eu sei *mesmo*: acho que ele não está pronto para encarar tudo isto.

E estou COM TODA A CERTEZA "Crazy in love" (ou seja, louca de amor) pelo Michael! E a música-tema de *Friends* é TOTALMENTE a minha vida — *So no one told you life was gonna be this way* (então ninguém disse para você que a vida seria assim)... Porque ninguém nunca me CONTOU que eu seria PRINCESA DE GENOVIA.

E, no que diz respeito à música "Belle", Lilly pode rir o quanto quiser, mas esta É uma das minhas músicas preferidas de todos os tempos. E, sim, a Srta. Martinez provavelmente acharia isso repreensível... sabe como é, uma pessoa que se considera escritora e que gosta de uma música de um musical da Disney. Mas que se dane! Bela e eu temos MUITA coisa em comum: sempre estamos com a cabeça enfiada em um livro (bom, no meu caso é um diário, mas não importa) e todo mundo acha que a gente é esquisita.

Menos o homem que nos ama.

Tanto faz. Isto aqui é tão divertido! A gente pediu, tipo, TUDO do serviço de quarto. E agora há pouquinho, Lilly quase fez a gente se mijar nas calças de tanto rir depois que Shameeka contou a ela sobre Perin, da aula de francês, que a gente não sabe se é homem ou mulher, e Lilly disse que a gente deve ir para a aula na segunda e fazer uma roda em volta dele ou dela e cantar assim: "Abaixe... as... suas... calças! Abaixe... as... suas... calças!", para a gente poder olhar e descobrir.

Dá pra imaginar a cara que a Mademoiselle Klein faria se a gente fizesse isso? Só que, é claro, acho que seria considerado assédio sexual. E não seria nada legal com o coitado do Perin, ou a coitada.

Então, daí, nós todas ficamos pulando para cima e para baixo na cama e cantando: "Abaixe... as... suas... calças! Abaixe... as... suas... calças!" bem alto, até que eu achei que fosse mesmo FAZER XIXI nas calças de tanto rir.

Em seguida, vamos fazer um concurso de karaokê. Porque eu disse para todo mundo que, se estivéssemos atravessando o país e precisássemos cantar para conseguir dinheiro para a gasolina e tal, igual a Britney Spears em *Crossroads — Amigas para sempre*, a gente ia ter de se virar bem. Então já vamos ensaiar agora mesmo.

Ah, e Michael ligou há um minuto, mas eu não consegui ouvir o que ele estava dizendo porque Tina estava gritando depois de ter encontrado um bilhete de amor que Boris deixou na mochila dela, e Ling Su estava lendo em voz alta. Até Lilly estava rindo.

Esta é a MELHOR NOITE DE TODAS. Tirando, é claro, a noite do Baile Inominável de Inverno.

E a noite em que Michael e eu assistimos a *Guerra nas estrelas* juntos e ele me disse que estava APAIXONADO por mim, não só que me amava como amiga.

E a do baile de formatura.

Tirando essas.

* **Anotação pessoal:** lembrar de dizer à mamãe para manter Rocky longe do tabaco de mascar do Vovô! A nicotina é tóxica para os bebês se for ingerida! Eu vi em *Law & Order*!

LISTA DOS CARAS MAIS GATOS *EVER*

POR LILLY, SHAMEEKA, TINA, LING SU E MIA

1. *Orlando Bloom, em qualquer coisa, com ou sem camisa.*
2. Boris Pelkowski (Isso aqui é muito ERRADO! Boris NÃO deveria estar nesta lista. Mas Lilly e eu perdemos na votação.)
3. *O cara bonitinho do filme mais recente sobre a vida da Mia* (Só que nada do que aconteceu naquele filme poderia acontecer na vida real, já que Genovia é um principado, não uma monarquia, e não faz diferença se a herdeira é casada ou não. Além do mais, é bem improvável que a Skinner Box consiga um contrato com uma gravadora, já que a maior parte de seus integrantes está ocupada com as notas da faculdade, ou fichas de trinta dias de sobriedade, para ensaiar.)
4. *Seth de O.C. — Um estranho no paraíso.*

5. *Harry Potter. Porque apesar de ele fazer o papel de um menino-bruxo, ele meio que está ficando gostoso.*
6. *Jesse Bradford de* Fixação.
7. *Chad Michael Murray de* A nova Cinderela *e de* One Tree Hill. *U-la-lá.*
8. *O namorado gato da Samantha em* Sex and the city, *especialmente quando ele raspou a cabeça pra ela* (Shameeka teve de se abster desse voto porque o pai dela não a deixa assistir a esse programa.)
9. *Trent Ford de* Meu novo amor.
10. *Ramon Riveras.*
11. *Hellboy* (Mesmo que Mia seja a única que acha o Hellboy gostoso por causa de sua obsessão por heróis bidimensionais.)

Sábado, 12 de setembro, no grande gramado do Central Park

Estou tão cansada... POR QUE fui convidar todo mundo para dormir aqui ontem à noite? E POR QUE ficamos acordadas cantando no karaokê até as três da manhã???

Mais, especificamente, POR QUE eu deixei Lilly me convencer a vir ao jogo de FUTEBOL da Escola Albert Einstein hoje?

É tão chato... Quer dizer, eu sempre achei esportes chatos — Deus bem sabe que a Sra. Potts já gritou muito: "Vamos mostrar um pouco de ação, Mia!" para mim ao ver bolas e mais bolas passando do meu lado sem eu pegar.

Mas *assistir* a esportes é ainda mais chato do que *jogar*. Pelo menos, quando a gente está jogando, tem alguns daqueles momentos em que as palmas das mãos suam e o coração bate e a gente pensa *Ai, não! A bola está vindo na* MINHA *direção? Ai, não! A bola está* MESMO *vindo na minha direção. O que eu faço? Se tentar pegar, vou errar, e todo mundo vai me odiar. Mas se eu* NÃO *tentar pegar, todo mundo vai me odiar* DO MESMO JEITO.

Mas quando a gente ASSISTE a esportes, não tem nada disso. Tem só... chatice. Uma chatice que parece infinita.

Quando Lilly me pediu para deixar o dia de sábado livre para ela, eu não sabia que era por causa de um evento relacionado à escola. Por que eu ia querer fazer coisas de escola (além do dever de casa, quer dizer) no FIM DE SEMANA?

Mas Lilly diz que é importante aparecer no maior número de eventos da escola possível antes da eleição na segunda-feira. Ela fica me cutucando e falando assim: "Para de escrever no seu diário e vai se misturar com o pessoal."

Mas eu não tenho muita certeza se me misturar com o pessoal do jogo de futebol da escola é a melhor maneira de conseguir votos. Sabe como é? Porque já está bem garantido que todo mundo aqui vai votar na Lana.

E por que NÃO votariam? Olhe só pra ela ali, fazendo cestas de basquete ou sei lá o quê. Ela é totalmente PERFEITA. Por fora, de todo jeito. Por dentro, eu sei que ela é podre. Mas por fora — bom, ela tem aquele sorriso perfeito com aqueles dentes perfeitos sem aberturas, e aquelas pernas perfeitamente lisas e bronzeadas sem pelos crescendo, e aquele brilho labial cintilante em que o cabelo dela nunca gruda — por que alguém VOTARIA em mim se pode votar na Lana?

Lilly diz para eu não ser idiota — que a eleição para presidente do conselho estudantil não é um concurso de beleza nem de popularidade. Mas, então, por que ela quer que EU concorra no lugar dela? E por que estou AQUI? As únicas pessoas que estão NESTE jogo são os outros atletas e as outras líderes de torcida. E nenhuma dessas pessoas tem a menor chance de votar em MIM.

Lilly diz que não vão votar em mim com toda a certeza se eu não tirar o nariz deste livro para ir lá falar com eles. FALAR COM ELES! AS PESSOAS POPULARES PERFEITAS!

Elas vão ter muita sorte se eu não VOMITAR em cima delas.

Sábado, 12 de setembro, 15h, Ray's Pizza

Bom, AQUILO foi uma enorme perda de tempo. Lilly diz que não foi. Lilly diz que, na verdade, o dia foi extremamente EDUCACIONAL. Seja lá o que isso queira dizer.

Não tenho muita certeza de como Lilly pode SABER disso, já que passou o jogo inteiro sentada atrás do Dr. e da Sra. Weinberger — que estavam na arquibancada — ouvindo a conversa deles com os pais da Trisha Hayes. Ela nem ASSISTIU ao jogo, até onde eu sei. Fui *eu* que precisei ficar circulando por lá, falando com pessoas que não teriam olhado duas vezes para mim se cruzassem comigo no corredor da EAE, e falando assim: "Oi, acho que a gente não se conhece. Eu sou Mia Thermopolis, princesa de Genovia, e estou concorrendo ao cargo de presidente do conselho estudantil."

Fala sério. Eu nunca me senti tão patética.

Além do mais, ninguém prestou a menor atenção em mim. Parece que o jogo estava mesmo muitíssimo emocionante. Estávamos jogando contra o time masculino principal do Trinity, que basicamente acabou com a gente todos os anos, tipo, em toda a história do futebol na EAE, ou algo assim.

Mas não hoje. Porque hoje a EAE apresentou sua arma secreta: Ramon Riveras. Basicamente quando Ramon pegava a bola, nunca mais largava, a não ser quando ele chutava no gol do Trinity e aquela coisa da rede balançava. A EAE ganhou do Trinity por quatro a zero.

E acontece que eu estava certa a respeito do Ramon. Ele tirou mesmo a camisa e jogou para cima depois de fazer o gol da vitória. Eu não quero dar início a uma fofoca nem nada, mas eu vi a Sra. Weinberger se ajeitando na cadeira quando isso aconteceu.

E é claro que Lana entrou correndo no campo e caiu nos braços do Ramon. Na última vez que eu a vi naquele dia, ele a carregava nos ombros como se ela fosse um troféu, ou algo assim. Até onde eu sei, talvez seja mesmo: vença um jogo para a EAE e receba uma líder de torcida, de graça.

Tanto faz. Ramon pode ficar com ela. Talvez ele a mantenha ocupada o bastante para que ME deixe em paz. Eu e o meu "garoto universitário".

O que me fez lembrar de que devo ir ao alojamento do Michael depois daqui, para conhecer o colega de quarto dele e "colocar o assunto em dia", já que não nos vimos a semana inteira.

Pelo menos, foi o que Michael *disse* que nós íamos fazer, quando conseguimos conversar hoje de manhã. Ele pareceu meio chateado quando eu finalmente me lembrei de ligar o celular e ele conseguiu falar comigo.

"O que estava acontecendo ontem à noite quando eu liguei?", ele perguntou.

"Hmm", respondi. Eu estava meio que comprando um pretzel de um daqueles carrinhos no parque quando ele ligou. Muita gente não sabe disso, mas os pretzels de Nova York — do tipo que se compra de vendedores de rua — têm propriedades curativas. É verdade. Não sei o que eles têm, mas se você comprar um quando estiver com dor de cabeça, ou qualquer coisa assim, logo que dá uma mordida, a dor desaparece. E eu estava com uma dor de cabeça bem forte por não ter dormido nem um pouco.

"Eu convidei as meninas para dormir no hotel", expliquei para Michael, depois de engolir a primeira mordida do meu pretzel quente e salgadinho. "Só que, sabe como é, a gente não dormiu muito." E eu contei a ele como ficamos pulando na cama cantando "Abaixe... as... suas... calças" e tal.

Mas parece que Michael não achou muito engraçado. Claro que eu não mencionei a parte em que eu cantei "Milkshake" usando o controle-remoto da TV como microfone para todo mundo, usando o tapetinho de borracha do banheiro como minivestido. Quer dizer, não quero que ele fique achando que eu perdi o juízo DE VEZ.

"Você tem uma suíte de hotel inteirinha para você", foi tudo que Michael disse, "e convida a minha irmã para fazer uma visita."

"E Shameeka e Tina e Ling Su", disse eu, limpando a mostarda do meu queixo. Porque é preciso colocar mostarda no pretzel, se não as propriedades curativas não funcionam.

"Certo", disse Michael. "Bom, e você vai passar aqui mais tarde ou não?"

O que algumas pessoas poderiam considerar meio, sabe como é, sem educação. Só que o fato de Michael estar chateado comigo — por alguma razão qualquer — serviu meio que como alívio. Porque, se ele estava chateado comigo, provavelmente significava que Fazer Aquilo era algo que não fazia parte das ideias principais que ele tinha em mente. E eu realmente não estava muito a fim de ter a conversa sobre Fazer Aquilo, apesar de eu saber que Tina estava certa, e que nós vamos ter de botar isso em pratos limpos logo.

Então agora eu estou só comendo um pedaço restaurador de pizza de muçarela com Lilly antes de reunir forças para entrar na limusine com Lars e me dirigir para a parte alta da cidade, para o alojamento do Michael. Fala sério, depois de uma noite de festa, é muito difícil fazer o dia seguinte funcionar. Não sei como aquelas irmãs Hilton conseguem.

Lilly agora está dizendo que a gente está com a eleição ganha. Não faço a menor ideia do que ela está dizendo porque:
- nós acabamos não fazendo aquele negócio de debate simulado ontem à noite, então eu não tive a mínima oportunidade de lapidar as minhas respostas para segunda-feira e
- a maior parte das pessoas com quem eu conversei nas arquibancadas do jogo hoje só ficou olhando para mim como se eu tivesse perdido o juízo e disse assim: "Eu vou votar na Lana, dããã."

Mas sei lá. Lilly passou o jogo inteiro sentada perto dos PAIS de alguém, então o que ela sabe?

Eu gostaria de poder falar com ela a respeito desse negócio de Fazer Aquilo. Quer dizer, Lilly também nunca Fez Aquilo... pelo menos, acho que não. Foi só o último namorado dela que pegou nos peitos dela.

Mesmo assim, tenho certeza de que ela tem algumas ideias valiosas a respeito do assunto.

Mas eu não posso falar com Lilly a respeito de Fazer ou não Fazer Aquilo com o IRMÃO dela. Quer dizer, que NOJO. Se alguma menina quisesse falar comigo a respeito de Fazer Aquilo com Rocky, eu provavelmente ia dar um soco na cara dela. Mas é claro que ele é meu irmão *menor*, sabe como é, e só tem quatro meses.

Além do mais, acho que eu meio que sei o que Lilly diria: vai fundo.

O que é muito fácil pra Lilly dizer, porque ela se sente muito à vontade com o corpo dela. Ela não faz como eu, que tiro o uniforme e coloco o short de ginástica com a maior rapidez possível antes e depois da educação física, e no canto mais escuro e mais vazio que consigo encontrar. Ela até já passeou, uma vez ou outra, pelo vestiário COMPLETAMENTE pelada, falando assim: "Alguém tem desodorante para me emprestar?" E os comentários que Lana e as amigas dela fizeram a respeito da barriga e da celulite da Lilly pareceram não a incomodar nem um pouco.

Não que eu esteja preocupada que Michael faça comentários sobre o meu corpo nu. Só não tenho certeza se me sinto à vontade com a ideia de que ele vai conhecer meu corpo inteirinho.

Mas é claro que eu não ia achar ruim ver o dele.

Provavelmente isso signifique que eu sou acanhada e pudica e sexista e tudo de ruim. Provavelmente eu não mereça ser presidente do conselho estudantil da Albert Einstein, nem que seja por alguns dias antes que eu renuncie e deixe Lilly assumir o cargo. Com certeza eu não mereço ser princesa de um país que consegui fazer com que fosse expulso da União Europeia... bom, se chegar a tanto.

Realmente, eu não mereço lá muita coisa.

Bom, acho que agora vou para o alojamento do Michael.

Alguém, por favor, me mate.

Sábado, 12 de setembro, banheiro do quarto do alojamento do Michael

Certo, eu achei que a Columbia fosse uma faculdade difícil de entrar. Achei que eles de fato selecionavam os candidatos.

Então como é que deixam pessoas loucas como o colega de quarto do Michael estudarem aqui?

Tudo ia bem até que ELE apareceu. Lars e eu chamamos Michael pelo interfone do saguão do Eagle Hall, que é o alojamento do Michael, e ele desceu para deixar a gente entrar, porque aqui o pessoal da Universidade de Columbia leva a segurança dos alunos muito a sério (pena que não se preocupam tanto assim com a segurança dos convidados dos alunos!). Eu precisei deixar a minha carteirinha de estudante no balcão da segurança, para não tentar sair do prédio sem assinar a lista de saída. Lars teve de deixar a carteira de porte de arma dele (mas deixaram que ele ficasse com a arma quando descobriram que eu era a princesa de Genovia e ele era meu guarda-costas).

Bom, mas quando todos nós assinamos a lista de entrada, Michael nos levou para o quarto dele. Eu já tinha estado no Eagle Hall antes, é claro, no dia em que ele se mudou, mas agora que todos os carrinhos de mudança e os pais não estão mais aqui, tudo está bem diferente. Tem gente correndo de um lado para o outro nos corredores só de toalha, gritando, igualzinho aparece em *Gilmore Girls*! E música muito alta saía de algumas das portas abertas. Havia pôsteres em todo lugar convocando os residentes a participar de uma ou de outra marcha de protesto, e convites para sessões de leitura de poesia em diversos cafés próximos. Tudo tinha muita cara de faculdade!

Parecia que Michael tinha superado seu aborrecimento comigo, porque ele me deu um beijo bem legal de oi, durante o qual eu pude cheirar o pescoço dele, e imediatamente me senti melhor sobre tudo. O pescoço do Michael é quase tão eficiente quanto um pretzel de rua em Nova York no que diz respeito às propriedades curativas.

De todo jeito, conseguimos deixar Lars no lounge para estudantes do andar do Michael, já que estava passando um jogo de beisebol na TV grandona de lá. Seria de pensar que Lars já tivesse recebido sua dose de esporte diária, tendo em vista que tínhamos passado, tipo, três horas em um evento esportivo, mas tanto faz. Ele deu uma olhada no placar, que estava empatado, e logo ficou colado ao aparelho, com mais um monte de gente vidrada naquilo.

Michael foi na frente e me levou para o quarto dele, que está com uma aparência bem melhor do que da última vez que eu o vi. Tem um mapa da galáxia cobrindo a maior parte da parede, mais equipamento de informática do que deve ter no Comando de Defesa Aeroespacial dos EUA, que cobre absolutamente todas as superfícies planas (sem contar as camas), e uma placa enorme no teto que diz: NEM PENSE EM ESTACIONAR AQUI, que Michael jura não ter roubado na rua.

O lado do Michael do quarto é bem arrumadinho, com um edredom azul-escuro por cima da cama e um frigobar como mesinha de cabeceira, e CDs e livros POR TODOS OS LADOS.

O outro lado do quarto é um pouco mais bagunçado, com um edredom vermelho, um micro-ondas no lugar do frigobar e DVDs e livros POR TODOS OS LADOS.

Antes mesmo que eu tivesse oportunidade de perguntar onde Doo Pak estava e quando eu seria apresentada a ele, Michael me puxou para a cama. Estávamos matando a saudade de um jeito bem legal depois da nossa semana separados, quando a porta se abriu e um garoto coreano alto de óculos entrou.

"Ah, oi, Doo Pak", disse Michael, totalmente despreocupado. "Esta aqui é a minha namorada, Mia. Mia, este aqui é Doo Pak."

Eu estendi a mão direita e dei o meu melhor sorriso de princesa para Doo Pak.

"Oi, Doo Pak", falei. "Muito prazer."

Mas Doo Pak não apertou minha mão. Em vez disso, ele olhou do Michael para mim e vice-versa, bem rápido. Daí deu uma risada e disse: "Haha, que engraçado! Quanto é que estão pagando a você para fazer esta brincadeira comigo, hein?"

Eu olhei para Michael, toda confusa, e ele disse: "Hmm, Doo Pak, eu não estou brincando. Esta é mesmo a minha namorada."

Doo Pak simplesmente riu mais um pouco e disse: "Vocês, americanos, sempre fazendo brincadeiras! Falando sério, pode parar agora."

Então eu fiz uma tentativa.

"Hmm", disse eu. "Doo Pak, eu sou mesmo a namorada do Michael. O meu nome é Mia Thermopolis. Estou feliz em finalmente conhecer você. Já ouvi falar muito a seu respeito."

Foi aí que Doo Pak começou a rir tão alto que dobrou o corpo em dois e acabou caindo na cama.

"Não", disse ele, enquanto lágrimas de tanto rir escorriam pelo rosto dele. "Não, não. Isto não é possível. *Você*" — ele apontou para mim — "não pode estar saindo com *ele*." E apontou para Michael.

Parecia que Michael estava começando a ficar irritado.

"Doo Pak", disse ele, com o mesmo tipo de voz de repressão que eu já o ouvi usar com Lilly quando ela começa a tirar sarro dele por ele gostar tanto de *Star Trek: Enterprise*.

"É sério", disse eu para Doo Pak, tentando ajudar, apesar de não fazer a menor ideia da razão de ele estar rindo tanto. "Michael e eu estamos juntos há mais de nove meses. Eu estudo na Escola Albert Einstein, que fica logo ali, e moro com minha mãe e meu padrasto no Vil..."

"Para de falar agora mesmo, por favor", disse Doo Pak para mim — com muita educação, preciso reconhecer. Mas mesmo assim. É meio esquisito quando alguém manda a gente parar de falar. Principalmente porque, depois disso, Doo Pak deu as costas para mim e começou a falar com Michael em uma voz bem baixinha e cheia de ansiedade, e Michael respondeu no mesmo tom, mas parecendo mais aborrecido do que ansioso.

É extremamente esquisito estar em um quarto, vendo duas pessoas tendo uma conversa ansiosa e aborrecida que nem dá para escutar. Então eu vim para cá, para eles ficarem mais à vontade.

Dá para ouvir Doo Pak cochichando todo ansioso com Michael, que, por sorte, parou de cochichar as respostas dele, assim pelo menos eu posso ouvir a parte DELE da conversa.

"Doo Pak, eu já DISSE quem ela é", disse, simplesmente. "Ela é minha NAMORADA. Ninguém está fazendo brincadeira nenhuma com você."

Sabe, o banheiro deles até que é bem limpinho, para meninos. Não tem nada aqui que dê medo de encostar. Vejo que trocaram a cortina de borracha institucional por uma que tem o mapa-múndi estampado. Isso deve ser para reconfortar Doo Pak, que com toda certeza tem saudade de casa. Assim ele pode tomar banho e ficar olhando para o lugar de onde veio o tempo todo.

Aaaaah, agora Doo Pak também parou de cochichar. Os dois devem achar que eu sou completamente SURDA.

"Mas eu não estou entendendo, Mike", Doo Pak está dizendo. MIKE????? "Por que ELA sai com VOCÊ?"

Agora tudo está fazendo sentido. Doo Pak deve ter me reconhecido. Eu *tenho* aparecido bastante na imprensa ultimamente, por causa da coisa toda das lesmas, da eleição e tal. Talvez ele não acredite que Michael namore mesmo uma princesa.

Não posso dizer que o culpo. Não existe nada mais cafona do que namorar uma princesa. Não é para menos que Michael não o tenha avisado antes. Deve ser mesmo insuportavelmente embaraçoso admitir para os amigos de faculdade dele que não só a namorada dele ainda está na escola, como também é uma PRINCESA.

Coitado do Michael. Eu nunca soube que as pessoas de fato FAZIAM PIADA por ele sair com uma integrante da realeza. Isso além de a namorada dele ter guarda-costas, não ter seios e ser uma babona de bebê. A devoção do Michael por mim realmente é extraordinária.

Aaaah, pararam de falar. Talvez seja seguro sair agora...

Sábado, 12 de setembro, 19h, Café (212)

Preciso escrever bem rápido enquanto Michael está pagando a comida. Por sorte, tem uma fila absurdamente enorme no caixa — o lugar está LOTADO —, então acho que ele vai demorar um pouco.

Bom, descobri a razão por que Doo Pak ficou achando que Michael estivesse fazendo uma brincadeira com ele quando disse que eu era namorada dele. E não tem nada a ver com o fato de eu ser princesa. Tem a ver com o fato de Doo Pak achar que eu sou BONITA demais para Michael.

E nem estou fazendo uma piada. Doo Pak me disse isso pessoalmente quando eu saí do banheiro. Parecia completamente envergonhado. E ele disse, sem que Michael precisasse bater nele antes nem nada: "Peço desculpas por não ter acreditado quando você disse que era namorada do Mike. Sabe", prosseguiu ele, com o mesmo tom de desculpa, "você é bonita demais para sair com Mike. Ele é... como é que vocês falam? Ah, já sei... um nerd. Igual a mim. E nerds como nós não têm namoradas bonitas. Então achei que ele estivesse brincando comigo. Por favor, aceite o meu humilde pedido de desculpas pelo meu erro."

Eu olhei do Michael para Doo Pak para ver se eles estavam, hmm, fazendo uma piada comigo, mas dava para ver pelo rosto vermelho e envergonhado do Doo Pak, e pelo rosto ainda *mais vermelho* e *mais envergonhado* do Michael, que Doo Pak estava falando a verdade: ele acha que eu sou bonita demais para sair com Michael!!!!! É SÉRIO!!!!!!

Os padrões de beleza na Coreia do Sul devem ser mesmo muito diferentes dos daqui dos Estados Unidos.

Além do mais, no lugar de onde Doo Pak vem, parece que os meninos que brincam com computadores o dia inteiro simplesmente não têm namorada. Mesmo.

Talvez seja por isso que eles estão sempre desenhando mulheres. Sabe como é, nos animes e nos mangás.

Mas, como eu expliquei para Doo Pak, ser nerd nos Estados Unidos na verdade até que está na moda, e as meninas mais sensíveis querem SIM sair com nerds, em vez de um atleta ou de um cara superpopular.

Parecia que Doo Pak não ousava acreditar em mim, mas eu ressaltei o fato de que Bill Gates, que na verdade é o Rei dos Nerds, é casado. E parece que isso serviu para convencê-lo. Ele apertou minha mão e perguntou, todo animado, se eu tinha alguma amiga que podia apresentar algum dia para ele e para o resto dos meninos do andar.

Eu disse para ele que ia tentar, com toda a certeza.

Daí Doo Pak pediu licença para ir à loja de informática e comprar a mais nova versão de Myst, e Michael disse todo irritado que gostaria que os alunos do primeiro ano da faculdade tivessem permissão para ter quartos exclusivos, em vez de serem forçados a dividir com um colega.

O que me fez lembrar de uma coisa que eu reparei no banheiro deles quando já estava saindo. Alguma coisa fez a ficha cair AGORA. ALGO QUE VAI FICAR MARCADO PARA SEMPRE NO TECIDO MACIO DO MEU CÉREBRO:

TEM UMA CAIXA DE CAMISINHA NO ARMÁRIO DO BANHEIRO DO MICHAEL E DO DOO PAK!!!!!!!!!!!!!

É sério. EU VI. Ai, meu Deus, EU VI MESMO. JURO.

O QUE ISSO SIGNIFICA???? Quer dizer, está bem claro que DOO PAK não está Fazendo Aquilo com ninguém. Quer dizer, ele praticamente ADMITIU que nunca teve namorada.

Então de quem SÃO aquelas camisinhas?????

Opa, o "Mike" voltou...

Domingo, 13 de setembro, 1h, na limusine, voltando para o Plaza

AI, MEU DEUS. AI, MEU DEUS. AI, MEU DEUS. AI, MEU DEUS. Eu só preciso respirar. Como me obrigaram a fazer naquela vez que fui à aula de ioga. Inspira. Expira. Inspira. Expira.

Certo. Eu consigo. Eu vou conseguir escrever. Só preciso colocar no papel, como faço com todas as outras coisinhas que acontecem comigo, e daí tudo vai ficar bem. TEM de ficar bem. Simplesmente TEM DE.

Aconteceu.

Nós tivemos A Conversa.

E MICHAEL ESPERA QUE A GENTE FAÇA AQUILO

... ALGUM DIA.

Pronto, escrevi.

Então, por que eu não me sinto nem um pouco melhor??????

Ai, meu Deus, o que eu vou FAZER???? Como é que Lana pode ter razão? Lana nunca teve razão a respeito de NADA!!! Eu me lembro de ela ter dito que, se a gente espirrasse e tapasse o nariz ao mesmo tempo, os tímpanos explodiriam. E a melhor de todas: "Se você tomar banho enquanto estiver menstruada, pode sangrar até morrer", o boato mais idiota que ela espalhou. Até o ano passado ela fez um monte de gente acreditar que Aspirina + Coca Light = buraco no estômago.

O negócio é que nada disso se comprovou verdadeiro.

Por que DESTA vez ela tinha de estar certa?

Os garotos que já estão na faculdade esperam MESMO que a namorada Faça Aquilo. Pelo menos algum dia. Quer dizer, Michael foi muito gentil e compreensivo e ficou quase tão envergonhado quanto eu no que diz respeito ao assunto. Mas também não é, tipo, como se ele fosse me dar um fora se a gente não Fizer Aquilo amanhã.

Mas ele está DEFINITIVAMENTE interessado em Fazer Aquilo.

Algum dia.

AAAAAAAAAAAARRRRRRGGGGGGGGGGHHHHHHHH!!!!!!!!!!

Mas é claro que eu já deveria saber. Porque os homens — até mesmo os bidimensionais, como Wolverine, do *X-Men*, e a Fera, de *A Bela e a Fera*, e até Hellboy — sempre querem Fazer Aquilo. Eles até podem, sabe como é, ser educados nesse sentido. Quer dizer, Wolverine mandava ver com Jean Grey enquanto Ciclope ficava se babando todo em cima dela.

E a Fera pode rodopiar a Bela como quem não quer nada o quanto quiser naquele salão de baile, mas na verdade ele só está pensando no que vai acontecer depois.

Mas não tem como ignorar o fato de que, em última instância, no fundo, TODOS OS CARAS QUEREM FAZER AQUILO.

Eu nem sei por que achei que Michael pudesse ser diferente. Quer dizer, eu assisti a *Academia de gênios* e *A vingança dos nerds*. Eu já devia saber muito bem que até os garotos inteligentes gostam de sexo. Ou pelo menos *gostariam*, se conseguissem achar alguém a fim de fazer com eles.

E, também, nenhum de nós pertence a alguma religião em que, tipo, é proibido Fazer Aquilo antes de casar, ou algo assim. Bom, quer dizer, Michael é judeu, mas não é TÃO judeu assim. Ele come cheeseburguer com bacon o tempo todo.

Mesmo assim. Estou falando de SEXO. Trata-se de um GRANDE passo.

E foi o que eu disse ao Michael quando estávamos nos agarrando no quarto dele depois do jantar, hoje à noite. Não que ele tenha, tipo, Enfiado a Mão em algum lugar onde não devia. Ele nunca fez nada disso — apesar de agora eu saber que ele QUERIA ter feito. É só que, sabe como é, sempre tem alguém por perto. Tirando hoje à noite, porque Lars estava totalmente colado à TV no lounge dos estudantes com o resto dos fanáticos por esportes. E Doo Pak tinha ido à biblioteca para ver se achava alguma menina à procura de um nerd para passar a noite.

Mas a gente chegou do jantar e Michael colocou uma música antiga do Roxy Music para tocar e me puxou para a cama dele, e a gente ficou lá se beijando e tal, e eu só conseguia pensar no seguinte: ELE TEM CAMISINHAS NO ARMÁRIO DO BANHEIRO e GAROTOS QUE JÁ ESTÃO NA FACULDADE ESPERAM QUE A NAMORADA FAÇA AQUILO e WENDELL JENKINS e PRINCESA DO MILHO e não consegui me concentrar nos beijos, e no final acabei me afastando dele e falei assim: "NÃO ESTOU PRONTA PARA TRANSAR."

O que, é preciso dizer, pareceu surpreendê-lo muito.

Não a parte de não estar pronta para isso, mas a parte de tocar no assunto.

Mesmo assim, acho que ele se recuperou bem rápido do susto, porque, depois de piscar algumas vezes, ele disse "Tudo bem" e voltou a me beijar.

Mas isso não serviu muito para me tranquilizar, porque não dava para saber se ele tinha ouvido ou não. E, além do mais, Tina tinha dito que Michael e eu realmente precisávamos ter A Conversa sobre esse assunto, e eu achei que, se ela conseguia falar com *Boris* sobre isso, eu também deveria ser capaz de falar com Michael.

Então, eu me afastei dele de novo e disse: "Michael, a gente precisa conversar"; e ele olhou para mim todo confuso e falou assim: "Sobre o quê?"

E eu respondi — APESAR DE ESTA TER SIDO A COISA MAIS DIFÍCIL QUE EU JÁ FIZ NA VIDA, MAIS DIFÍCIL DO QUE QUANDO EU TIVE DE DISCURSAR

NA FRENTE DO PARLAMENTO DE GENOVIA PARA FALAR DA QUESTÃO DOS PARQUÍMETROS —: "As camisinhas no seu armário do banheiro."

E ele disse: "As o quê?", e os olhos dele pareceram bem perdidos e desfocados. Daí parece que ele lembrou e falou assim: "Ah, sei. É. Todo mundo recebeu. Quando nos mudamos para cá. Estava no pacote de boas-vindas que foi entregue pra gente na chegada."

E daí os olhos dele pareceram ficar BEM focados — tipo fachos de laser — e ele os apontou para mim e disse assim: "Mas se eu tivesse comprado, qual seria o problema? Será que é errado eu me preocupar com você e querer proteger você para o caso de fazermos amor?"

O que, é óbvio, fez com que eu me derretesse toda por dentro, e foi MUITO difícil me lembrar de que deveríamos estar tendo A Conversa e não nos agarrando, principalmente quando me dei conta de que:

Por melhor que seja o cheiro do pescoço do Michael, o resto do corpo deve ter um CHEIRO AINDA MELHOR.

O que é uma razão ainda maior para eu me apressar e ter A Conversa logo.

"Não", disse eu, afastando a mão dele da minha. Porque eu sabia que seria bem mais difícil me concentrar em ter A Conversa se ele estivesse me tocando. "Acho que isso é bom. Mas é que..."

E daí eu despejei tudo em cima dele. O que Lana tinha dito na fila rápida. Wendell Jenkins. O que Lana tinha dito no chuveiro (mas não a parte do acúmulo, aquilo era nojento demais). A princesa do milho. O fato de que eu o amo, mas não sei se já estou pronta para Fazer Aquilo (eu *disse* que não tinha certeza, mas é claro que TENHO certeza. É que, sabe como é, eu não queria parecer direta demais). O fato de que as camisinhas estouram (se aconteceu em *Friends*, pode muito bem acontecer na vida real). A fertilidade excessiva da minha mãe. TUDO.

Porque, sabe como é, quando a gente está tendo A Conversa, é preciso colocar TUDO para fora, senão, de que adianta?

Bom, *quase* tudo, de todo modo. Eu meio que deixei de fora a parte de eu me preocupar tanto com a questão da nudez. Bom, da MINHA nudez. Com a dele, não tem problema nenhum. Além do mais, sabe como é, o sexo na TV parece meio... bom, difícil. E se eu fizer tudo errado? Ou se por acaso eu não for boa nisso? Ele pode me dar um fora.

Só que, sabe como é, eu não mencionei nada disso.

Michael ficou escutando todo o meu discurso com uma cara muito séria. A certa altura, ele até se levantou para abaixar o som. Foi só quando eu cheguei na parte de não ter certeza se eu queria ou não Fazer Aquilo que ele finalmente disse alguma coisa, e ele falou assim, em um tom bem seco: "Bom, para falar a verdade, isso não é uma surpresa para mim, Mia."

O que, de todo modo, foi uma surpresa para MIM.

Mas quando eu falei: "É mesmo?", ele disse: "Bom, ficou bem óbvio quando você convidou todas as suas amigas, e não eu, para dormir no hotel no mesmo minuto em que descobriu que ia ter um quarto só para você o fim de semana inteiro."

ACORDA. Não é verdade. Em primeiro lugar, Lilly e aquelas meninas SE convidaram. E em segundo...

Bom, tudo bem, ele estava certo sobre essa parte.

"Michael", falei, me sentindo totalmente péssima. "Desculpa, de verdade. Eu nem... quer dizer, eu não tive..."

Eu me senti tão mal que nem consegui VERBALIZAR. Eu me senti a maior idiota. Tipo como eu me senti durante o jantar, quando Michael ficou falando sobre a aula de Sociologia na Ficção Científica dele, e que em *1984*, de Orwell, a Loteria era usada para controlar as massas, dando-lhes a falsa esperança de que algum dia teriam a possibilidade de largar o emprego sem futuro que tinham, e que em *Fahrenheit 451*, a mulher de Montag não gosta nem um pouco do serviço dele de queimar livros para viver e que a única coisa que ela faz é falar ao telefone com as amigas a respeito de um programa de TV chamado *Palhaço branco*. Não pude evitar de lembrar que, na metade do tempo, Lilly, Tina e eu só falamos de *Charmed*.

Mas, acorda, como é que alguém pode NÃO conversar sobre essa série?

Mas talvez isso só faça parte da estratégia do governo para impedir que a gente repare que estão derrubando as florestas nacionais e que estão aprovando leis que impedem os adolescentes de procurar cuidados médicos relacionados ao controle de natalidade sem o consentimento dos pais...

Além disso, às vezes parece que Michael nunca vai parar de falar dos programas de que ele gosta, como *24 Horas* e, ultimamente, *60 Minutos*.

De todo modo, fiz o que pude para compensar o fato de não o ter convidado para me visitar no hotel. Coloquei a minha mão na dele, olhei bem no fundo dos olhos dele e disse: "Michael, sinto muito mesmo. E não só por isso. Mas por toda... bom, por toda essa coisa."

Mas, em vez de dizer que ele me perdoava ou algo assim, Michael só disse assim: "Tudo bem. A questão é quando você VAI estar pronta?"

E eu fiquei tipo: "Pronta para quê?"

E ele respondeu: "Aquilo."

Eu demorei um minuto para entender do que ele estava falando.

E daí, quando a ficha finalmente caiu, eu fiquei toda vermelha.

"Hmm", disse eu.

Daí, pensei bem rápido.

"Que tal depois do baile de formatura", respondi, "em uma cama king-size com lençóis de cetim branco em uma suíte de luxo com vista para o Central Park no Four Seasons, com champanhe e morangos cobertos de chocolate na entrada, e um banho de aromaterapia depois, e café da manhã na cama com waffles no dia seguinte?"

Ao que Michael respondeu, com muita calma: "Em primeiro lugar, eu nunca mais vou a nenhum baile de formatura, e você sabe muito bem disso; e, em segundo, não tenho dinheiro para pagar o Four Seasons, e você também sabe disso. Então, por que você não tenta responder de novo?"

Droga! Tina tem tanta SORTE de ter um namorado em quem pode mandar... POR QUE Michael não é tão maleável quanto BORIS?

"Olha", comecei, tentando desesperadamente pensar em alguma maneira de sair daquela situação toda. Porque não estava acontecendo NEM UM POUCO da maneira como eu tinha imaginado. Na minha cabeça, eu dizia ao Michael que não estava pronta para Fazer Aquilo e ele dizia que tudo bem e a gente jogava um pouco de palavras cruzadas e pronto.

Pena que as coisas nunca acontecem como eu imagino.

"Será que eu preciso resolver isso AGORA?", perguntei, ao decidir que um ADIAMENTO era a melhor estratégia àquela altura. "Tenho muita coisa na cabeça. Quer dizer, é possível que, neste exato momento, minha mãe esteja expondo Rocky a algum estímulo altamente nocivo, tipo dança de tamancão ou até bolinhos de chuva cheios de açúcar. E tem o negócio do debate na segunda-feira... Eu comentei que Grandmère e Lilly estão trabalhando nisso juntas? Quer dizer, é como se Darth Vader estivesse unindo forças com Ann

Coulter. Estou dizendo: eu estou acabada. Será que a gente pode conversar sobre esse assunto depois?"

"Claro", respondeu Michael, com um sorriso tão doce que me deu vontade de chegar mais perto e dar um beijo nele...

Mas daí ele emendou: "Mas você precisa saber, Mia, que eu não vou ficar esperando para sempre."

Isso fez com que eu congelasse bem quando os meus lábios estavam chegando perto dos dele.

Porque ele não quis dizer que não ia ficar esperando para sempre pela minha resposta.

Ah, não. Ele quis dizer que não ia ficar esperando para sempre para Fazer Aquilo.

Ele não falou como se fosse uma ameaça, nem nada. Ele disse meio despreocupado, até um pouco brincalhão.

Mas dava para ver que não era nenhuma piada . Porque os garotos realmente esperam que você Faça Aquilo. Algum dia.

Eu não sabia o que responder. Na verdade, acho que eu nem teria conseguido falar, mesmo que tentasse. Por sorte, eu não precisei, porque ouvimos uma batida na porta e a voz do Lars chamou: "O jogo acabou. Já passa da meia-noite. Hora de ir embora, princesa", o que, é claro, fez com que eu e Michael pulássemos para lados opostos do quarto.

(Acabei de perguntar ao Lars como ele tem mesmo a estranha capacidade de sempre escolher o momento errado — ou certo, como pode ser o caso — de me interromper quando estou sozinha com Michael, e ele respondeu assim: "Enquanto escuto vozes, eu não me preocupo. Quando as coisas ficam muito quietas é que eu começo a querer saber o que está acontecendo. Porque — sem ofensa, Vossa Alteza — você fala *muito*.")

Bom, tanto faz. É isso aí.

Lana tinha razão.

Todos os garotos querem Fazer Aquilo.

Inclusive Michael.

Minha vida acabou.

Fim.

* Anotação pessoal:

Ligar para mamãe e lembrá-la de que ainda está amamentando e que apesar de ela ter VONTADE de beber muito gim-tônica, tendo em vista que está perto da mãe dela, isso pode ser muito perigoso para o desenvolvimento cognitivo do Rocky a esta altura.

Domingo, 13 de setembro, meio-dia, no meu quarto no Plaza

Por que a minha vida não pode ser igual à daquele pessoal que apresenta o horário de programas para adolescentes na TV? Nenhuma daquelas pessoas é princesa. Nenhuma delas causou um desastre ambiental no país delas ao jogar milhares de lesmas no mar. Nenhuma delas tem um namorado que espera que elas Façam Aquilo algum dia. Bom, para falar a verdade, algumas delas têm, sim.

Mas mesmo assim... Na TV, tudo é muito diferente.

Domingo, 13 de setembro, 13h, no meu quarto no Plaza

Por que todo mundo não me deixa em paz? Se eu quero ficar deprimida o dia inteiro, eu é que devo decidir. Afinal de contas, eu SOU uma princesa.

Domingo, 13 de setembro, 14h, no meu quarto no Plaza

Eu queria tanto falar com Michael agora... Ele ligou antes, mas eu não atendi. Deixou um recado com a telefonista do hotel que dizia assim: "Oi, sou eu. Você ainda está aí ou já voltou pra casa? Vou tentar lá também. Enfim, se receber esse recado, me liga."

É. Vou ligar pra ele. Pra ele terminar comigo por causa da minha relutância em Fazer Aquilo com ele. Não vou lhe dar tal satisfação.

Tentei ligar pra Lilly, mas ela não está em casa. A Dra. Moscovitz disse que não faz ideia de onde a filha possa estar, mas que se eu descobrir, que por favor diga a ela que Pavlov está precisando sair pra dar uma volta.

Espero que Lilly não esteja tentando filmar em segredo através das janelas do Convento do Sagrado Coração de novo. Eu sei que ela está convencida de que aquelas freiras têm um laboratório ilegal de metanfetamina lá, mas da última vez foi meio constrangedor quando ela mandou as imagens de vídeo para a Sexta Delegacia de Polícia e elas só mostravam as freiras jogando bingo.

Aaaaah, maratona de *Sailor Moon*...

A Sailor Moon tem mesmo muita sorte de ser personagem de desenho animado. Se eu fosse personagem de desenho animado, com certeza não teria nenhum dos problemas que estou tendo agora.

E mesmo que tivesse, eles estariam todos resolvidos até o final do episódio.

Domingo, 13 de setembro,
15h, no meu quarto no Plaza

Muito bem, isto aqui realmente é uma violação dos meus direitos. Quer dizer, se eu quiser ficar deprimida na cama o dia inteiro, eu deveria poder. Se fosse isso que ELA estivesse a fim de fazer, e eu entrasse de supetão no quarto DELA e a mandasse parar de sentir pena de si mesma e se sentasse e começasse a reclamar com ela, pode apostar que ELA nunca teria aceitado. Ela simplesmente teria jogado um Sidecar em cima de mim, ou algo assim.

Mas, de algum modo, não há nada errado em ELA fazer isso comigo. Entrar no meu quarto de supetão, quero dizer, e dizer que é para eu parar de sentir pena de mim mesma.

Agora ela está sacudindo um colar de ouro na minha frente. Tem um pingente quase tão grande quanto a cabeça do Fat Louie. O pingente é todo cravejado de pedras preciosas. Parece alguma coisa que o 50 Cent poderia usar em uma noite de folga, enquanto faz ginástica ou está relaxando com os amigos, ou qualquer coisa assim.

"Você sabe o que é isto que você está vendo aqui, Amelia?", Grandmère pergunta.

"Se você está tentando me hipnotizar para fazer com que eu pare de roer unhas, Grandmère", falei, "não vai dar certo. O Dr. Moscovitz já tentou."

Grandmère ignorou aquilo.

"O que você vê aqui, Amelia, é um artefato de valor inestimável da história de Genovia. Pertenceu a Santa Amelie, de onde vem o seu nome, que é a santa padroeira do país."

"Hmm, desculpa, Grandmère", falei, "Mas eu me chamo Amelia por causa da Amelia Earhart, a aviadora corajosa."

Grandmère soltou uma gargalhada. "Posso afirmar com toda certeza que não é por isso, não", disse ela. "Seu nome se deve a Santa Amelie e a ninguém mais."

"Hmm, desculpe, Grandmère", insisti. "Mas a minha mãe me disse, com toda a certeza..."

"Eu não me importo com o que a sua mãe disse para você", afirmou Grandmère. "Você tem este nome por causa da padroeira de Genovia, e ponto final. Santa Amelie nasceu no ano de 1070, e era uma simples camponesa que amava mais do que tudo na vida cuidar do rebanho de cabras genovianas de sua família. Enquanto ela cuidava do rebanho do pai, costumava cantarolar canções tradicionais genovianas, com uma voz que, dizem, foi uma das mais lindas e mais melodiosas de todos os tempos, muito melhor do que a daquela Christina Aguilera horrorosa de quem você parece gostar tanto."

Hmm, acorda. Como é que Grandmère sabe disso? Por acaso estava viva no ano 1070? Além disso, a Christina tem, tipo, alcance de voz de sete oitavas. Ou alguma coisa assim.

"Em um belo dia, quando Amelie tinha 14 anos", prosseguiu Grandmère, "estava cuidando do rebanho perto da fronteira entre a Genovia e a Itália quando viu, por acaso, reunidos em um pequeno bosque, às escondidas, um conde italiano e um exército de mercenários contratados, que ele trouxera consigo do castelo dele, que ficava ali perto. Com passos leves, assim como as cabras que tanto amava, Amelie conseguiu se aproximar o bastante dos mercenários para descobrir seu intuito naquele país que ela tanto amava. O conde planejava esperar até o cair da noite e então tomar o poder do palácio de Genovia e de sua população e assim adicioná-lo a suas posses já numerosas."

"Pensando rápido, Amelie logo voltou a seu rebanho. O sol já estava baixo no horizonte, e Amelie sabia que não teria tempo de retornar a seu vilarejo e informar os aldeões a respeito do plano vil do conde até que já fosse tarde demais e ele já tivesse iniciado seu ataque. Então, em vez disso, começou a cantar uma de suas canções tradicionais de lamentação, fingindo não saber nada a respeito das vintenas de soldados rudes que se encontravam apenas algumas colinas além..."

"E foi então que um milagre ocorreu", prosseguiu Grandmère. "Um por um, os mercenários abomináveis foram caindo no sono, embalados pela voz ritmada de Amelie. E quando o conde finalmente também cedeu ao mais profundo dos sonos, Amelie foi correndo até onde ele estava e — empunhando o machadinho que carregava consigo para cortar os galhos de arbustos que com frequência ficavam presos ao pelo de suas cabras adoradas — cortou a cabeça do conde italiano e a segurou bem alto para que o exército dele, que ia acordando, pudesse enxergar.

"'Que isso sirva de aviso para qualquer pessoa que ouse sonhar em destruir a minha amada Genovia', gritou Amelie, chacoalhando a cabeça sem vida do conde.

"E, com isso, os mercenários — aterrorizados pelo fato de aquela menina pequena e aparentemente inofensiva ser o exemplo dos guerreiros com que se depaririam se colocassem os pés em solo genoviano — reuniram seus pertences e retornaram para o lugar de onde tinham vindo com toda a rapidez. E Amelie, ao retornar à sua família com a cabeça do conde como prova de sua história impressionante, foi logo aclamada como salvadora do país, e viveu muito e com boa saúde em sua terra natal pelo resto de seus dias."

Então Grandmère esticou a mão e abriu uma trava do pingente, fazendo a coisa se abrir e revelar o que tinha lá dentro...

"E isto aqui", disse ela, toda dramática, "é tudo que restou de Santa Amelie."

Olhei para a coisa dentro do pingente.

"Hmm", resmunguei.

"Está tudo bem, Amelia", disse Grandmère, em tom de incentivo. "Pode colocar a mão. Este é um direito reservado apenas à família real dos Renaldo. Você também pode aproveitá-lo."

Estiquei a mão e encostei naquela coisa que estava dentro do pingente. Parecia — e passava a sensação de ser — uma pedra.

"Hmm", disse eu de novo. "Obrigada, Grandmère. Mas não sei como o fato de eu pegar em uma pedra de uma santa pode me ajudar a me sentir melhor."

"Isto aqui não é uma pedra, Amelia", disse Grandmère, caçoando. "Este é o coração petrificado de Santa Amelie!"

ECAAAAAAAAAAAAAAAA!!!!!!!!!!!!

Foi para me mostrar ISTO que Grandmère invadiu o meu quarto? É com ISTO que ela quer me animar? Fazendo com que eu pegue no CORAÇÃO petrificado de alguma santa morta????

POR QUE EU NÃO POSSO TER UMA AVÓ NORMAL QUE ME LEVA PARA TOMAR SORVETE QUANDO EU ESTOU TRISTE, em vez de me fazer passar a mão em partes do corpo petrificadas??????

E, tudo bem, eu ENTENDI. Eu ENTENDI que o meu nome vem de uma mulher que desempenhou um enorme ato de bravura e salvou seu país. Eu ENTENDI o que Grandmère estava tentando fazer: passar um pouco da coragem de Santa Amelie para mim a tempo do meu grande debate com Lana amanhã.

Mas acho que o plano dela saiu totalmente pela culatra, porque a verdade é que, tirando o amor pelas cabras, Amelie e eu não temos NADA em comum. Quer dizer, claro que Rocky para de chorar quando eu canto para ele. Mas não tem ninguém se apressando para me transformar em santa.

Além do mais, duvido muito que o namorado de Santa Amelie falava coisas do tipo "Eu não vou ficar aqui esperando para sempre". Não se ela ainda estivesse carregando aquele machadinho dela.

É tudo muito deprimente. Quer dizer, até mesmo minha própria avó acha que eu não vou conseguir derrotar Lana Weinberger sem uma intervenção divina. Mas que maravilha.

Ah, beleza. Hora de ir para casa.

Domingo, 13 de setembro, 21h, em casa

Estou tãããããããããão feliz de voltar pra casa. Parece que fiquei fora por MUITO MAIS TEMPO do que só dois dias. É sério, parece que faz um ANO desde que eu deitei a última vez nesta cama, com Fat Louie enrolado nos meus pés, ronronando tanto que parece que vai explodir, com os tons agradáveis de Lash nos meus ouvidos, já que não preciso ficar escutando o choro lúgubre do Rocky, porque minha mãe o curou do negócio de ficar chorando para chamar a atenção. Parece que isso aconteceu quando ela o deixou aos cuidados da Vovó e do Vovô enquanto ela e o Sr. G tinham ido a uma feira de carros clássicos no estacionamento do supermercado Krog Sav-On, porque aquilo era a coisa mais próxima de um evento cultural que estava acontecendo em Versailles no último fim de semana.

Quando chegaram em casa — quatro horas depois —, Vovó e Vovô estavam sentados exatamente no mesmo lugar onde estavam quando minha mãe e o Sr. G saíram (na frente da TV, assistindo a reprises de um programa de vídeos caseiros, o *America's Funniest Home Videos*) e Rocky estava dormindo pesadamente. Vovó só disse uma coisa: "Mas que par de pulmões ele tem, isso eu posso dizer."

De todo modo, minha mãe disse que o Sr. G foi mesmo muito valente e que, se antes ela ainda tivesse alguma dúvida de que o amava, com certeza agora não tem mais nenhuma, porque nenhum outro homem se submeteria por vontade própria a tantas indignidades quanto as que ele sofreu em nome dela, inclusive andar no trator do Vovô (o Sr. G disse que, antes disso, o mais perto que tinha chegado de um trator tinha sido um raspador de gelo no jogo de hóquei dos Rangers). O Sr. G disse que ficou muito impressionado com as placas que viu na estrada, saindo do Aeroporto Internacional de Indianápolis, dizendo a ele que se arrependesse de seus pecados e encontrasse a salvação. Mas ele informou, infelizmente, que o Banco do Condado de Versailles parece ter tirado a placa que eu adorava tanto, que dizia: SE O BANCO ESTIVER FECHADO, POR FAVOR, COLOQUE O DINHEIRO EMBAIXO DA PORTA.

Fiquei feliz de saber que eles seguiram todas as minhas recomendações de manter Rocky longe das máquinas ceifadoras de feno, das serpentes *Agkistrodon contortrix*, e do Hazel, o bode da Vovó. Minha mãe disse algo a respeito de não ser necessário eu ligar a cada três horas para informar que não havia sinal de atividade de ciclone no radar Doppler para a área deles, mas que apreciava minha vigilância de irmã em relação ao Rocky.

Mais tarde, enquanto o Sr. G se esforçava para guardar as malas deles de volta no armário, eu perguntei se por acaso ela tinha procurado Wendell Jenkins, e ela respondeu: "Por que procuraria?"

"Porque sim", respondi. "Quer dizer, ele já foi o seu amor."

"Claro", respondeu minha mãe. "Há vinte anos."

"É", disse eu. "Mas você amava o meu pai há 15 anos e ainda se encontra com ele."

"Porque eu tenho uma filha com ele", mamãe respondeu, olhando para mim de um jeito meio estranho. "Pode acreditar, Mia: se não fosse por você, seu pai e eu provavelmente não teríamos mais nada a ver. Nós dois seguimos em frente, como Wendell e eu seguimos em frente."

Então minha mãe continuou: "Se eu não tivesse conhecido Frank, talvez eu me arrependesse de não estar mais com Wendell ou com seu pai. Mas estou casada com o homem dos meus sonhos. Então, para responder à sua pergunta, Mia, não, eu não procurei Wendell Jenkins no fim de semana."

Uau. Isso é tão... sei lá. Tão *legal*. O negócio de o Sr. G ser o homem dos sonhos da minha mãe. Quer dizer, espero que ele saiba disso. Como ele tem sorte. Porque ao mesmo tempo que eu desconfio que existem muitas mulheres por aí que consideram o meu pai, por ser um príncipe rico e tal, o homem dos sonhos *delas*, eu não acho que existem muitas moças que pensem: "Hmm, como eu gostaria de conhecer um professor de álgebra pobre, que anda com camisa de flanela, toca bateria e se chama Frank Gianini", como minha mãe evidentemente fez.

De todo jeito, é meio que legal. Que tanto minha mãe e eu estejamos com o homem dos nossos sonhos ao mesmo tempo...

Só que o meu está prestes a terminar comigo.

Mas será que o homem dos meus sonhos REALMENTE me diria que não vai ficar esperando por mim para sempre? Será que o homem dos meus sonhos não deveria estar preparado para esperar toda a ETERNIDADE para me possuir? Quer dizer, é só olhar para Tom Hanks no filme *Náufrago*. Ele COM CERTEZA ficou esperando pela Helen Hunt. Durante QUATRO anos.

E tudo bem que ele não teve assim muita escolha, já que não tinha exatamente outras mulheres correndo de um lado para o outro naquela ilha com ele, mas mesmo assim.

De todo jeito, quando eu cheguei em casa, encontrei um recado do Michael na secretária eletrônica. Era quase idêntico ao que ele tinha deixado no hotel, pedindo para eu ligar.

E quando eu liguei o computador, tinha um *e-mail* dele também, dizendo basicamente a mesma coisa que ele já tinha dito nos recados do telefone: para ligar para ele.

De jeito nenhum que eu vou cair nessa. Não vou ligar para ele, só para ele terminar comigo.

Aaaaaaaahhhhhh nãããããããããão! Mensagem!

Tomara que seja Michael.

Não, tomara que não seja Michael.

Tomara que seja Michael.
Não, tomara que não seja Michael.
Tomara que seja Michael.
Não, tomara que não seja Michael.
Tomara que seja Michael.

Iluvromance: Oi! Sou eu!

Ah. É a Tina.

FtLouie: Oi, T.

Iluvromance: Só queria agradecer mais uma vez por sexta à noite. Foi TÃO divertido...

FtLouie: Ah, tudo bem. Obrigada.

Iluvromance: Ei, qual é o problema?

FtLouie: Nada.

Iluvromance: ALGUMA COISA está errada. Você ainda não usou nenhum ponto de exclamação! Qual é o problema? Você e o Michael tiveram A Conversa?

Às vezes eu acho que Tina é vidente.

FtLouie: Tivemos. E, Tina, foi HORRÍVEL. Ele acabou totalmente com a ideia de Fazer Aquilo na noite do baile de formatura, e disse que não tem dinheiro para pagar o Four Seasons. Não foi nem de LONGE tão legal quanto Boris sobre esse assunto. Ele até disse que não ia ficar esperando por mim para sempre!!!!!!!!!!!!!!!!!

Iluvromance: NÃO! Não acredito que ele disse isso!!!!

FtLouie: Ele disse mesmo!!! Tina, não sei o que fazer. O meu mundo está desmoronando à minha volta. É tipo: Lana estava TOTALMENTE CERTA.

Iluvromance: Isso não é possível, Mia. Você deve ter entendido errado.

FtLouie: Pode acreditar, entendi tudo direitinho. Michael *quer* Fazer Aquilo e também *não vai* ficar esperando para sempre até eu tomar uma decisão sobre o assunto. Não dá pra acreditar. O tempo todo, sabe, eu fiquei achando que ele fosse o homem dos meus sonhos!!!!

Iluvromance: Mia, Michael *é* o homem dos seus sonhos. Mas só porque você encontrou o amor da sua vida, isso não significa que a sua relação não será castigada por dificuldades de vez em quando.

FtLouie: Não?

Iluvromance: Ai, meu Deus, não! A estrada para o ápice romântico é cheia de buracos e lombadas. As pessoas acham que, uma vez que encontram aquela pessoa especial, tudo vira um mar de rosas. Mas nada pode estar mais longe da verdade. Os bons relacionamentos só permanecem assim por meio de muito empenho e sacrifício pessoal da parte de ambos os envolvidos.

FtLouie: Então... o que eu devo fazer?

Iluvromance: Bom... não sei. Como é que as coisas ficaram?

FtLouie: Hmm, Lars bateu na porta e disse que estava na hora de ir para casa. E eu não falei mais com Michael.

Iluvromance: Bom, e o que você está fazendo aí sentada escrevendo para MIM? Pega o telefone agora mesmo e liga para o Michael!!!

FtLouie: Você acha mesmo que eu devo ligar?

Iluvromance: Eu SEI que você deve ligar. Faça com que ele saiba o quanto você o ama, e como isso é difícil para você, e como você está sofrendo por dentro. Depois, CONVERSA com ele, Mia. Lembre-se de que a comunicação é a chave.

FtLouie: Bom, se você acha mesmo que pode ajudar, acho que eu...

WomynRule: Oi, Mia. Então, amanhã é o grande dia. Você está pronta?

FtLouie: Lilly, por onde você andou? Sua mãe estava atrás de você. Não estava mexendo com aquelas freiras de novo, estava? Você sabe muito bem que o sargento McLinsky mandou você as deixar em paz.

WomynRule: Para sua informação, mocinha, eu passei o dia inteiro trabalhando incansavelmente em SEU benefício. Você vai ARRASAR naquele debate amanhã, graças a algumas informações que eu consegui confirmar pessoalmente. Mas fique sabendo que, um dia desses, eu VOU acabar com aquelas freiras. Elas estão aprontando alguma coisa de muito errado lá dentro, ISSO eu posso garantir.

FtLouie: Lilly, do que você está falando? Que informações? E sua mãe quer que você leve Pavlov pra passear.

WomynRule: Já levei. Ei, você e meu irmão estão brigados ou algo assim?

FtLouie: POR QUÊ???? ELE PERGUNTOU POR MIM????

WomynRule: Bom, isso já responde à MINHA pergunta. Ah, sim, ele perguntou se eu tinha notícias suas. Mas neste momento eu quero que você deixe DE LADO qualquer probleminha pessoal que tenha com meu irmão. Preciso que você esteja em sua melhor forma amanhã para o GRANDE DEBATE. Vá para a cama cedo hoje — tipo agora, por exemplo — e tome um bom café da manhã. E PENSE POSITIVO. O quarto tempo de amanhã vai ser mais curto, com uma assembleia no ginásio para o debate. Daí a votação é logo depois, na hora do almoço. NÃO ESTOU FAZENDO PRESSÃO. Mas se você não se der bem no debate, tudo que fizemos até agora — os pôsteres, os contatos no jogo de futebol, tudo — vai ter sido em vão.

FtLouie: NÃO ESTÁ FAZENDO PRESSÃO? Lilly, TUDO que existe na minha vida é pressão!!!! O país que um dia governarei está sendo expulso da União Europeia. Minha avó me fez pegar no coração petrificado de uma santa morta. Meu namorado quer Fazer Aquilo. Meu irmãozinho não precisa mais que eu cante para ele...

WomynRule: O meu irmão quer O QUÊ???????

FtLouie: Ai, meu Deus. Eu não queria ter dito isso a você.

WomynRule: VOCÊ NÃO PODE FAZER AQUILO ANTES DE MIM!!! EU MATO VOCÊ!!!!

FtLouie: EU NÃO VOU FAZER. AINDA. Eu quis dizer que ele QUER Fazer Aquilo. Algum dia.

WomynRule: Ai, meu Deus. Então qual é o problema? TODOS os caras querem Fazer Aquilo, você já devia saber disso. É só dizer pra ele se acalmar.

FtLouie: Não dá pra dizer a alguém como o seu irmão para se acalmar, Lilly. Ele é um homem MÁSCULO, e tem necessidades de homens másculos. Você não diria para o BRAD PITT se acalmar. Não. Porque BRAD PITT é um homem másculo. IGUAL AO SEU IRMÃO.

WomynRule: Certo, mas só você mesma, Mia, para chamar o meu irmão de um homem másculo. Mas tanto faz. Não fique pensando nisso tudo hoje à noite. Em vez disso, concentre-se apenas em dormir bem para estar descansada para o debate de amanhã de manhã. E não se preocupe. Você vai acabar com elas.

FtLouie: LILLY!!! ESPERA!!! EU NÃO VOU CONSEGUIR!!! ESTOU FALANDO DO DEBATE!!! VOCÊ VAI TER QUE DEBATER NO MEU LUGAR!!! ALIÁS, É VOCÊ QUE QUER SER PRESIDENTE, NÃO EU!!!!!!!! EU TENHO MEDO DE FALAR EM PÚBLICO!!!! NENHUMA DAS GRANDES MULHERES DE GENOVIA SE DEU BEM FRENTE A GRANDES MULTIDÕES!!! NÓS SÓ SOMOS BOAS EM MATAR SAQUEADORES!!! LILLY!!!!!!!!!!!!

WomynRule: log-off

Iluvromance: Se isto servir para consolar você, Mia, *eu* acho que você vai se dar superbem amanhã.

FtLouie: Valeu, Tina. Mas agora eu preciso ir. Acho que estou ficando enjoada.

Segunda, 14 de setembro, 1h

Não vou conseguir. NÃO vou conseguir. Vou pagar o maior mico... Por que eu fui aceitar fazer isto?

Segunda, 14 de setembro, 3h

Isto não é justo. Eu já não suportei o bastante para uma pessoa só na vida? Por que, ainda por cima, vou ter de me humilhar completamente na frente dos meus colegas — mais uma vez?

Segunda, 14 de setembro, 5h

Por que Fat Louie não para de dormir em cima da minha cabeça?

Segunda, 14 de setembro, 7h

Agora eu vou morrer.

Segunda, 14 de setembro,
Sala de Estudos

Pensando bem, eu estou me preocupando por nada. Quer dizer, se o mundo vai mesmo acabar daqui a dez ou vinte anos devido ao fim de todo o petróleo acessível, é preciso perguntar a si mesmo: qual é a importância disso tudo?

E a história do derretimento das calotas polares? Se isso acontecer, Nova York nem vai mais existir.

E o supervulcão em Yellowstone? Acorda, e o INVERNO nuclear?

E as algas assassinas? Se minhas lesmas não funcionarem, todo o litoral do Mediterrâneo vai ser destruído. Na verdade, é só uma questão de tempo até que o fundo do mar do mundo inteiro esteja coberto de *Caulerpa taxifolia*. A vida como a conhecemos vai deixar de existir, porque não vai mais haver frutos do mar... nada de camarão ao alho e óleo nem bolinho de lagosta nem salmão defumado... já que não vai mais existir nenhum camarão, nem lagosta, nem salmão. Nem mais nada vivo no oceano. A não ser um monte de algas assassinas.

Fala sério, levando tudo isso em conta, será que o meu debate com Lana não é UM POUQUINHO insignificante?

Segunda, 14 de setembro,
Educação Física

Por QUE a gente tinha de começar as aulas de vôlei hoje, ainda por cima? Eu sou PÉSSIMA em vôlei. Aquela coisa de ficar batendo na bola com a parte de dentro do pulso... DÓI de verdade! Vou ficar toda cheia de hematomas.

E além do mais, eu não gostei nada da piadinha da Sra. Potts de fazer com que eu e Lana fôssemos as capitãs dos times. Porque, é claro, assim a coisa virou um jogo das populares contra as impopulares, sendo que Lana escolheu Trisha e todas as amigas odiosas dela, e eu escolhi Lilly e todas as rejeitadas sem coordenação da classe, porque, bom, eu sabia que LANA não ia escolher nenhuma delas, e eu não queria que elas se sentissem excluídas, porque EU SEI como é ser a última escolhida para um time. É a pior sensação do mundo, ficar lá parada enquanto a pessoa que escolhe passa o olhar direto por você, como se você nem estivesse ALI!

E é claro que Lana ganhou no cara ou coroa, então ela sacou primeiro, e mandou a bola bem EM CIMA DE MIM, eu juro. Ainda bem que eu desviei, se não podia ter me acertado e deixado uma marca roxa.

E eu não ligo se a Sra. Potts diz que esse é o objetivo. Será que ela não ouviu falar de todos os ferimentos relacionados ao vôlei que acontecem todos os anos? O que ela acharia se o OLHO DELA fosse arrancado por uma bola?

Mas, bom, é claro que nenhuma das minhas companheiras de equipe tomou a iniciativa de pegar a bola, porque era óbvio que TODAS elas conheciam a probabilidade de perder o olho por causa da bola de vôlei.

Nem precisa dizer que perdemos todos os sets.

Agora Lana está desfilando pelo vestiário com o calção de futebol do Ramon Riveras, falando como eles se divertiram FABULOSAMENTE no fim de semana, depois do jogo. Parece que ela e Ramon saíram para dar um passeio de barco ao redor de Manhattan no iate do pai dela. Taí uma coisa que ela não vai poder fazer quando as calotas polares derreterem, porque Manhattan não vai mais existir, já que vai ficar embaixo d'água, então espero que ela tenha aproveitado bem. Mas parece que não, porque ela disse que eles se divertiram muito jogando tampinhas de garrafa na água para ver as gaivotas mergulhando para tentar comê-las. Sem perceber que eram tampinhas de garrafa e não comida.

Obviamente, Lana não é uma pessoa que tem muita consciência ambiental se não percebe que as tampinhas de garrafa podem fazer uma gaivota ou um peixe não muito inteligentes se engasgar.

Daí o pai dela levou os dois ao Water Club, um restaurante a que eu sempre quis ir, mas que provavelmente vai ter de fechar em pouco tempo, se não fizerem alguma coisa a respeito das algas assassinas que vão acabar com todo o resto das plantas marinhas do mundo.

Mas eu duvido que Lana já tenha parado para pensar, uma vez na vida, no que acontece NO FUNDO do oceano. Ela só se preocupa com o que acontece POR CIMA da água. Tipo, se ela fica bem de biquíni.

O que, depois de tê-la visto de fio-dental, devo dizer, muito revoltada, que deve ficar mesmo muito bem.

Mas isso não a transforma em uma boa pessoa.

*Por que alguém não me mata?

Segunda, 14 de setembro, Geometria

Mais dois tempos até eu ser humilhada na frente da escola inteira.

Prova indireta = suposição feita no início que leva à contradição.
A contradição indica que a suposição é falsa e que a conclusão desejada é verdadeira.

Como Lana é bonita, deve ser legal. Porque todas as coisas bonitas são legais.

FALSO FALSO FALSO FALSO

As algas assassinas são bonitas, mas também são mortais.

Postulado = uma afirmação considerada verdadeira sem precisar de provas.

Posso muito bem postular que vou perder o debate de hoje para Lana.
Sabe de uma coisa? Acho que estou começando a entender esse negócio de geometria.
Ai, meu Deus, não seria esquisito se, durante todo este tempo, eu tivesse pensado que era boa em uma coisa, e ruim em outra, e no final eu era ruim de verdade nessa segunda coisa, e boa na outra????

Só que... eu não quero ser matemática quando crescer. Eu quero ser ES-CRITORA. Eu quero ser boa em REDAÇÃO. Não QUERO ser boa em geometria.

Bom, certo, quero ser boa nisso, sim. Só não, sabe como é, TÃO boa a ponto de começar a ganhar prêmios de geometria e todo mundo ficar tipo: "Mia! Mia! Resolve este teorema aqui!"

Porque ia ser chato demais.

Segunda, 14 de setembro, Inglês

Mais um tempo até eu pagar o maior mico na frente da escola inteira.

> Olha só pra ela. Quem ela acha que é, com aquele chinelo da Samantha Chang?

E não é? Ela está se achando. Dá pra ver.

> Aposto que ela nem precisa daqueles óculos. Deve usar só para as pessoas não prestarem atenção nos olhos apertados e horrorosos dela.

Totalmente. E aquela calça cargo. Acorda.

> TOTALMENTE já era. Eu acho.

MIA!!! VOCÊ ESTÁ ANIMADA???? Não parece nada animada. Na verdade, parece tão péssima como quando estava na educação física. Você dormiu pelo menos UM POUCO ontem à noite?

Como é que eu podia dormir, sabendo, como eu sabia, que hoje eu vou ser esfolada viva na frente de todo o corpo estudantil — igual àquele cara de *O falcão dos mares*?

> *Ninguém vai ser esfolada viva. Tirando a Lana, talvez. Porque você vai acabar com ela.*

LILLY! NÃO vou! Eu não sou boa em falar em público, e você SABE disso. E falando de um ponto de vista evolucionário, a Lana tem a vantagem TANTO do visual QUANTO de o grupo sociopolítico dela ser aquele ao qual o restante de nós quer se juntar.

> *Do que você está falando?*

Pode acreditar em mim. Eu vou perder.

> *Não vai. Eu tenho uma arma secreta.*

VOCÊ VAI ATIRAR NELA?????

> *Não, Tina, sua BOBA, eu não vou atirar na Lana durante o debate. Eu tenho uma cartinha na manga que vou tirar se o corpo estudantil não parecer convencido. Mas só se parecer que Mia está precisando.*

EU ESTOU PRECISANDO!!!! EU ESTOU PRECISANDO!!!!

> *Paciência, minha jovem padawan.*

Lilly, POR FAVOR, se você sabe de alguma coisa, você precisa me dizer, estou MORRENDO aqui. Entre o seu irmão e isso e as lesmas, estou completamente ferrada...

> *Mia! Ela quer falar com você! No corredor!*

> *Respire. Simplesmente respire. E vai dar tudo certo. Igual à Drew em Para sempre Cinderela.*

Para você é fácil falar, Lilly. Ela não pisou em cima dos SEUS sonhos.

Segunda, 14 de setembro, na escadaria do terceiro andar

Quem ela acha que é? Quer dizer, FALA SÉRIO? Será que ela acha que, só porque eu sou LOURA (bom, tudo bem, loura de farmácia, mas mesmo assim) e PRINCESA, também tenho de ser BURRA?

Se esse for o caso, ela vai ter de REEXAMINAR ESSE POSTULADO.

"Mia", disse ela, depois de me arrastar até o corredor pra gente poder conversar' na frente de TODO MUNDO. "Eu conversei com o seu pai. Ele veio aqui na sexta para falar comigo a respeito do seu trabalho escolar. Mia, eu não fazia ideia de que você tinha ficado tão chateada com as suas notas na minha aula. Você devia ter dito alguma coisa..."

Hmm, acorda, acho que eu disse. Eu pedi para reescrever a redação. Lembra, Srta. Martinez?

"Você sabe que pode conversar comigo sobre qualquer coisa, quando quiser."

Hmm, tudo bem. Posso falar com você sobre como estou preocupada com o casamento apressado demais da Britney e sua subsequente ausência da indústria do entretenimento? Não, acho que não vai dar, não é mesmo, Srta. Martinez? Porque você não gosta de referências à cultura pop.

"Eu sei que eu sou severa com as notas, Mia, mas, sinceramente, um 8 é uma nota muito boa na minha aula. Eu só dei um 10 até agora neste semestre..."

Hmm, eu sei, porque eu vi. Na redação da *Lilly*.

"A única razão por que eu não me senti confortável em lhe dar um 10 foi porque ainda não acho que você esteja aproveitando todo o seu potencial. Você é uma escritora de muito talento, Mia, mas precisa se dedicar, e escolher temas que sejam um pouco mais substanciais do que Britney Spears."

ISTO é o que há de errado com esta escola. O fato de as pessoas não compreenderem que Britney Spears É um tema substancial! Ela é um barômetro humano por meio do qual o humor do país pode ser determinado. Quando Britney faz alguma coisa chocante, as pessoas vão correndo comprar seus exemplares das revistas *Us Weekly* e *In Touch*. Britney garante que sempre há algo novo acontecendo. Sim, pode haver assassinatos e desastres naturais e outras notícias horríveis nos noticiários. Mas daí vem Britney dando um beijo de língua na Madonna no VMA e, de repente, as coisas já não parecem mais tão ruins quanto antes.

Acho que o meu ultraje deve ter ficado visível no meu rosto, porque, um segundo depois, a Srta. Martinez ficou toda assim: "Mia? Tudo bem com você?"

Mas eu não disse nada. Afinal, o que eu PODERIA dizer?

Ótimo. O segundo sinal do quarto tempo acabou de tocar. Vou receber uma advertência de atraso da Mademoiselle Klein quando eu finalmente chegar à aula de Francês.

Não que eu me importe. O que é uma advertência de atraso em comparação com o que vai acontecer comigo daqui a precisamente quarenta minutos, na frente da ESCOLA INTEIRA?

Segunda, 14 de setembro, Francês

O tempo até que eu passe vergonha na frente da escola inteira.

ONDE VOCÊ ESTAVA???? VOCÊ PERDEU!!!!

Perdi o quê? Do que você está falando, Shameeka? ESPERA... Por acaso todo mundo fez um círculo em volta do/da Perin e cantou "ABAIXE AS SUAS CALÇAS"????

Claro que não. Mas Mademoiselle Klein fez MESMO todo mundo ler a história que tinha escrito em voz alta, e, antes de começar, todo mundo tinha de dizer o nome — sabe como é, tipo, "Mon histoire, par Shameeka" e quando chegou a vez de Perin, que disse "Mon histoire, par Perinne", Mademoiselle Klein disse assim: "Você quis dizer Perin"; e Perin respondeu: "Não, Perinne", e Mademoiselle Klein disse: "Não, você quis dizer Perin porque Perin é masculino e você é um menino. Perinne é feminino"; e Perin respondeu: "Eu sei que Perinne é feminino. EU SOU UMA MENINA."

PERIN É UMA MENINA???? AI, MEU DEUS!!!!! Coitada da Perin! Que vergonha! Quer dizer, de a Mademoiselle Klein achar que ele era ele. Quer dizer, que ela era ele. Bom, você entendeu o que eu quis dizer. O que ela fez? A Mademoiselle Klein?

Bom, ela pediu desculpas, é claro. O que mais ela PODIA fazer? A coitada da Perin ficou VERMELHA IGUAL A UM PIMENTÃO. Eu fiquei com tanta pena dela!

Tudo bem, Shameeka, a gente pode convidá-lo — que dizer, convidá-la — para sentar com a gente no almoço hoje. Eu vi que ela ficou sentada sozinha a semana passada inteira, perto do cara que detesta que coloquem milho no *chilli*. Acho de verdade que ela está precisando de nós.

Ah, mas que ideia ótima! Você é mesmo boa com este tipo de coisa. Sabe fazer os outros se sentirem melhor. É meio como se...

O quê?

Bom, eu ia dizer que é meio como se você fosse uma princesa ou alguma coisa assim. Mas você É princesa! Então, é claro que você é boa com esse tipo de coisa. É meio que o seu trabalho.

É. Acho que é mesmo, não é?

Segunda, 14 de setembro, na sala da diretora Gupta

Sabe de uma coisa? Eu não estou nem aí. Não estou nem ligando para o fato de estar aqui sentada na sala da diretora Gupta.

Não ligo para o fato de Lana estar aqui sentada do meu lado, olhando feio para mim.

Não ligo para o fato de o bordado de leão do meu casaco estar pendurado apenas por alguns fios.

E não ligo para o fato de a escola inteira estar agora no ginásio, esperando nós duas chegarmos para o nosso debate.

Quando é que ela vai desistir? É isso que eu quero saber. Estou falando da Lana, claro. COMO ELA TEM CORAGEM??? Uma coisa é implicar comigo, mas é BEM diferente implicar com uma pessoa totalmente indefesa, sem contar que é NOVA NA ESCOLA.

Se ela acha que eu vou ficar lá sem fazer nada e deixar que ela tire sarro de alguém desse jeito, ela está muito enganada. Bom, acho que ela se deu conta disso, tendo em vista que eu ainda estou com um chumaço do cabelo dela na minha mão. Mas acho que não é o cabelo dela de verdade, porque descobri que era uma trança de extensão removível que ela colocou para demonstrar seu espírito escolar (é uma fita azul trançada em um cacho de cabelo louro falso).

O que explicaria por que saiu com tanta facilidade na minha mão quando eu me ataquei com ela, com a intenção de arrancar cada fio de cabelo da cabeça idiota dela, depois que ela me disse para cuidar da minha vida e arrancou o bordado de leão do meu casaco da EAE.

Mesmo assim. Espero que tenha doído.

A parte triste de tudo isso é que ela não sabe como tem sorte. Eu teria feito muito mais estrago se Lars e Perin não tivessem me segurado.

Perin pode ter revelado ser uma menina, mas é uma menina surpreendentemente forte.

Também é muito bem-educada. Quando a diretora Gupta estava me arrastando para a sala dela, ouvi quando Perin gritou: "Obrigada, Mia!"

E apesar de ser possível que eu esteja errada — eu ainda estava furiosa —, acho que algumas pessoas até aplaudiram.

Mas é claro que a diretora Gupta nunca acharia que *Lana* fez alguma coisa de errado. Por favor! Ela acha que eu ataquei Lana porque estava "nervosa" por conta do debate. Certo, é isso aí, diretora Gupta. Era nervosismo, sim. Não tinha NADA a ver com o fato de que, quando estávamos saindo da aula de francês, Lana passou, inclinou o corpo na direção da Perin e disse: "HERMAFRODITA."

Ou que eu, em resposta, mandei Lana calar a boca idiota dela.

Ou que Lana, em retaliação, esticou a mão e arrancou o bordado de leão da EAE do meu blazer.

A parte em que eu, totalmente por instinto, arranquei a trança postiça da Lana foi a única que chegou aos ouvidos da diretora Gupta.

A diretora Gupta diz que eu tenho sorte de não levar uma suspensão imediata. Ela diz que só não vai fazer isso porque sabe que eu estou com muitos problemas em casa neste momento (HÃ??? DO QUE ELA ESTÁ FALANDO? DAS LESMAS? DO FATO DE EU SER UMA BABONA DE BEBÊ? QUE O MEU NAMORADO QUER FAZER AQUILO ALGUM DIA? O QUÊ?????).

Ela diz que acha melhor que eu e Lana sejamos capazes de resolver nossas diferenças de um outro jeito que não nos atracando no chão do corredor do segundo andar. No final das contas, ela vai nos obrigar a fazer o debate. Ela diz: "Mia, será que você pode, por favor, tirar a cabeça deste diário e prestar atenção ao que eu estou dizendo?"

Caramba. O que ela ACHA que eu estou escrevendo? Fanfic de *Guerra nas estrelas*?

Lana está rindo, é claro.

Acho que ela não ficaria rindo tanto se descobrisse que eu me chamo Amelia por causa de uma pessoa que cortou fora a cabeça de outra com um machado.

Segunda, 14 de setembro, no ginásio

Ai, meu Deus. Como é que eu fui me meter nesta? Está TODO MUNDO aqui. Todos os MIL alunos da Escola Albert Einstein, da oitava série ao terceiro ano do ensino médio, sentados nas arquibancadas, à minha frente, OLHANDO para mim, com os OLHOS PREGADOS em mim, porque não tem mais nada para se olhar, a não ser a Lana, e os dois púlpitos e esta palmeira em um vaso que colocaram aqui para deixar o ambiente mais aconchegante ou algo assim — ou talvez para me fornecer oxigênio se eu ameaçar desmaiar — e a diretora Gupta, parada entre a cadeira dobrável de cada uma de nós, como uma juíza em uma luta importante.

Tenho certeza de que vou vomitar em cima da palmeira no vaso.

A diretora Gupta está explicando que este será apenas um debate amigável entre Lana e eu para que os eleitores possam conhecer o nosso ponto de vista relativo a diversas questões.

Amigável. Sei. É por isso que ainda estou com a trança da Lana na mão.

E, acorda, questões? Existem QUESTÕES???? NINGUÉM ME DISSE QUE HAVERIA QUESTÕES!!!

Dá para ver Lilly, com a câmera de vídeo focada e pronta, na primeira fileira da arquibancada — sentada com Tina e Boris e Shameeka e Ling Su e, ah, olha lá, que fofa, Perin — fazendo sinais para mim. O que Lilly está tentando me dizer? Não é possível que ela já esteja se preparando para utilizar sua arma secreta. Ainda não, de todo jeito. O debate nem começou! O que ela está fazendo com as mãos???? Por que está fazendo aquele gesto de fechar?

Ah, já sei. Ela quer que eu me sente reta na cadeira e pare de escrever no meu diário. Ah, até parece, Lilly...

AI, MEU DEUS. O cheiro. Eu reconheço este cheiro. Chanel Nº 5. A única pessoa que eu conheço que usa Chanel Nº 5 — ou que pelo menos passa tanto perfume que dá para sentir o cheiro a quilômetros de distância, antes mesmo de ela entrar no recinto...

O QUE ELA ESTÁ FAZENDO AQUI????

Ai, meu Deus, por que EU? Fala sério. NÃO devia ser permitido que os familiares dos alunos simplesmente entrassem na área da escola quando bem entendessem. Eu não teria nem a metade dos problemas que tenho no momento se houvesse algum tipo de segurança nesta escola para deixar os meus pais e a minha avó FORA dela...

Ah, não, o meu pai também não!

E Rommel.

É. Minha avó trouxe o CACHORRO dela para o debate.

E uma falange de repórteres.

Caramba! Aquele ali é LARRY KING????

Que maravilha. Agora só falta minha mãe e Rocky aparecerem, e isto vai se transformar em uma reunião da família Thermopolis-Gianini-Renaldo...

Ah. Lá está ela. Acenando com o bracinho do Rocky para mim, da arquibancada. Oi, Rocky! Que bom que você veio! Que bom que você veio para ver sua irmã mais velha ser total e sistematicamente aniquilada por sua inimiga mortal...

Ah, não. Está começando.

ONDE É QUE MICHAEL ESTÁ QUANDO EU PRECISO DELE????

Segunda, 14 de setembro, no banheiro

Bom, aqui estou eu. No banheiro. Ah, que novidade.

Acho que não vou sair daqui por um bom tempo. Um tempo bem, bem longo. Tipo assim... acho que nunca.

A coisa toda foi completamente surreal. Quer dizer, eu vi a diretora Gupta dar uns tapinhas no microfone. Eu ouvi quando os murmúrios entre as pessoas que estavam na arquibancada pararam de repente. Todos os pares de olhos estavam sobre nós.

E daí a diretora Gupta deu as boas-vindas a todos presentes no debate — esforçando-se principalmente para agradecer ao Larry King por ter ido, com as câmeras dele — e explicou a importância do conselho estudantil, e do papel fundamental que a presidente tem. Daí disse: "Temos aqui duas mocinhas bem diferentes, cada uma delas com sua personalidade unicamente, *hmm*, forte, concorrendo ao cargo hoje. Espero que vocês prestem toda a atenção enquanto nossas candidatas nos dizem por que são adequadas para o papel de presidente, e o que pretendem fazer para transformar a Escola Albert Einstein em um lugar melhor."

E daí — acho que para me castigar por causa do negócio todo de arrancar a trança —, a diretora Gupta deixou Lana falar primeiro.

Os aplausos que se ouviram quando Lana foi até o púlpito só podem ser descritos como estrondosos. Os urros e os assobios, os coros de "La-na, La-na" foram quase ensurdecedores, principalmente porque estávamos no ginásio, afinal de contas, e o som se amplificava mesmo, com toda aquela estrutura de metal.

Daí, Lana — com a cara bem tranquila de quem não estava nem um pouco preocupada com o fato de estar falando para mil colegas, e mais uns 75 integrantes do corpo docente e da equipe de funcionários da EAE (se contarmos as moças da cantina), minha família inteira e um monte de repórteres da CNN — começou a falar.

Basta dizer que Lana falou exatamente o que aqueles mil colegas dela queriam ouvir — bom, na maior parte. Não me surpreendeu nem um pouco saber que Lana era uma árdua defensora de uma comida melhor na cantina, mais tempo para o almoço, espelhos maiores nos banheiros das meninas, menos dever de casa, mais esportes, admissão garantida do departamento de aconselhamento para faculdades Ivy League que os formandos da EAE queiram frequentar, e mais opções dietéticas e baixas em carboidratos nas máquinas de doces e de refrigerantes. Disse que era contra as câmeras externas de vigilância e pediu para que fossem retiradas. Prometeu à gentalha de estudantes alegrinhos que, se for eleita presidente, vai se assegurar de que todas essas coisas se cumpram...

...apesar de eu saber, a propósito, que é impossível. Porque aquelas câmeras de vigilância podem até infringir os direitos das pessoas que gostam de fumar na frente da escola e sujar os degraus com as guimbas de cigarros nojentas, mas servem principalmente para impedir que haja vandalismo e invasões na escola.

E o distribuidor de alimentos para a cantina é o mesmo que atende a todas as outras escolas — e hospitais — do bairro, e oferece os preços mais baixos para alimentos de alta qualidade vendidos na região.

E se o conselho aprovar horário de almoço mais longo, vai ter de diminuir o horário das aulas, que no momento já têm só 50 minutos.

E onde é que Lana acha que vai conseguir dinheiro para colocar espelhos maiores nos banheiros? E será que por acaso ela levou em consideração os seguintes fatos:

- menos dever de casa vai nos deixar menos preparados para os cursos de faculdade que alguns de nós vamos querer fazer no futuro
- mais esportes vai resultar em menos dinheiro para programas artísticos de enriquecimento cultural
- ninguém pode receber a garantia de ser aceito em uma faculdade Ivy League, nem mesmo quem é filho de pais que estudaram nelas
- nossas opções nas máquinas de doces e refrigerantes estão restritas ao que os vendedores têm a oferecer

Obviamente não.

Mas acho que isso não faria a menor diferença para ela. Ou para os eleitores dela, porque, quando ela terminou, todo mundo estava gritando e batendo os pés na arquibancada para demonstrar sua aprovação. Eu vi Ramon Riveras levantar e rodar o blazer da escola por cima da cabeça algumas vezes para animar ainda mais a plateia.

A diretora Gupta pareceu meio brava quando foi até o microfone e disse: "Hã, hmm, obrigada, Lana. Mia, você gostaria de fazer o seu discurso?"

Eu achei que fosse vomitar. De verdade. Só que eu não sei o que eu poderia vomitar, já que não consegui tomar o café da manhã hoje, e só tinha chupado cinco balinhas de frutas que Lilly tinha me dado, comido meia barra de cereal que eu peguei com o Boris, engolido três Tic Tacs que Lars me ofereceu e tomado uma Coca.

Mas quando eu comecei a andar na direção do púlpito — meus joelhos tremiam tanto que eu fiquei surpresa de conseguir ficar em pé —, alguma coisa aconteceu. Não sei exatamente o que foi. Nem por quê.

Talvez tenha sido por causa das vaias intermitentes.

Talvez tenha sido pela maneira como Trisha Hayes apontou para os meus coturnos e ficou rindo.

Talvez tenha sido pelo jeito como Ramon Riveras colocou as mãos em volta da boca e gritou: "PET! PET!", de um jeito que nem de longe podia ser chamado de elogioso.

Mas quando eu olhei para aquele mar de gente à minha frente, e vi lá no meio o rosto reluzente da Perin fazendo sinal de afirmativo enquanto me aplaudia até não poder mais, foi como se o fantasma da minha ancestral Rosagunde, a primeira princesa de Genovia, tivesse tomado conta do meu corpo.

Ou isso ou a minha santa padroeira Amelie desceu um pouco das nuvens para me emprestar um pouco da atitude dela, de empunhar um machado e tal.

De qualquer jeito, apesar de eu continuar com vontade de vomitar e tal, quando eu cheguei ao púlpito e me lembrei de como Grandmère tinha me dado bronca por apoiar os cotovelos nele, fiz uma coisa completamente inédita na história dos debates para o conselho estudantil da Escola Albert Einstein:

Arranquei o microfone do suporte e, segurando-o na mão, fui para a FRENTE do púlpito.

Isso mesmo. Para a frente. Assim, não tinha nada que servisse de escudo para proteger o meu corpo.

Nenhum lugar para eu me esconder.

Nada me separando do meu público.

E daí, quando todo mundo ficou em um silêncio estupefato devido a esse movimento incomum, eu disse assim — sem ter a menor ideia de onde tinha vindo aquela enxurrada repentina de palavras que saíam da minha boca: "'Entreguem-me as multidões cansadas, empobrecidas e amontoadas que desejam respirar livres.' Isso é mais ou menos o que está escrito na Estátua da Liberdade. Foi a primeira coisa que milhões de imigrantes que chegaram a este país viram ao desembarcar em nosso litoral. Uma afirmação assegurando-os de que, nesta nação que é um verdadeiro caldeirão de culturas, *todos* seriam bem-vindos, independentemente da situação socioeconômica, da cor do cabelo, de quem cada um namora, se faz depilação, raspa as pernas ou simplesmente não faz nada, ou se joga ou não algum esporte.

"E por acaso a escola não é, em si, um caldeirão de culturas? Por acaso não somos um grupo de pessoas que tem de ficar junto durante oito horas por dia, e nos defendermos da melhor maneira possível?

"Mas apesar de nós aqui na Albert Einstein formarmos uma nação à parte, eu não vejo as pessoas agirem assim. Só vejo um monte de gente dividida em panelinhas que servem para sua própria proteção, e que têm um medo enorme de permitir que alguma pessoa nova — alguma pessoa que venha das multidões amontoadas que desejam respirar livres — entre em seus grupinhos preciosos e seletivos.

"O que é um saco."

Deixei que a ideia fosse absorvida durante um minuto enquanto, à minha frente, vi uma onda de descrença passar pelo público. Larry King cochichou alguma coisa no ouvido de Grandmère. Mas eu nem liguei.

Quer dizer, ainda sentia que ia vomitar por cima dos atletas, que estavam sentados bem na minha frente.

Mas não vomitei. Só continuei em frente. Igual a...

Bom, igual à Santa Amelie.

"A história já tentou rejeitar muitas formas de governo ao longo do tempo, inclusive o governo de acordo com o poder divino, algo que este país aboliu há centenas de anos.

"E, no entanto, por alguma razão, nesta escola, parece que o direito divino ao poder continua existindo. Existe um certo grupo de pessoas que parece acreditar em seu direito inerente aos cargos oficiais, por serem mais bonitos do que o restante de nós, ou por serem atletas melhores ou por serem convidados para mais festas do que nós."

E enquanto eu ia dizendo essas coisas e olhava diretamente para Lana, também dei uma olhada no Ramon e na Trisha, para garantir. Então olhei de novo para o público à minha frente, que na maior parte não conseguia desgrudar os olhos de mim, de boca aberta — e nem era porque tinham desvio de septo, como Boris.

"Essas pessoas se encontram no topo da cadeia evolutiva", prossegui. "São as pessoas com a melhor pele. As pessoas que têm corpo igual ao das modelos que aparecem nas revistas. As pessoas que sempre têm as bolsas mais bonitas ou os óculos escuros da moda. As pessoas populares, que fazem a gente ter vontade de ser parecida com elas.

"Mas eu estou aqui na frente de vocês hoje para dizer que já passei por isso. É isso aí. Eu já estive do lado dos populares. E quer saber? É tudo a maior falsidade. Essas pessoas agem como se tivessem direito a governar você e eu, mas são absolutamente desqualificadas para o trabalho devido ao simples fato de que não acreditam nos preceitos mais fundamentais da nossa nação, que diz que TODOS NÓS FOMOS CRIADOS IGUAIS. Nenhum de nós é melhor do que qualquer outra pessoa aqui. E isso inclui também qualquer princesa que por acaso esteja no recinto."

Isso fez todo mundo rir, embora eu nem estivesse mesmo tentando ser engraçada. Mesmo assim, por alguma razão aquela risada fez com que eu sentisse menos vontade de vomitar. Quer dizer... eu tinha conseguido fazer as pessoas rirem para mim.

E não, sabe como é, DE mim. Mas de alguma coisa que eu disse. E também não foram risadas sarcásticas.

Não sei, mas aquilo foi meio que... maneiro.

E, de repente, apesar de eu ainda sentir as palmas das mãos suando e os dedos tremendo, eu me senti... bem.

"Olhem", disse eu. "Não vou ficar aqui prometendo um monte de porcarias que tanto eu quanto vocês sabemos que não posso garantir." Olhei de novo para Lana, que tinha cruzado os braços por cima do peito e agora estava fazendo cara feia para mim. Virei de novo para o público. "Mais tempo para o almoço? Vocês sabem que a diretoria nunca vai aprovar isso. Mais esportes? Será que alguém aqui acha mesmo que suas necessidades esportivas não estão sendo atendidas?"

Algumas mãos se ergueram.

"E será que alguém aqui acha que suas necessidades *criativas* ou *educacionais* não estão sendo atendidas? Alguém aqui acha que a escola está precisando de uma revista literária, ou de novos equipamentos digitais de foto, vídeo e edição para os clubes de Cinema e de Fotografia, ou um forno de cerâmica para o departamento de arte, ou um novo sistema de iluminação para o Clube de Teatro, mais do que precisamos de um troféu de campeões de futebol do distrito?"

Muitas, muitas outras mãos se ergueram.

"É isso aí", falei. "Foi o que eu pensei. Esta escola tem um problema de verdade: já faz muito tempo que um grupo, representando a minoria, tem tomado decisões em nome da maioria. E isso simplesmente está *errado*."

Alguém soltou um grito de aprovação. E nem acho que foi Lilly.

"Na verdade", continuei, incentivada pelo grito, "é *mais* do que errado. É uma violação completa dos princípios sobre os quais esta nação foi fundada. Como o filósofo John Locke colocou, 'O governo só pode ser legítimo na medida em que é baseado no consentimento das pessoas governadas'. Vocês vão mesmo dar seu consentimento para que uns poucos privilegiados tomem as decisões no seu lugar? Ou será que vão confiar essas decisões a alguém que de fato os compreende, alguém que compartilha dos seus ideais, das suas esperanças e dos seus sonhos? Alguém que vai fazer todo o possível para ter certeza de que a SUA voz, e não a voz da chamada minoria popular, seja ouvida?"

Com isso, ouviu-se mais um grito, e esse veio lá do outro lado da arquibancada — com toda a certeza não veio de um amigo meu.

O segundo grito foi seguido pelo terceiro. E daí ouviu-se uma chuva de aplausos. E uma voz gritou: "É isso aí, Mia!"

Uau.

"Hmm, obrigada, Mia." Do canto do olho, eu vi a diretora Gupta dar um passo na minha direção. "Isso foi muito elucidativo."

Mas eu fingi que nem tinha ouvido.

É isso mesmo. A diretora Gupta estava me dando o sinal para eu me sentar — para sair de baixo dos holofotes — e me afundar de novo na minha cadeira.

E eu a ignorei.

Porque eu ainda tinha mais coisa guardada no peito que precisava soltar.

"Mas não é só isso que há de errado com esta escola", disse eu ao microfone, gostando do jeito como ele fazia com que minha voz ecoasse pelo ginásio.

"E o fato de que existem pessoas trabalhando aqui — pessoas que se consideram professores — que parecem achar que sua maneira de se expressar é a única que merece crédito? Será que vamos mesmo tolerar que instrutores em um campo tão subjetivo quanto, ah, por exemplo, inglês, nos digam que o tema escolhido para nossas redações é inapropriado porque pode ser considerado — por algumas pessoas — não substancial o bastante no que diz respeito a sua importância? Se, por exemplo, eu quiser escrever uma redação a respeito da importância histórica dos animes ou do mangá japonês, será que o meu texto vale menos do que o de alguém falando da caldeira no parque de Yellowstone que um dia pode explodir, matando dezenas de milhares de pessoas?

"Ou", acrescentei, quando todo mundo começou a cochichar porque ninguém sabia que o parque de Yellowstone não passava de um reservatório mortal de magma e que provavelmente muitas daquelas pessoas tinham ido passar férias em família lá sem saber disso, "será que o meu texto a respeito do anime ou do mangá japonês não tem A MESMA IMPORTÂNCIA que a redação a respeito da caldeira de Yellowstone porque, sabendo como agora sabemos, que tal caldeira existe, precisamos de algum tipo de diversão — como anime e mangá japonês — para não pensar só nisso?"

Houve um momento de silêncio estupefato. Então alguém, de algum lugar no meio da arquibancada, gritou: *"Final Fantasy!"* Alguém mais gritou: *"Dragonball!"* Outra pessoa, bem mais para cima, berrou: *"Pokémon!"*, e todo mundo começou a rir à beça.

"Talvez coisas como loteria e televisão tenham sido inventadas para vender produtos, para fazer os trabalhadores gastarem o dinheiro que ganham com tanto custo, como uma maneira de fazer com que todos sintamos uma falsa noção de complacência, e para nos distrair dos verdadeiros horrores à nossa volta. Mas talvez essas distrações sejam NECESSÁRIAS, de modo que, durante nossos momentos de lazer, possamos nos divertir", prossegui. "Será que existe algo de errado em ficar um pouco à toa, assistindo a OC — *Um estranho no paraíso* depois de termos terminado o nosso trabalho? Ou, então, cantando um pouco de karaokê? Ou lendo gibis? Será que as coisas precisam ser complicadas e difíceis de entender para serem consideradas culturais? Daqui a cem anos, depois de estarmos todos mortos por causa da caldeira de Yellowstone, ou por causa do derretimento das calotas polares, ou por causa do fim do petróleo, ou porque algas assassinas vão ter tomado conta do planeta, quando o que restar da civilização humana olhar para trás, para o que acontecia com a sociedade no início do século XXI, o que vocês acham que vai conseguir descrever melhor a nossa vida? Uma redação a respeito de como a mídia nos explora ou um único episódio de *Sailor Moon*? Sinto muito, mas, até onde me diz respeito, deem-me um anime, ou eu prefiro a morte."

O ginásio explodiu.

Não porque o Clube do Computador finalmente tinha conseguido construir um robô assassino e soltar no meio das líderes de torcida.

Mas pelo que eu tinha dito. É sério. Pelo que eu, Mia Thermopolis, tinha dito.

Mas o negócio é que eu ainda não tinha terminado.

"Então, hoje", falei, precisando gritar para que me escutassem por cima dos aplausos, "quando vocês forem depositar na urna o seu voto para presidente do conselho estudantil, perguntem a si mesmos: o que significa 'o povo' na frase 'um governo para o povo, pelo povo'? Será que significa alguns poucos privilegiados? Ou a vasta maioria de nós que nasceu sem um pompom prateado na boca? Então votem pela candidata que parece melhor representar vocês, o povo."

E então, com o coração forçando as costelas de tão forte que batia, eu me virei, joguei o microfone para a diretora Gupta e saí correndo do ginásio. Sob aplausos estrondosos.

Para a segurança da cabine do banheiro.

O negócio é que eu estou me sentindo muito ESQUISITA. Quer dizer, eu nunca na vida tinha tido a coragem de fazer uma coisa dessas. Bom, tirando aquele negócio dos parquímetros, mas foi diferente. Eu não estava pedindo o apoio das pessoas para MIM. Estava pedindo que apoiassem menos danos à infraestrutura e maiores arrecadações. Aquilo foi meio que superfácil.

Mas isso aqui, não.

Isso aqui foi diferente. Eu estava pedindo aos outros que colocassem sua confiança — seu voto — em mim. Não é como em Genovia, onde esse apoio é meio que automático porque, hmm, não TEM outra princesa. Só tem eu. O que eu digo vale. Ou vai valer, sabe como é, quando eu assumir o trono.

Ops. Estou ouvindo vozes no corredor. O debate deve ter acabado. Fico imaginando o que Lana deve ter dito na réplica. Eu provavelmente deveria ter ficado por lá para dar a tréplica à réplica dela. Mas não deu. Simplesmente não deu.

Ah, não. Estou ouvindo a voz da Lilly...

Segunda, 14 de setembro, S&T

Bom, foi bem divertido. Estou falando do almoço. Todo mundo deu uma passada na nossa mesa para me dar os parabéns e dizer que ia votar em mim. Foi meio que legal. Quer dizer, não só gente da minha panelinha — os nerds —, mas também os do grupo do skate, e os punks, e o pessoal do teatro e até alguns atletas. Foi bizarro conversar com toda aquela gente que normalmente passa direto por mim no corredor.

E, de repente, parecia que todo mundo queria se sentar a MINHA mesa do almoço, uma novidade.

Só que não dava, porque agora a Perin também está se sentando com a gente, além do pessoal de sempre, e não tem mais lugar.

Hoje formamos uma turma particularmente festiva, devido a algumas boas notícias — pelo menos, *eu* achei que foram boas notícias. O lance é que, depois que eu saí correndo do ginásio e Lana tentou dar a réplica dela, todo mundo ficou vaiando e ela não conseguiu falar nenhuma palavra. A diretora Gupta teve de desligar o sistema de som até que a coisa ficou tão insuportável que todo mundo resolveu se acalmar. E, a essa altura, Lana já tinha saído do ginásio chorando (Bem feito. Eu não sei como é que vou conseguir costurar o bordado de leão de volta no blazer. Minha mãe, que surpresa, não sabe costurar. Talvez eu possa pedir para a camareira da Grandmère.).

Mas essa não foi a única coisa boa que aconteceu. Depois que Lilly finalmente conseguiu me arrastar para fora do banheiro, eu esbarrei na minha mãe e no meu pai e em Grandmère. Minha mãe me deu um abraço — e Rocky ficou olhando para mim todo contente — e me disse que estava muito orgulhosa de mim.

Mas foi meu pai quem me deu a melhor notícia de todas. Ele tinha recebido informações do Esquadrão Genoviano Real de Mergulho com Tanque dizendo que as *Aplysia depilans* tinham de fato começado a comer as algas assassinas! Mesmo, de verdade! Já tinham limpado 15 hectares praticamente da noite para o dia, e provavelmente vão acabar com todas elas até outubro, quando as águas do Mediterrâneo ficarem frias demais para elas, que vão acabar morrendo.

"Mas tudo bem", disse meu pai, sorrindo para mim. "Já introduzi um projeto de lei no Parlamento pedindo que mais dez mil lesmas sejam trazidas para o país até a próxima primavera, para o caso de alguma alga assassina dos nossos vizinhos resolver se infiltrar na nossa baía."

Mal dava para acreditar no que eu estava ouvindo.

"Então isso quer dizer que não vão nos expulsar da União Europeia?", perguntei.

Meu pai pareceu chocado. "Mia", disse ele. "Isso nunca iria acontecer. Bom, sabe como é, eu sei que alguns países podem ter *desejado* nos expulsar da União Europeia. Mas acredito que são os mesmos que causaram esse desastre ambiental, para começo de conversa. Então ninguém estava levando realmente a sério os pedidos de expulsão."

E só agora é que ele me diz. Bem legal, pai. Tipo, eu nem passei noites acordada preocupada com isso. Bom, entre outras coisas.

Foi bem nessa hora que eu reparei na Srta. Martinez ali parada, meio com cara de... bom, acho que coitadinha é a melhor palavra para descrevê-la.

"Mia", disse ela, quando eu finalmente parei de abraçar meu pai (pela minha imensa alegria de saber que minhas lesmas tinham salvado a baía). "Eu só queria dizer que o seu discurso foi ótimo. E que você tem razão. Não falta à cultura pop valor ou mérito. Ela tem o seu lugar, assim como a cultura erudita. Sinto muito por fazer você achar que as coisas sobre as quais você gosta de escrever têm menos valor do que assuntos mais sérios. Não têm."

Uau!!!!

O fato de meu pai estar meio que medindo a Srta. Martinez de cima a baixo enquanto tudo isso se desenrolava, no entanto, fez com que minha alegria da vitória diminuísse um pouco.

Mas tanto faz. Acho que é bastante improvável meu pai começar a sair com alguém que de fato sabe o que é gerúndio. A última namorada dele achava que gerúndio era um tipo de roedor maldoso e fedido.

Falando nisso, logo depois que tudo isso aconteceu, Grandmère chegou e me puxou pelo braço um pouco para longe dos outros.

"Está vendo só, Amelia?", disse ela, com um sussurro grave e com cheiro de Sidecar. "Eu disse que você era capaz. O que aconteceu lá dentro foi mesmo muito inspirador. De verdade. Quase tive a sensação de que o espírito de Santa Amelie estava entre nós."

O mais estranho e assustador disso tudo é que... eu meio que senti a mesma coisa.

Mas eu não disse nada. Em vez disso, falei assim: "Então, hmm, Grandmère, qual era a arma secreta que você e Lilly arrumaram? E quando é que vocês vão usar?"

Mas ela só levantou o bordado meio rasgado da EAE entre o polegar e o indicador e disse: "O que aconteceu com o seu blazer? Sinceramente, Amelia, será que você não consegue tomar mais cuidado com as suas coisas? Uma princesa não deve andar por aí toda esfarrapada desse jeito."

Mas, bom... De todo jeito, foi tudo bem legal. Principalmente, a parte em que Grandmère disse que precisava cancelar a nossa aula de princesa do dia para fazer limpeza de pele. Parece que todo o estresse de ter ajudado Lilly com a eleição fez os poros dela se abrirem.

No final das contas, quase bastou para me fazer pensar que as coisas — sei lá — podem de fato dar certo para mim, pelo menos uma vez na vida.

Mas daí eu me lembrei do Michael. Que, aliás, não tinha ligado nem mandado mensagem nenhuma vez, para me desejar sorte no debate ou para perguntar como tinha sido, nem nada. Na verdade, eu não falei mais com ele desde a conversa sobre Fazer Aquilo.

É preciso reconhecer que aquela conversa não correu assim tão bem quanto eu desejava.

Mas mesmo assim. É de pensar que ele ligaria. Mesmo que, sabe como é, tenha sido eu que não respondi às ligações nem às mensagens DELE.

Boris está tocando "God Save the Queen", que significa "Deus salve a rainha", e é o hino do Reino Unido, no violino, para mim. Eu disse a ele que ainda é meio cedo para isso. Afinal, os votos depositados durante a hora do almoço ainda estão sendo contados. A diretora Gupta vai anunciar a vencedora pelo alto-falante no último tempo.

Lilly acabou de dizer, toda suave, para mim: "E daí, quando você vencer, poderá fazer um comunicado por conta própria. Sabe como é, que você vai renunciar e deixar a presidência para mim."

Hmm. Não é engraçado? Mas até esse momento, eu meio que tinha me esquecido dessa parte do nosso plano.

Segunda, 14 de setembro, Governo dos EUA

A Sra. Holland me parabenizou pelo meu discurso hoje e disse que ficou orgulhosa. ORGULHOSA! DE MIM!!! Uma professora tem orgulho de mim!!!

DE MIM!!!!!!!

Segunda, 14 de setembro, Ciências da Terra

Kenny acabou de me dizer uma coisa muito esquisita. Despejou assim em cima de mim, bem quando estávamos desenhando nossos diagramas dos cinturões de radiação de Van Allen.

"Mia", disse ele. "Quero falar uma coisa para você. Sabe a minha namorada, a Heather?"

"Seeeeeeei", respondi, relutante, porque achei que ele já estivesse se preparando para me contar mais uma história longa e chata a respeito das habilidades da Heather na ginástica.

"Bom", o rosto do Kenny ficou tão vermelho quanto o cinturão de radiação que eu estava colorindo. "Eu inventei tudo."

!!!!!!!!!!!!!!!!!!!!

É, foi isso mesmo. Kenny passou os últimos cinco dias contando histórias INVENTADAS a respeito da namorada INVENTADA dele, Heather. Uma namorada que, devo admitir, chegou a fazer com que eu me sentisse ameaçada! Porque ela era tão perfeita! Quer dizer, loura e atlética E só tira 10 no boletim????

Na verdade, pensando melhor, eu deveria me sentir feliz com o fato de Heather afinal de contas não ser de verdade. Ela estava fazendo com que eu me sentisse bastante pra baixo, pra ser sincera.

Mas tanto faz. Eu só olhei para ele e fiquei tipo assim: "Kenny. Por que você foi fazer isso?"

E ele respondeu, todo envergonhado: "É que eu não estava conseguindo aguentar, sabe? Você com essa sua vida perfeita de princesa, com Michael, seu namorado perfeitamente principesco. É que... sei lá. Eu fiquei mal."

Ah. Sei. Minha vida perfeita. Minha vida perfeita de princesa, com Michael, meu namorado perfeitamente principesco. Deixa eu te contar uma coisa, Kenny. Você quer saber o quanto minha vida perfeita de princesa NÃO é nada perfeita? Meu namorado perfeitamente principesco está se preparando para me dar um fora porque eu não quero Fazer Aquilo. Você chamaria isso de perfeito, Kenny?

Só que eu obviamente não podia dizer nada disso. Porque nada disso é da conta do Kenny. Além do mais, eu também não quero que essa história do Michael querer Fazer Aquilo acabe se espalhando pela escola. Graças aos diversos filmes baseados na minha vida que andam circulando por aí — e que não são nada fiéis à realidade —, já tem gente demais achando que sabe tudo sobre mim. Não preciso que ainda MAIS informação vaze.

Mas tanto faz. Eu simplesmente garanti ao Kenny que minha vida não é assim tão perfeita quanto ele pensa. Que, na verdade, eu tenho MUITOS problemas, entre eles o fato de ser uma babona de bebê e de quase ter feito com que meu país fosse expulso da União Europeia.

Surpreendentemente, essa informação pareceu deixá-lo animadinho até demais. Tanto que, na verdade, eu estou até um pouco chateada.

O qu...

Ah, não. O alto-falante da sala acabou de fazer um chiado. A diretora Gupta vai fazer um comunicado para anunciar o resultado da votação de hoje.

Ai, meu Deus. Ai, meu Deus. Ai, meu Deus.

Aqui está:

Lana Weinberger, 359 votos.

Mia Thermopolis, 641 votos.

Ai, meu Deus.

AI, MEU DEUS.

EU SOU A NOVA PRESIDENTE DO CONSELHO ESTUDANTIL DA ESCOLA ALBERT EINSTEIN.

Segunda, 14 de setembro, 17h, na pizzaria Ray's

Certo. Aquilo foi... aquilo foi totalmente surreal.

Não conheço outra palavra para descrever tudo o que aconteceu. Estou total e completamente pasma. Até agora. E já faz duas horas desde que a diretora Gupta me declarou vencedora. E, desde então, já comi metade de uma pizza de queijo e tomei três Cocas.

E AINDA estou chocada.

Talvez não tenha tanto a ver com o fato de vencer a eleição, mas, sim, com o que aconteceu *depois* que eu descobri que tinha ganhado. Que foi...

...MUITA COISA, para falar a verdade.

Em primeiro lugar, todo mundo na aula de Ciências da Terra, inclusive Kenny, começou a pular para todo o lado, dando parabéns para mim, e então perguntando se eu posso pedir à diretoria para comprar equipamento de eletroforese para o laboratório de biologia, algo que tinham pedido ao último presidente, sem sucesso.

Então, no mesmo instante, eu compreendi o peso da responsabilidade que eu carregaria no papel de presidente.

E...

Eu gostei.

Eu sei. EU SEI.

Quer dizer, como se já não bastasse eu ser
↳ princesa de Genovia

↳ irmã de um bebê indefeso cujos pais não são lá muito fortes no quesito parental, se é que você me entende
↳ uma escritora incipiente que ainda precisa passar em geometria este ano
↳ uma adolescente com tudo que isso implica, tal como variações de humor, inseguranças e uma ou outra espinha ocasional
↳ apaixonada por um garoto que já está na faculdade

Agora estou de fato alimentando a ideia de ser tudo isso E presidente do conselho estudantil da minha escola???

Mas. Bom. É, sim.

É, estou, sim. Porque o fato de ganhar aquela eleição contra Lana foi totalmente O MÁXIMO.

Mas, bom... Essa foi só a PRIMEIRA coisa que aconteceu.

A segunda foi que, depois que o sinal tocou, marcando o final das aulas do dia, eu estava indo para o meu armário, devagar — bem devagar, porque todo mundo ficava me parando para dar parabéns — e esbarrei na Lilly, que pulou nos meus braços (apesar de eu ser bem mais alta do que ela, ela pesa bem mais. Ela tem muita sorte de eu não a ter derrubado. Mas acho que eu estava com aquela adrenalina igual a quando seu bebê fica preso embaixo de um carro ou quando você ganha a eleição para presidente do conselho estudantil da sua escola, ou algo assim, já que consegui segurá-la até ela resolver descer).

Bom, mas Lilly ficou toda: "A GENTE CONSEGUIU!!! A GENTE CONSEGUIU!!!!"

E daí Tina e Boris e Shameeka e Ling Su e Perin apareceram, e começaram a pular pra cima e pra baixo junto com a gente. Daí fomos todos até o meu armário, cantando aquela música "We are the champions", que quer dizer "nós somos os campeões".

Então, enquanto todo mundo por lá estava cantando na maior animação, e eu estava colocando a combinação do cadeado do meu armário para abri-lo, reparei em alguma coisa bem estranha acontecendo no armário ao lado do meu. E era que Ramon Riveras, ladeado pela diretora Gupta e pelo PAI da Lana Weinberger, ninguém menos, estava tirando tudo — e estou falando que era

TUDO mesmo — do armário dele, e enfiando as coisas, todo tristonho, em uma daquelas bolsas grandes que os atletas usam.

E, parada um pouco atrás deles, com lágrimas escorrendo pelo rosto, estava Lana, que ficava batendo o pé e dizendo: "Mas papai, POR QUÊ???? Por quê, papai, POR QUÊ???"

Só que o Dr. Weinberger nem queria saber de responder. Ele só ficou lá parado, com uma cara muito solene, até que Ramon tivesse tirado tudinho do armário dele. Daí a diretora Gupta disse: "Muito bem. Venha comigo."

E ela, Ramon, o Dr. Weinberger e Lana foram todos para a sala da diretora.

Mas, antes de sair, Lana deu um olhar bem nojento para mim por cima do ombro e falou assim, por entre os dentes: *"Eu vou me vingar de você por isso, nem que seja a última coisa que eu faça na vida! Você vai se arrepender!"*

Achei que ela estivesse falando que ia se vingar de mim por eu ter vencido a eleição. Mas daí Shameeka falou assim: "Ei, para onde estão levando Ramon?" Lilly deu um sorrisinho maligno e respondeu: "Para o aeroporto, provavelmente."

Quando todo mundo perguntou, em coro, do que ela estava falando, Lilly explicou: "Minha arma secreta. Só que, depois daquele seu discurso, Mia, eu vi que a gente não ia precisar dela. Mas parece que aquela sua avó dedurou os Weinberger mesmo assim, apesar de não ter sido necessário. Preciso mesmo tirar o chapéu pra Clarisse. É melhor não estar na lista de inimigos desta senhora."

Como isso não serviu exatamente para explicar a questão — pelo menos até onde eu tinha entendido —, eu pedi para Lilly desembuchar sobre o que diabos ela estava falando, e ela explicou. Acontece que, no dia do jogo de futebol, quando Lilly se sentou atrás dos pais da Lana, ela ficou escutando a conversa deles todinha, e descobriu que Ramon já era formado.

Isso mesmo! Ele já tinha diploma de ensino médio, obtido na terra natal dele, o Brasil, onde tinha levado a escola dele a vencer o campeonato nacional de futebol! O Dr. Weinberger e alguns outros membros do conselho tiveram a ideia brilhante de PAGAR para ele se mudar para os Estados Unidos e se matricular na EAE pra gente ter chance de ganhar alguns jogos de futebol, pelo menos uma vez.

Lilly e Grandmère tinham planejado usar essa informação como parte da campanha para sujar o nome da Lana, em caso de, depois do debate, parecer que ela pudesse ganhar.

Mas com a minha citação de *Sailor Moon* e de John Locke, elas se convenceram de que eu estava com a eleição no papo. Então, acabou que Grandmère só foi ligar para a sala da diretora Gupta para falar do Ramon *depois* do anúncio do resultado da eleição.

Devo dizer que essa informação fez com que eu olhasse para a Lilly com novos olhos. Quer dizer, eu sempre soube que Lilly carrega umas cartas na manga. E não estou dizendo que os Weinberger tinham o direito de usar o coitado do Ramon daquele jeito, nem de enganar os outros conselheiros.

Mas caramba! Eu não iria querer estar contra Lilly — muito menos contra Grandmère — em uma briga.

Lilly ficou lá parada, toda contente, enquanto todo mundo dava tapinhas nas costas dela e dizia que ela tinha feito uma coisa muito legal mesmo.

E acho que *foi* mesmo legal, de certo modo, se você concordar — e eu com toda a certeza concordo — que qualquer coisa que faça Lana chorar é ótima.

"Então", disse Lilly, depois que eu tinha juntado todas as minhas coisas e estava lá parada, pronta pra ir embora. "Como Clarisse deixou você fugir do inferno de princesa hoje, que tal ir comemorar a NOSSA vitória?"

Ela colocou tanta ênfase na palavra NOSSA que só uma pessoa bem burra não teria notado.

Eu entendi muito bem.

E senti meu estômago revirar.

"Hmm", respondi. "Claro, Lilly. Falando nisso... Aconteceu uma coisa enquanto eu estava lá fazendo aquele discurso hoje..."

"Você está dizendo para *mim* que alguma coisa aconteceu", disse Lilly, dando tapinhas nas minhas costas. "Você venceu uma batalha por todos os meninos e meninas impopulares mundo afora, e isso aconteceu enquanto você estava fazendo aquele discurso hoje."

"É", respondi. "Eu sei. Sobre isso. É que eu já não sei mais o que estou achando dessa história toda. Quer dizer, Lilly, você não acha que o seu plano é meio injusto? Aquelas pessoas votaram em *mim*. Sou *eu* que elas acham que..."

Vi os olhos da Lilly se arregalarem para alguma coisa que ela viu atrás de mim.

"O que ELE está fazendo aqui?", ela perguntou. Então, para a pessoa que estava atrás de mim, disse: "Caso você tenha se esquecido, você já se FORMOU, sabia?"

Alguma coisa fez meu coração se apertar com aquelas palavras. Porque eu sabia — simplesmente SABIA — quem era a pessoa com quem ela estava falando.

A ÚLTIMA pessoa que eu queria ver naquele instante.

Ou talvez a pessoa que eu MAIS queria ver naquele instante.

Tudo dependia do que ele tinha a dizer para mim.

Lentamente, eu me virei.

E lá estava Michael.

Acho que pareceria totalmente dramático se eu dissesse que tudo o mais no corredor pareceu sumir, até que fosse como se apenas Michael e eu estivéssemos lá, sozinhos, ali parados, olhando um para o outro.

Se eu escrevesse isso em uma história, a Srta. Martinez provavelmente escreveria CLICHÊ no topo da folha, ou algo assim.

Só que NÃO é clichê nenhum. Porque foi exatamente o que aconteceu. Foi como se não existisse mais ninguém no mundo inteiro, só nós dois.

"A gente precisa conversar", foi o que Michael me disse. Não disse *Oi*. Nem *Por que você não me ligou?* Nem *Por onde você tem andado?* E com toda a certeza não me deu nenhum beijo.

Só *A gente precisa conversar*.

E aquelas quatro palavras foram o bastante para fazer o meu coração parecer tão encolhido e duro quanto o de Santa Amelie.

"Ok", respondi, apesar de minha boca ter ficado completamente seca.

E quando ele deu meia-volta para sair da escola, eu fui atrás dele, depois de lançar um olhar ameaçador por cima do ombro — para informar ao Lars que era para ele ficar BEM longe de mim, e para Lilly saber que não haveria comemoração nenhuma.

Pelo menos, não por enquanto.

Lars aceitou com muito profissionalismo, como é típico dele. Mas eu ouvi Lilly gritar: "Beleza! Pode ir com o seu NAMORADO. Veja se nós estamos ligando!"

Mas Lilly não sabia. Lilly não sabia como o meu coração tinha ficado apertado e pequeno de repente. Lilly não sabia que eu estava achando que a minha vida — minha vida perfeita de princesa — estava prestes a explodir em cinquenta bilhões de pedaços. Sabe aquele supervulcão embaixo de Yellowstone? É, quando aquele negócio explodir, não vai ser NADA comparado a isso.

Desci a escada da escola atrás do Michael — bem embaixo do olhar vigilante das câmeras de segurança — e para longe da multidão reunida em volta do Joe. Fui atrás dele atravessando duas avenidas, sendo que nenhum de nós disse nenhuma palavra. Com toda a certeza, eu é que não ia falar primeiro.

Porque agora tudo estava tão diferente. Se ele quisesse terminar comigo porque eu não ia Fazer Aquilo — bom, não fazia a menor diferença pra mim.

Ah, FAZIA diferença sim, é claro. Meu coração JÁ estava se despedaçando, e a única coisa que ele disse foi: "A gente precisa conversar."

Mas acorda. Eu sou a princesa de Genovia. Eu sou a presidente recém-eleita do conselho estudantil da EAE.

E NINGUÉM — nem mesmo Michael — vai me dizer quando eu devo Fazer Aquilo.

Finalmente, chegamos aqui, à pizzaria Ray's. O lugar estava vazio porque as aulas tinham acabado de terminar, e ainda não tinha dado tempo de encher, e já tinha passado muito tempo depois do almoço, mas ainda não estava na hora do jantar.

Michael apontou para um reservado e disse: "Quer uma pizza?"

"*A gente precisa conversar.*"

"*Quer uma pizza?*"

Foi tudo o que ele tinha me dito até então.

Eu respondi: "Quero." E como minha boca ainda parecia seca como areia, eu acrescentei: "E uma Coca."

Ele foi até o balcão e fez o pedido. Daí, voltou para o reservado, deslizou para o assento à minha frente, me olhou bem nos olhos, e disse: "Eu vi o debate."

NÃO era isso que eu achava que ele ia dizer.

Não era MESMO o que eu achava que ele ia dizer, e por isso meu queixo caiu. Não me lembro de ter voltado a fechar a boca até que senti o gosto do ar frio e com cheiro de pizza na língua, e percebi que estava respirando pela boca, igual ao Boris.

Fechei a boca com um estalo. Daí, perguntei: "Você estava *lá*?"

E NEM FOI ME DAR UM OI?????????? Só que eu não disse a última parte.

Michael sacudiu a cabeça.

"Não", respondeu. "Passou na CNN."

"Ah", falei. Certo. Quem além de MIM teria o debate da escola transmitido pela CNN?

E quem além do MEU NAMORADO por acaso assistiria à transmissão?

"Gostei do que você disse sobre *Sailor Moon*", disse ele.

"GOSTOU?" Não sei por que isso saiu com uma voz tão estridente.

"É. E aquela citação do John Locke? Aquilo foi de arrasar. Você aprendeu isso na aula de governo da Holland?"

Assenti com a cabeça, incapaz de falar, de tão surpresa que estava por ele saber daquilo.

"É", disse ele. "Ela é legal. Então..." Ele apoiou um braço nas costas do assento dele no reservado. "Você é a nova presidente da EAE."

Coloquei as mãos com os dedos dobrados para dentro em cima da mesa, na esperança de que ele não notasse o estrago que fiz nas minhas unhas desde a última vez que a gente tinha se encontrado. Estrago que se devia quase que inteiramente às preocupações que eu tive por causa DELE.

"Parece que sim", respondi.

"Achei que Lilly quisesse ser presidente", disse Michael. "Não você."

"Ela quer", respondi. "Mas agora... bom, eu meio que não quero abandonar o cargo."

Michael ergueu as sobrancelhas. Daí soltou um assobio baixinho.

"Uau", disse ele. "Você se importa se eu não estiver por perto quando você explicar isso a ela?"

"Não", respondi. "Tudo bem."

Então eu fiquei paralisada. Espera... se ele não queria estar por perto quando eu explicasse para Lilly que eu não tinha intenção de renunciar ao cargo de presidente, isso quer dizer que...

Isso tem de querer dizer que...

De repente, meu pobre coração apertado pareceu demonstrar alguns sinais de vida.

"A pizza está pronta", disse o cara atrás do balcão.

Então Michael se levantou para pegar a pizza e nossos três refrigerantes — ele também pediu um para o Lars, que estava sentado a uma mesa do outro lado do restaurante, fingindo estar interessado no episódio de *Dr. Phil* que o cara do balcão estava assistindo na TV pendurada no teto — e levou tudo para a mesa.

Eu não sabia mais o que fazer. Então peguei uma fatia de pizza, coloquei em um pratinho de papel e levei para o Lars, com o refrigerante dele. Não é brincadeira ter de ficar tomando conta do seu guarda-costas o tempo todo.

Depois, voltei a me sentar e peguei uma fatia para mim, coloquei em um prato e espalhei pimenta com cuidado por cima.

Michael, como era de costume, simplesmente pegou uma fatia — aparentemente, alheio ao fato de que estava pelando —, dobrou no meio e deu uma mordida bem grande.

As mãos dele, enquanto fazia isso, pareciam assustadoramente... grandes. Por que eu nunca tinha reparado nisso antes? Como as mãos do Michael são grandes!

Aí, depois que ele engoliu, disse: "Olha. Eu não quero brigar por causa disso."

Ergui os olhos para ele meio de repente, porque estava olhando para as mãos dele. Não tinha muita certeza do que ele quis dizer com "isso". Será que ele estava falando da Lilly e da presidência? Ou será que estava falando...

"Eu só quero saber uma coisa", prosseguiu ele, com uma voz meio cansada, "a gente vai Fazer Aquilo ALGUM DIA?"

Certo. Não era sobre Lilly e a presidência.

Eu praticamente engasguei com o pedacinho de pizza que tinha mordido, e precisei engolir uns três litros de Coca antes de ser capaz de dizer: "CLARO QUE SIM."

Mas Michael pareceu desconfiado.

"Antes do final desta década?"

"Com toda a certeza", falei, com mais convicção do que eu de fato sentia. Mas sabe como é. O que mais eu poderia ter dito? Além do mais, o meu rosto estava tão vermelho quanto o molho da pizza. Eu sei porque vi o meu reflexo no porta-guardanapo.

"Quando eu entrei nessa, eu sabia que não ia ser fácil, Mia", disse Michael. "Quer dizer, além da diferença de idade e de você ser a melhor amiga da minha irmã, tem ainda o lance de você ser princesa... essa coisa de você viver rodeada de paparazzi e de não poder sair sem o guarda-costas e tal. Um homem mais fraco poderia achar tudo isso demais. Eu, por outro lado, sempre apreciei um desafio. Além do mais, eu te amo, então vale a pena."

Eu praticamente derreti ali mesmo. Quer dizer, fala sério. Será que algum cara ALGUM DIA já disse alguma coisa assim tão fofa?

Mas daí ele prosseguiu.

"Não que eu esteja tentando apressar você a fazer uma coisa para a qual ainda não está pronta", disse Michael, com tanto descaso como se estivesse falando sobre o próximo movimento que planejava fazer em Rebel Strike. Aliás, como é que os meninos conseguem fazer isso? "É só que eu sei que demora um pouco para você se acostumar com as coisas. Então quero que você comece a se acostumar com o seguinte: você é a garota que eu quero. UM DIA, você vai ser minha."

Agora o meu rosto estava MAIS VERMELHO do que o molho da pizza. Pelo menos, era o que eu sentia.

"Hmm", falei. "Ok." Porque o que mais eu PODERIA dizer depois daquilo????

Além do mais, eu não estava exatamente descontente. Eu QUERO que Michael me queira.

É só que, sabe como é, ele DIZER isso assim desse jeito, foi meio... sei lá.
Uma delícia.

"Bom, se estivermos entendidos, está bom", disse Michael.

"Estamos entendidos", respondi, depois de passar um tempo me engasgando.

Daí ele disse que, na questão de Fazer Aquilo, eu estava dispensada por enquanto, mas que ele esperava reavaliações periódicas a respeito do assunto.

Perguntei de quanto em quanto tempo ele achava que deveríamos reavaliar o assunto, e ele disse mais ou menos uma vez por mês, e eu disse que achava reavaliações de seis em seis meses melhores, e daí ele disse dois, e eu disse três, e ele respondeu: "Combinado."

Então ele se levantou e foi oferecer mais uma fatia ao Lars e ficou preso na conversa que Lars estava tendo com o cara do balcão a respeito das chances do Yankees no campeonato de beisebol este ano, apesar de, até onde eu sei, Michael nunca ter assistido a um jogo de beisebol na vida.

Mas o que ele fez foi desenvolver um programa de computador em que a gente coloca todas as estatísticas relativas a um time e daí ele determina quais são as chances de um time ganhar de outro com margem de erro bem pequena.

A verdade é que eu amo Michael. Ele é o garoto que eu quero. E, um dia, ele VAI ser meu.

E agora ele quer saber se eu quero tomar sorvete.

Eu respondi:

"Com toda certeza, eu quero, sim."

Este livro foi composto na tipografia Minion Pro,
em corpo 10,5/15, e impresso em
papel off-white na Gráfica Corprint.